# The Well at the World's End

# 世界尽头的水井

[英] 威廉·莫里斯——著
张雪黎 邓蕴——译

上

中国·武汉

**图书在版编目（C I P）数据**

世界尽头的水井：上下 /（英）威廉·莫里斯著；张雪黎等译. -- 武汉：华中科技大学出版社，2019.8
（现代奇幻原典书系）
ISBN 978-7-5680-5319-8

Ⅰ. ①世… Ⅱ. ①威… ②张… Ⅲ. ①长篇小说 – 英国 – 现代 Ⅳ. ① I561.45

中国版本图书馆 CIP 数据核字 (2019) 第 117021 号

**世界尽头的水井：上下**
Shijie Jintou de Shuijing：Shang Xia

（英）威廉·莫里斯 著
张雪黎 邓蕴 廖珺 杨会平 译

---

策划编辑：刘晚成
责任编辑：孙　念
特约编辑：刘小乔　徐艳华
责任校对：李　琴
责任监印：朱　玢
装帧设计：璞茜设计 2815932450@qq.com
出版发行：华中科技大学出版社（中国·武汉）　　电话：（027）81321913
武汉市东湖新技术开发区华工科技园　　邮编：430223
印　　刷：武汉精一佳印刷有限公司
开　　本：880mm × 1230mm　1/32
印　　张：22.75
字　　数：503 千字
版　　次：2019 年 8 月第 1 版第 1 次印刷
定　　价：95.00 元（全 2 册）

---

## 目　录（上册）

# [第一卷]

# 旅途奇缘

## Chapter 01

# 王子四人各奔前程

很久以前，曾有一弹丸之国爱普觅斯，由彼得王统治。彼得王膝下有四子，分别取名布勒斯、修、格雷戈里和拉尔夫。拉尔夫是其幼子，年方廿一，布勒斯为其长子，已过而立。

如今，四位年轻人不甘被束缚于其父王统治的一隅之地，渴望了解人生百态，也想为自己的未来奋力一搏。即使贵为王子，他们享有的物质财富也算不上丰厚，但也从不缺少美酒佳肴、豪宅府邸、消遣嬉戏的同伴和供他们寻欢作乐的少女。当然，他们也可以随心所欲去往国内任何地方，头顶蓝天白云，脚踏大好河山，漫步草甸田野，寻觅树林河溪，攀登爱普觅斯的一座座小山丘。

可除此之外，对于心中真正的渴望之物他们却无法企及。四位王子对国家没有半点统治权，要说有也仅限于驾驭马驹、管管家犬。这个国家的臣民固执粗鄙，作风专横野蛮，无论是受到武力挑衅，还是听闻粗言鄙语，都惯以拳脚回敬，也难怪彼得王的儿子们有被束于锥地之感。一国之内，既无繁华都市、恢宏城堡，亦无宏伟修道院，散布其间的仅是平民的小礼堂、乡绅庭院或带盾骑士的庄园，再不然就是些标致的教堂，以及虔诚教士的居所。不过，这些教士既不知晓罗马大道，也弄不清大臣府邸的方位。

长久以来，几个年轻人成天抱怨生活平淡无味，频频表露远游四方之心，彼得王和王后不胜其烦。一个晴朗炎热的六月的午后，彼得王用膳后在果园草地的地毯上休憩（地毯为桥边圣约翰修道院院长所赠），此刻他突然醒来，随后信步走进爱普觅斯宫殿，并遣人唤来四位王子。待他们到来，并伫立于国王的宝座前，彼得王开口说道：

“我的爱子们，你们总对父王倾诉驾游远方的愿望，我已心生腻烦。若你们真是铁心要离开，那就告诉我何时启程吧！”

四人面面相觑，三个年纪稍小的王子对着长兄布勒斯点点头。于是，布勒斯说道：“出于对您和母后的关心和尊重，我们最好即刻启程，哪怕刚用过午膳也无妨。但您贵为一国之君，一切听君圣度。我所言可稳妥，弟弟们？”其他三人都齐声赞同，“正是，正是。”国王回道：“那好！现在正是烈日当空，你们若是一路安稳慢行，没累坏马匹，日落前必可找到舒适的落脚处。你们若能在一小时之内抵达四望路，我就准许你们离开。”

彼得王的一席话让四位年轻人欣喜若狂。他们立刻收拾了一些必要的细软行囊，轻装简行；随后又拿上了趁手的武器，准备命侍从牵来坐骑。这时，他们得知侍从们已接到彼得王的旨意，早已往四望路而去。于是四人安步当车，相伴前行，一路上谈笑风生。

这里必须提一下，上文提到的四望路离爱普觅斯宫不过4弗隆[①]，位于爱普觅斯河道转弯处，河水蜿蜒流淌，穿过高地农田尽头丰美的青青草甸。这个国家朝北地势微微向上隆起，延伸至一片丘陵地带；最北端是一座未知的山脉；南面有一处与河平行的低矮山脊，自西向东延伸。若是站在山脊上眺望，往南还有更高的山川可览于眼底，同样也是东西向延伸，此处就是爱普觅斯当前的边境所在。爱普觅斯南方的邻国和平友善，常向彼得王赠礼示好。然而，虽说彼得王统治着四望路以北的一片沃土，他却并未因此尽享荣华富贵，因为他不能随意向国民滥征赋税劳役。但话说回来，若是真的被赋予这种权力，彼得王也不会真的压迫百姓，因为他性情善良，懂得拿捏分寸。爱普觅斯北面的边境常年战火不断，皆因和一片密林接壤。那片林地归属未定，彼得王与王子每次前往都可谓以身犯险。林中野鹿数量庞大，品种繁多，各种赤鹿、牝鹿居于其间。另外，还有野猪、灰熊和狼群出没。而密林另一边的国君，虽顶着圣堂男爵及主教的头衔，却比彼得王更有野心和权势。他手段狠毒，杀戮成性，但从不亲自动手，全靠封赏的庄园领主或雇佣的打手为其卖命。

彼得王的父王与长兄皆战死于密林中，而他本人喜好安宁，

① 弗隆，英国长度单位，1弗隆为1/8英里，4弗隆大约相当于804米。（译注）

很少前往密林。但他的三个儿子——年龄较长的那三个常驭马前去，并在林中策马驰骋。至于幼子拉尔夫，彼得王则从未准许他去那片争议之地。

四人终于到达四望路，只见彼得王坐于石上，面前有八匹马，其中四匹战马，四匹乘用马，并配有四名侍从。他们走到彼得王面前，静静候在一边，暗自揣摩着圣意。

彼得王说道："我的爱子们，你们马上就要启程去更广阔的天地探险，今后的生活肯定比在宫中劳碌奔波得多，如你们所愿吧！不过我也得为自己的将来考虑，我年事已高，也不可能再有子嗣，所以爱子们，你们得留下一人照顾我和你们的母后，万一国家陷入危机也好挂帅上阵，领兵作战。我一时也想不出谁该远游探险，谁该伴我左右。你们天赋迥异，优势、弱点皆不相同。布勒斯，你明智谨慎，却武艺不精；修，你英勇善战、孔武有力，但任性固执、有勇无谋，而且对酒馆侍者过分慷慨；格雷戈里，你礼数周全、能言善辩，但有些懒散，不过我倒不觉得你懦弱；至于拉尔夫，你一表人才，没准将来会集布勒斯的才智聪慧、修的英勇无畏、格雷戈里的能言善辩于一身，可现在我们对此一无所知，唯一能肯定的是你初出茅庐、涉世未深。不过，将来你肯定会比你的兄长更出色，对此我深信不疑。鉴于以上种种，我只能说，你们都是我心爱的孩子，我实在不知该如何抉择，所以就让命运代替我做选择吧！你们通过抽签来决定未来的人生，抽到最长签的就往北走；抽到第二长签的就往东走；抽到第三长签的就往西走；但抽到最短的没得选，必须回王宫，跟我同甘苦、共患难，等我百年后，最有可能坐上王位，成为爱普觅斯下一任国王。那么，爱子们，你们对我的安排还算满意吗？如若不满，恐怕你们都得留在家中了，我会供你们锦衣玉食，你们也无须担心会像过去那样因懒惰或做错事而被责罚。”

王子们互相对视一番，随后布勒斯回答道：“父王，依我看我们一定会遵循您的安排，就让运气来决定我们到底是出发还是回宫吧。”其他三位王子也纷纷表示赞同。彼得王道：“抽签之前，还有一事告之，我为你们每人配备一名侍从。红脸理查德跟从布勒斯，多年来他虽饱受病痛挫折，但他博学多才、爽直勇敢，而且熟知各类武器的特点。

“巧舌兰斯洛特追随修，他长相俊朗、彬彬有礼，且富有逻辑思辨力——尽管是法律逻辑而不是哲学逻辑。此外，他手艺精湛，正好能弥补修的不足，毕竟修前脚到一个地方，麻烦和争论后脚就跟过来了。

“黑脸克莱门特为格雷戈里效劳，他为人细心谨慎，无论是在骑士决斗中获胜，还是打造一件趁手的武器，他都是做十分说一分。

“最后，除了长腿尼古拉斯，我已无其他人可安排给拉尔夫了。虽然他比我还絮叨，但他也更聪慧，读过万卷书，也行过万里路，而且对我们的宫殿情有独钟。

“怎么样，爱子们，这样安排合你们的心意吗？”

他们异口同声道：“当然。”随后，彼得王下令：“尼古拉斯，把抽签用的秸秆拿过来给我，好让王子们抽签。”

于是几个年轻人轮番上前抽签，彼得王再将秸秆放到一起逐一比较，仔细端详后说：

“结果已出，修和兰斯洛特向北走，格雷戈里与克莱门特向西。”他缓一缓，接着说道，“布勒斯和理查德一起向东。至于你，我亲爱的拉尔夫，你得跟我回宫居住，我会看着你一天天成长，你也得让我晚年享尽天伦之乐、荣华富贵。汝爱即吾冀，汝勇即吾依。”

话毕，他起身张开手臂想搂过拉尔夫的肩膀，但拉尔夫却故意拉开与父亲的距离，满脸沮丧。彼得王看到后，脸色一沉，说道：

“别这样，我的儿子。别因无法与兄长一同远游、并肩作战而怨怼我。在王宫至少你可以享尽美酒珍馐、亲友疼爱和百姓爱戴。噢，我的好儿子，你会很幸福的！”

可是这位年轻人还是皱着眉头，不置一词。

这时，即将踏上冒险旅途的三位兄长走上前来，站在老国王面前一言不发。彼得王笑道：“噢，我的好儿子们！在爱普觅斯，你们不花一文就可得到想要的一切，可一旦出了国门，事事都离不了钱。你们总不能两手空空，囊中羞涩吧？稍等片刻，我早已给你们准备好了。”

随后他从自己的钱袋中拿出三个小袋，说道：“你们每人拿一个，这里是目前国库中能匀给你们的所有钱财。每个钱袋中既有银币、铜币，也有些未铸过的金币，以及戒指、胸针。如果将它们换算成爱普觅斯、沃尔滋国和山地众国的合法银价，每个袋中的财宝都是等值的。一人一个，希望你们物尽其用啊。”

三位王子接过钱袋，亲吻拥抱过彼得王，又分别同拉尔夫以及其他兄弟亲吻告别后，就跃身上马与侍从一道启程了。此时骄阳如火，三路人马只得耐着性子慢慢行进。而尼古拉斯缓缓蹬上自己的坐骑，领着拉夫尔的战马，先行回了彼得王的王宫。

Chapter 02

# 拉尔夫回爱普觅斯宫

拉尔夫与彼得王缓步而行，并肩回宫。一路走着，彼得王说起了自己年少时的往事。那时他在无主密林中独自纵马直到暮色昏沉，无意间遇见几个亡命之徒和江洋大盗，当时他以为自己性命堪忧，不料几人并未与他为难，反而以礼相待，等天明时还护送他离去。从此以后，彼得王再也没有发起或是参与过对不法之徒的悬赏追剿，“因为，”他说，“他们和其他人没什么分别，他们虽以劫掠为生，但掠夺的大多是富人；而有些人看似良民却合法地剥削贫民。除此以外，这些人的品性和庄园领主、骑士都毫无二致，他们当中有坏人，也有好人。我能遇到当中的好人，其他人自然也能遇到。”

拉尔夫此时却心不在焉，因为这桩逸事及其寓意他早已听过，且不止一次。对前途的思虑占据了他所有心思，彼得王所言只有只言片语能够入耳。当他们回到王宫，拉尔夫的母亲早已候在大厅门前看是哪个儿子返回家中，这位贵妇虽已年过五旬却依然保养得宜。见到这对父子时，她忙迎上前去抱住拉尔夫，亲吻轻抚他。她实在是喜出望外，是拉尔夫而不是其他儿子回来与他们同住，因为拉尔夫向来是她最疼爱的儿子。这也难怪，四个儿子中本来就数他最漂亮，也最讨人喜欢。不过拉尔夫在母亲的怀中却显得神色为难。他虽然深爱着她，也同样深爱这座宫殿和宫殿内的一切，下至窝在壁炉边的小狗，上至在泥坛中筑巢的燕子——那泥坛还是他年少时看着母亲放在凉亭屋檐下的，但如今，爱或不爱都已被抛诸脑后，他的心如弦上之箭，只想尽快跟着命运的指引行事。可当他自母亲怀中脱身，却已经重展欢颜。整个晚上他都言笑晏晏，不但在餐桌上有说有笑，就寝时还哼着小曲。

Chapter 03

# 集市小镇告别教母

拉尔夫的寝殿位于王宫里一座塔楼的顶层，那是他专属的地方，没人会来冒昧打扰。次日天刚拂晓，他便从睡梦中醒来，起身更衣，拿好盔甲和配剑长矛，然后绕过所有大门，直奔爱普觅斯河湾的浅滩。他将武器装备藏在一片小柳树林中，以防被路人看到。随后他又回到王宫，从马厩的栅栏里牵出一匹战马。这是匹灰斑牡马，取名猎鹰，强健有力。拉尔夫将它带到那片柳树林中，缰绳绑在树干上，在林间穿戴起盔甲来。待到整理完毕，拉尔夫走出树林，看起来潇洒干练，神气十足，俨然一副夏日里你或曾见过的将士模样。赶在旭日东升前，他跨上马鞍策马扬鞭，飞快穿过河滩。此时，林中的画眉鸟还未来得及唱出清晨第一支歌。

猎鹰载着拉尔夫一路迈着小步“哒哒”向南。太阳升起时，拉尔夫已经穿过爱普觅斯边界。聚居在那里的村民都是彼得王及几位王子的同胞，这对拉尔夫而言是件好事，眼下他们正在田里忙着农活。放眼望去，这儿有一小队农夫拿着长柄镰刀正向干草场走去；那儿有一位少女提着牛奶桶光脚踏过秧草地去给母牛挤奶；还有一群毛头小子，闹闹哄哄地往溪边最近的池塘走去，昨晚潮湿闷热，他们要去洗个澡以唤醒这个同样湿热的清晨。村民们都认出了拉尔夫还有他的装备坐骑，纷纷向他问好致敬，他也如往日一般回应着。这儿的居民常见到爱普觅斯的王子一身戎装地出去办事，对此早已司空见惯。不过，村民们只需解决些家常琐事，很少要奔波一天到爱普觅斯河那么远的地方，因为这条河流淌在农田以北十余英里[①]的青草地上。

拉尔夫一路马不停蹄，随后踏上了一条便捷快道，快道的一头通往爱普觅斯国，与横跨爱普觅斯河的大桥相连，这座桥由彼得王和北面修道院的教士近年来合力修建；另一头则通向一个小集镇，名曰坞镇。拉尔夫对小镇的南面知之甚少，在他心里那是个神秘的地方，充满了美好的事物和奇妙的探险。

拉尔夫马不停蹄地赶路，直到天微亮时，终于到达了集镇。第一波人潮过去，只见妙龄少女们都聚集在市场中心的喷泉旁，少年三三两两地坐在易货亭下。拉尔夫并未停留，而是径直朝一个熟人的住所走去。他曾几次到这位朋友家做客，而对方也是爱普觅斯宫的常客。这位商人，常年走街串巷，周旋于各家

① 英里，长度单位，1 英里约合 1.6 公里。

屋檐下，兜售人们需要或追捧的商品，连彼得王本人也曾多次跟他打交道。此刻，商人正站在自家崭新华丽的大门前，嗅着清晨微风为小镇送来的香甜空气。他身穿一件灰边镶银丝的秀雅长衫，面料轻薄，正适合这炎炎夏日。这身衣服并非由他亲手所做，而是命人裁剪出来。他正值不惑之年，面色红润，留着黑须，大家都称他为商人克莱门特。

商人克莱门特一见拉尔夫就报以亲切的微笑。拉尔夫下马时，他上前稳住马镫，口中一面说道："恭迎殿下！你穿得这么威风凛凛，难道就是来给我捎个口信，再到我家吃一顿粗茶淡饭吗？"

拉尔夫被他的话逗乐了，正好他也饥肠辘辘，于是回应道："没错，我就是要去你家吃顿好酒好菜，再跟我教母问个好，就挥挥衣袖走了。"

随即克莱门特就领着他走进府内。如果说这宅邸外观上已属富丽堂皇，其内饰真可谓美轮美奂。巧夺天工的雕刻壁板装饰着精致的房间，橱柜里陈列着完美无瑕的银铜器皿。餐椅和脚凳也是极尽奢华，足以和国王的宝座相媲美。窗棂上镶着流彩玻璃，以花朵、彩结和花束为图案。卧床上则悬挂着来自海外的上好织网，酷似苏丹[①]御用的那般精美。此外，商人的货仓就在起居室旁，散发着令人愉悦的混合味道。桌上摆放着美酒美肉以及锡制或陶瓷的餐具，精致华美。商人的妻子就站在

① 苏丹："苏丹"（Soldan）一词来自阿拉伯语，最初的意思是"力量"和"权威"。（译注）

桌边，虽已年近四十，但优雅高贵、风韵犹存。当年，她还是个亭亭玉立的新婚少妇时，就曾为拉尔夫端过洗礼盘，因为她出身于爱普觅斯国的名门，因此被人尊称为凯瑟琳夫人。

夫人亲切地吻了吻拉尔夫的脸颊，说道："欢迎啊，亲爱的朋友！你来得正是时候，先跟我们一起随意吃点早餐。稍后，你去镇上办事回来，再给你准备顿像样的午餐。到傍晚，你小酌一杯，等凉爽些了再回宫吧。"

夫人这番话似乎让拉尔夫有点为难，他说道："亲爱的教母，这恐怕不行，感谢你为我悉心安排的一切，但用过早餐后我就得继续向南赶路了，请容我先跟克莱门特大人说句话。大人，南面是什么地方，到那儿还有多远？"

克莱门特答道："我的孩子，你去南边干什么呢？你也知道，去那儿必须经过一片荒野丘陵。哪怕是像你这样英勇强壮的骑士，独自前去仍旧危机重重啊，殿下。"

拉尔夫面颊泛红，说："我要去那儿办点事。"

"为彼得王还是为你自己？"克莱门特说。

"你非要问的话，是为彼得王。"拉尔夫说。

商人克莱门特不是没见过他撒谎的样子，于是说道：

"亲爱的殿下啊，你必定是为了自己的事，为彼得王办差事哪儿用得着这么着急呢？难不成要我到长官那指控你图谋行凶，把你软禁起来，再通知国王你的行踪，你才肯说实话吗？"

王子气得满脸通红，但他还没开口，凯瑟琳就厉声说道："别说了，克莱门特！你凭什么干涉这件事呢？如果我们年轻的殿下想出去看看外面的世界，为什么非要得到我们批准呢？

如果他真心想去，为什么一定要他父王点头同意呢？要我说，他就该环游世界，再安然无恙地回到爱他的人身边。稍等一下！我要送你个礼物。”

她向立在角落的柜子走去，把手伸进去摸索一番，终于找出了一串小项链。项链上镶嵌着璀璨的蓝宝石和绿宝石，宝石之间则由金珠相连，远看像是一串念珠，不过主教或神父都不曾为它祝圣[1]。项链边上有个金匣子，匣子里似乎藏着什么玄机。她将这稍显艳丽的项链赠予拉尔夫，对他说：“亲爱的，戴上它，别让任何人夺走。我相信它会拯救你于危难之中，给你的探险带来好运。有它在，你就好比喝过世界尽头之井的圣水一般。”

“那是什么井？”拉尔夫说，“怎么才能找到它？”

“这我也不清楚，”她说，“不过或许真的有人找到过。我听说那井水可以祛忧解乏，治愈百病，还能让人魅力无穷、人见人爱，或许还能永生不死。”然后，她转向克莱门特说，“你从没听别人提过么，夫君？”

“听说过，”商人说，“很多次。我还听说有人喝下那井水，便能巧舌如簧，无论是买入还是卖出，无论对方多么世故谨慎，他都能蛊惑人心，无往不利。至于这井在哪儿，你在这一带肯定找不到。有人说它在枯树谷外，天知道那有多远！不过眼下，拉尔夫殿下，我建议今晚你还是跟我的侄子安德鲁一道回宫吧。老实说与其让他待在坞镇，倒不如让他跟你回爱普觅斯，省得

---

① 祝圣：据天主教《圣经·旧约》所记，“祝圣”是上帝定下的一种给人或物作上上帝标记的仪式（使人或物成为圣物或归于天主名下）。（译注）

他整天无所事事。不过，殿下，你可千万别把我刚说的让长官囚禁你的话当真。你也知道，那不过是句玩笑话。”

听了这话，拉尔夫的脸上由阴转晴，面带微笑地掂量着手中的项链。凯瑟琳夫人说：

“亲爱的，快戴上吧。这是我赠予你的礼物，来自教母的礼物，就算是国王的儿子也没理由不接受吧。”

拉尔夫答道：“戴上它符合教义吗？不会有什么巫术吧？”

“听听他这话！”她对克莱门特说，“这像是他会说的话吗？以前要是看到街上有人吵架，也不问谁有理、谁没理，就横插一脚。现在我们这只小雏鹰竟然会怕一个小金匣子和一串念珠。”

“不管怎么说，”拉尔夫答道，“我要请我见到的第一位神父为它们祝圣。”

“他不会的，”夫人说，“他才不会。谁知道他这样做会让什么灾难降临到你我头上呢？来吧，戴上项链，然后坐到餐桌边！你没见我丈夫望眼欲穿地盯着这一桌美酒佳肴吗？你只要喝一小口酒，就立刻精神抖擞、目光如炬了，王子殿下，我亲爱的朋友。”

在拉尔夫入座前，她挽过他的手并亲自为他戴上项链，又亲吻他。而她的丈夫在一边旁观，咧嘴笑着，不避讳但也没对他们说什么，只是叫来了仆人让他把猎鹰牵到马厩去。等他俩都坐定了，商人才捡起方才未说完的话头继续说道：“拉尔夫殿下，如你所想，作为一个成年人必然要敢于冒险。这就跟小鸭子会游水后就不顾孵化它的母鸭一样。不过，爱普觅斯可能不会一直保留你的王子身份。其他王子，你兄长们离开时都带了什么呢？”

拉尔夫说：“他们已经开始探险了，分别向东、西、北三个方向，每人都带着父王的祝福和一小袋钱财。大人，老实说我向来不擅长撒谎，兄长启程时父王和母后的确是希望我留在宫中的，但这违背了我的意愿。我想去外面的世界闯闯，碰碰运气。对于普通人、神父或田间农夫而言，爱普觅斯无疑是个宜居之地，但却并不适合我这样年轻气盛、血气方刚的王子。你说呢，亲爱的教母？”

夫人说：“我或许会因心疼你母亲而落泪，但却一点也不为你难过。趁着大好的青春年华，在人生中最快乐的时光去实现心愿，这是再好不过的。当然，我相信你会满载荣耀与崇敬凯旋，我可被人称为预言家呢。但求你保管好我方才给你的宝物。”

“嗯，”商人说，“享受快乐，随心所欲固然很好。不过话说回来，一副好皮相到哪儿都不会掉价，但它得要完好如初才行。殿下，现在不管我让你走或留，你都随心去吧。反正我也不是彼得王的臣民，也无权留住你。下一个地方叫海厄姆城，那是个繁华的都城，物资充盈，城墙厚实，还建有一座城堡和一个富丽堂皇的修道院。城内一派祥和，皆因修道院院长雇佣了不少士兵保卫他自己和子民们的安全，士兵们都坚决维护院长的权力，防备一切外来者。而院长大人在管理城镇上也可谓处世机智、办事得力。很多平民百姓都搬进城里，过上了富足的生活，那里也因此成了商人小贩的乐土。没有比那儿或是巴比伦城[1]更繁华的市场了。噢，拉尔夫殿下，如果你能平安到达海厄姆城，我建议你不要继续冒险前行了，去为修道院院长大人效力吧，成为他的侍卫。若是保全了性命，那将来你就可能当上侍卫队队长。对一个从爱普觅斯国来的年轻人而言，这已然是一次不错的冒险了。”

这番话并未打动拉尔夫，他没有立即回应，过了好一会才说：

“如果过了海厄姆城，又到哪儿呢？你还知道更远的地方吗？”

商人笑了笑说：“当然，再继续走就到了凶境密林，之后便是林外的国度了。不过要去那些地方，路途十分遥远。倒不是说我到过枯树谷，但我曾听人说起，有人见到过枯树谷，尽管他连一口世界尽头之井的井水可能都没喝过。”

听到这番话，拉尔夫的眼中闪过一丝光亮，脸颊泛红，却也只是淡淡地问了句：

“克莱门特大人，你知道去海厄姆城有多远吗？”

“大约四十英里，”商人说，“正如你所知，如果从这儿骑马向南走，抬头就能看到绵延起伏的丘陵，你得一口气穿过那重重的丘陵。等你站在熊丘丘顶向南眺望，也只能看见广阔无垠的丘陵以及穿插其间的算不上路的羊肠小道，目之所及不见一座城堡、修道院或是宅邸，最多能见到牧羊人的小屋棚，

---

① 巴比伦城：巴比伦王国的都城，是人类文明发源地——两河流域最繁华的城市。（译注）

或者在白垩地上的修道士的小屋及附近的小礼堂。好在那地方的水慢慢汇聚形成了一个小水塘，否则那里根本无水可用。”

他一边说着话，一边端着酒杯喝了一大口酒，又接着说：

“过了丘陵就到了海厄姆城，它位于一片肥沃的草原；一条名叫冰湖的小河流弯弯曲曲地在草原上穿行，那是块富饶的土地。给你看看丘陵产的羊毛吧，质量一流！我带回了今年收获的上等货，爱普觅斯绝对产不出这样好的羊毛。”

拉尔夫在那儿静坐了会儿，好像在琢磨什么，然后他开口说道：“尊敬的克莱门特大人，我已享用过你准备的美酒佳肴，感谢你为我所做的一切。现在可否请你再帮我一个忙？让仆人把猎鹰牵过来吧，前方路途遥远，我们得即刻启程了。”

“好吧，殿下，”克莱门特说，“既然如此，那我就照办吧。”他低声喃喃自语，“我的孩子，你说‘我们’的时候口气真不小。不过，你现在必然顶着压力，唯恐尼古拉斯来把你带回去。老实说，哪怕到此刻我都希望他一只手已经搭到你肩膀上。”

然后，他又提高音量，说道：

“我现在就去安排仆人把你的战马牵回来。但是，听我一句劝，殿下，去给海厄姆城里的圣玛丽修道院院长当侍卫吧，前途无量。”

随后，他侧身走出了房间，夫人则开始叮叮咚咚地收拾桌上的餐具、食盘和酒杯。拉尔夫在房间里走来走去，身上的盔甲叮当作响。夫人离开餐桌，走到拉尔夫身边，亲切地看着他的脸，说道：“亲爱的，可有钱财傍身？”

他顿时面颊绯红，很快又脸色一沉，不过他还是轻快地回答道："有啊，教母，银币、铜币都有。我口袋里有三个金皇冠和一堆小银币。当然啦，如果把它们一个挨着一个放在地上，肯定没办法从这儿铺到爱普觅斯。"

她笑着轻轻拍了拍他的脸颊，说：

"你这孩子哪有那么精明呢，殿下。但我知道，我夫君并不想让你两手空空地离开，否则他也就不会故意让我俩单独相处了。"

说着她就走向角落的餐具柜，打开其中一个抽屉，拿出一个小袋子，并将它交到拉尔夫的手上，说："这是教母赠予你的礼物，请你坦然接受，不必心怀不安。给你这么多，是因为如果你父王是个暴君，或许就能给你比这更多的财宝。不过现在你的钱财不会比你任何一个哥哥少。"

他微笑着接过钱袋，羞红了脸，夫人怜爱地看着他说：

"我真不知道你走后，如果老尼古拉斯来了，我是否要告诉他你的行踪，他肯定会来。换句话说，我是否该让这个老探长一路追寻你的足迹，不过他肯定会跟踪你的。"

"或许你可以告诉他，"拉尔夫说，"我去为海厄姆城圣玛丽修道院的院长做事了，好吗？"

她笑着说："你会去吗，殿下，我的夫君自诩如所罗门[①]一样料事如神呢，你真的会照他说的去做吗？"

拉尔夫只是自顾笑笑，并未回答。

---

① 所罗门：所罗门是以色列最有智慧的国王，常作为智慧的化身。（译注）

“好吧，”她说，“或许到时我就知道该怎么说了。瞧，那儿！你的马来了。再待一会儿吧，然后你就像夏日的风一样，去你想去的地方。”

她走出房间，又返回去拿了一个袋子递给拉尔夫，说：“这里有瓶酒，到了缺水的地方可以解渴，还有点肉在路上充饥。珍重，亲爱的朋友！今早起来时我怎么没想到，从今天开始我就要和我生命中的一部分分别了呢？除了镇上乏善可陈、人们不作为，也只有与你分别能让我如此烦躁了，就像此刻我只能再次说，亲爱的，后会有期。”

随后，她亲吻了他的脸颊并且拥抱了他，两人又说了会儿话，之后就让他离开了。正如先前所述，拉尔夫虽对夫人有孺慕之情，感激她所做的一切，却并不明白她对自己有多疼爱。再者，夫人也很少看见拉尔夫从爱普觅斯到坞镇来，恐怕她自己也不太明白这份感情从何而来，尽管她膝下尚无子嗣。

随后，拉尔夫上马出发。夫人一直看着他离开，直到见到他在集市转弯处回首跟自己挥手告别。在他出了视线范围后，还能看到镇上的少男少女伫立一旁痴痴凝望着他远去的背影。然后，她转身回到自己家，把头枕在桌上，轻轻抽泣起来。这时，商人悄悄走进来，站在她身边，她却一点儿也没注意到。他咧着嘴饶有趣味地朝她微笑着，然后把手搭在她肩膀上，等她抬起头，才道：

“亲爱的，哭泣也于事无补。你年轻貌美时，他不过是个小婴儿，从那时候你一直想要个自己的孩子。可后来时间过得太快，一眨眼他已成了玉树临风的翩翩少年，又是国王的儿子。

你已然四十有余，要生育子嗣可能太晚了。你虽嫁给了我这个爱斤斤计较的商人，但我也绝不是会因此责怪你的狭隘之徒。不过，你给殿下钱财，这点做得很好！这些钱币你拿着，填补一下空掉的柜子，还有这些小玩意，你可以放在原先放那念珠的地方。希望你把这看成是我也送给了他你送的那份钱币和珠饰。”

她转身面向克莱门特，接过他递来的那袋钱和珠饰，说道：“上帝知道你心地善良，我的夫君，但愿上帝能让我也有一个像他一样的儿子！”

她又抽泣了一会儿。商人说：“平静下吧，亲爱的！随他去吧！再见面至少要等一两年，到那时恐怕他会带着他最心爱的女人一起回来。谁知道呢，或许在某种程度上，他已经把自己当成是我们的儿子了。你已经做得很好了，亲爱的，所以你得开心点。”

话毕，他吻了吻她，然后又去看货物了。她则转过身去安排打理家中事务，心中仍有些伤感，但还不至于难过。

## Chapter 04

# 穿越丘陵地

至于拉尔夫，他怀着一颗雀跃的心驭马前行，平平无奇的乡野风景终于到了尽头，此刻丘陵出现在他眼前，一条白色的山路顺着地势蜿蜒至最高处。山势即将升高之处，有一个小村庄坐落在小溪边，那里有座精巧的教堂和教士住的小屋。拉尔夫向教堂骑去，想看看那里是不是有圣尼古拉斯[①]的圣坛。因为圣尼古拉斯是他的主和守护神，他想在那里为自己的旅途祈福。但当他走近教堂后院时，他看到院门旁边拴着一匹黑色骏马，像在等什么人。他从马鞍上翻身落地，却见一名男子匆忙地穿过教堂的门，大步走向后院的门。这人身材高大，一身戎

① 圣尼古拉斯：圣诞老人的原型，公元3世纪出生在今天土耳其的帕塔拉，是历史上真实存在的一位主教。他在世时特别爱护儿童，尤其愿意帮助贫苦的孩子，据说常常将礼物偷偷塞在小朋友的袜子里送给他们。有人认为圣诞老人（Santa Claus）其实是爱尔兰语 Saint Nicholas 的变形。由于他的慈爱，几乎各行各业都把他当作守护神。（译注）

装；头上戴着闪闪发光的精铁便盔，把脸完全盖住，只露出一点下巴，手臂和腿上都覆有铠甲；铠甲外面罩着一件绿色大麾，上面用金丝勾勒出一棵光秃秃的树；他的脖子上挂着一把精钢小斧，身侧还佩着一把大剑。拉尔夫站在院门外看着他，手放在门闩上。但这大汉一来到就粗暴地把门扯开，挤过院门，把拉尔夫挤得直往后退，险些跌倒；然后他便纵身一跃，跳上了马背。拉尔夫差点没站稳，腾一下火冒三丈，立马作势要拔剑出鞘。这武夫却叫道："收剑！ 收剑！倘若每个因赶时间而把你撞到的人你都要较量一番，你的小命也就不长了。"

他边说话边调整在马鞍上的坐姿，然后一甩缰绳，奔向山路。等他跑到远处，除了他露出的一缕红发，拉尔夫已看不清他的样貌。这时他突然拉停缰绳，转过身掀起便盔把脸露出来，似乎是对着拉尔夫大喊："这是第一次！"然后他放手让头盔面罩落下，用脚上的马刺大力策马疾驰而去。

拉尔夫站在原地看着他在长长的白路上越变越小，心中疑窦丛生：这话是什么意思？这个陌生人又是怎么认出他的？如果这个人真认识他的话会怎样？但眼下，他要暂时把疑惑放开。他走进教堂，里面果然是他的主和挚友圣尼古拉斯。拉尔夫在圣坛前念了一遍祷文，恳求上帝的帮助，并献上祭品；然后就离开教堂再次上马。因为此时正烈日当空，他便优哉游哉地往丘陵地前进。

路又陡又绕，往下是一个浅浅的山坳，往上是一个极陡的弯道，使得拉尔夫只能看到左手边的一小段路面；但当他终于登上山顶俯瞰这段弯道时，他看到了坡面上的奇怪图案，有人扒掉了轮廓的草皮，露出底下的白土让图案更清晰。山坡上刻的是一棵长着叶子的树，两边各站着一只野兽，似乎是两只熊扶着树直立，图案看来非常古老。然而从山脚那个叫作尼德屯的小村庄根本看不到山坡上的这些图案，因为草坡朝向之前经过的西面山坳；但如果从坞镇过来，这些图案就能看得一清二楚。拉尔夫以前常见到它们，但从没走得这么近。他们那儿把这座山叫作熊丘。山顶还有一座古人建造的土堡，他们称之为熊堡。现在拉尔夫骑着马来到山顶，可以径直穿过这座古堡，因为围墙早就已经被推倒，散落一地。

他越过残垣断壁，来到最高处，回头望向骑马经过时只觉得景色沉闷的乡郊，原来下面这片地区延绵足有 1 里格[①]。他在枝繁叶茂的夏日沃野中找寻爱普觅斯河的踪影，但爱普觅斯河根本无处可寻，也没有任何标记可以引向爱普觅斯的宫殿；不过，他还是觉得自己认出了无主密林与林后的山丘。这时他调转马头，望向丘陵的另一边下坡处：只看到山丘此起彼伏，一个接一个像是平静海面上微微泛起的波浪；但浪顶处既没有树木，也没有房屋；只有一条比山坡颜色更深的绿道随着丘陵起伏处伸下去。

他就这样定定地看了一两分钟，耳边拂过的西南风，拨动数不清的草茎和亭亭玉立的花苞，发出奇妙的乐声，不时还有蜂鸣应和。一股豪情壮志涌上心头，于是他利刃出鞘，舞剑而

① 里格：一种古老的陆地和海洋的计量单位。最初的意思是一人一小时之内能行走的路程。中世纪之后不同国家之间的计量长度也各不相同。英制单位中陆上 1 里格约等于 3 英里，即 4.8 公里。（译注）

起，剑指南方，大喊道："世界来迎接我吧！我要在你的庇佑下从世界的一头闯到另一头，从汪洋大海闯到群峰之巅！"

他把手中的剑握了好一会儿，才收剑入鞘，然后不慌不忙地骑马踏上土堡壕沟上野草丛生的小桥，来到那条由古人修建的、年代久远的绿道，信马由缰一路往南。

穿过丘陵地的经过不必多说。直到登上一座排着七座古墓的小山丘，他才看到一名躺在羊群中的牧羊人。牧羊人听到身边有马在打响鼻，看到有铁器的反光，便倏地从地上弹起来，抓起身旁的短矛。但当他看到来人是拉尔夫，听到他向自己问好，便友善地点了点头，但没有回以问候，因为他成天一个人在丘陵地独处，早已不习惯开口。

拉尔夫又往前走了两英里路，一群羊从前面上坡的一个弯转过来，后面跟着它们的放牧者——三个汉子。他们越走越近，拉尔夫被围在羊群当中，几乎连路都看不见了。这三人带着三件不同的武器，一个带着长柄战斧，一个带着长矛，还有一个带着流星锤。他们腰带上都系着一把双刃短剑。他们站在路中间，等羊群都走过以后向拉尔夫打招呼，其中带着长矛的男人问他到哪里去。"我要去海厄姆城，"他说，"从这里骑马过去还有多远？"

其中一个人说道："不到二十英里了，大人。"现在已经是午后两点，天气正热，而且这些人除了衣服有点破，看起来都挺和蔼友善的。于是拉尔夫翻身下马，在路边坐下，然后从口袋里拿出一瓶好酒，问这些人是不是要赶时间。"不，大人，"带着长柄战斧的人说，他的目光早已锁定酒瓶，"那个人已经走得很远了，不会回过头来管我们的闲事，我们也没空理他。”

“那就好，”拉尔夫说道，“我们可以趁机小酌一番。你们有带杯子吗？让我们一起举杯祝酒。”

“当然，”那个佩着短剑的人说，“我有。”他从一个袋子里掏出一只镶着银边的羊角杯，把它举起，像在对它说话一样，“来吧！瑟利！举杯庆祝吧！张嘴接住大人带来的美酒！”

然后他把羊角杯举到拉尔夫面前，拉尔夫笑着把酒斟满，然后又把自己贴身携带的小银杯斟上酒，说道：“向你祝酒，牧羊人们！祝你们羊毛收割得越来越多，坏传闻越来越少！”说完他便一饮而尽。

“至于我，”带着羊角杯的人说，“为了您的健康着想，倒要祝你传闻越来越多，收割的羊毛越来越少！”

“哎呀，哎呀，你是什么意思？小滑头瓦特？”带着长矛的人边接过羊角杯，边说道，“大人和我们分享他的美酒，这番祝词可不像话。”

瓦特说道：“怎么了？老兄，怎么了？你的脑筋还没转过来吧。骑士收割的羊毛就是战争和战场上的胜负，那自然意味着伤亡，传闻只不过是吟游诗人信口开河的夸夸其谈，所以你觉得对他来说什么才是好祝词呢？是希望他遇上更多伤亡呢？还是不痛不痒的谣言和风言风语？”

拉尔夫禁不住放声大笑，遇上这些家伙实在让人开怀，但那名带着长矛的老人说道：

“别听瓦特说的话，大人。他说的可是玩笑话，你可别以为我们这些丘陵牧羊人整天只想着美酒飨宴，在醉后逞匹夫之勇；有一天你会发现事实恰恰相反。如果真有那一天的话，我们一定唯你马首是瞻。现在，尊贵的阁下，愿你勇往直前，好运不断！感谢你带来好酒，更感谢你这份美好情谊！”

拉尔夫把羊角杯斟满了一次又一次，直到凯瑟琳夫人所赠的上好佳酿已经所剩无几，他才说道：

“好了，各位，我现在得上马出发了。但我希望，你们能在分别以前告诉我之前所说的‘那个人他已经走得很远’是什么意思？‘那个人’是谁？”

话音刚落，这些人神色骤变，他们面面相觑，最后还是那名带矛的老人家回答了他：

“尊贵的大人，这种事我们本来不想说，因为我们只是穷苦百姓，即便没有老板盘剥，但也没有主人护佑；我们不识文不认字，照我们的活法，只能在荒野中独自谋生，连教堂都没去过几次。但你这样一位血统高贵的绅士既然愿意与我们把酒同欢，我们就跟你直说吧。前不久有人在绿道上骑马往南跑去，裹着一件像绿道那么绿的大麾，胸口还饰有一棵光秃秃的树。他从我们身边经过时，我们听到他一边快马加鞭一边喊道‘刀尖对刀刃，刀尖对刀刃！群山之中血流成河！’在我记忆里，我这辈子见过这人三次，每次见到他，厄运和死神就随之而来。再说，今天是施洗约翰节前夕[1]，所以我们觉得这意味着更糟

① 施洗约翰节前夕（也叫仲夏节前夜）：施洗约翰是基督的12门徒之一，据《路加福音》记载，他在基督出生（12月24日）的6个月前，也就是6月24日诞生，但包括英格兰在内的大多数国家都会在前一天开始庆祝，因此每年6月23日夏至这一天是施洗约翰节前夕。据说这天在家中门廊悬挂圣约翰草可以驱赶邪魔。同时，这一天还会举行盛大节庆，具体在第五章中有所描述。（译注）

的事情会发生。你对这件事怎么看呢？”

拉尔夫站着没说话，脑海中却浮现出在教堂后院门前撞到的那名大汉，所有这些传言都让这个人越显神秘，但他还是说道：

“我对这事没什么头绪，也帮不上什么忙。将来或许我会雄霸天下，但如今我只是个小人物。现在我可以为你们做的，就是明天以你们的名义在圣玛丽[①]教堂举行一场弥撒。将来如果我如愿以偿，当上这片土地的主人，我一定会当一个好国王，为我的丘陵牧羊人仔细调查这件事，让他们活得舒心、死得安心。愿圣母玛利亚助我如愿！”

老牧羊人说道：“你立的誓词，言辞恳切，态度真诚。如果真能实现，言语不能表达我们的感谢，只能以行动回报。如果有朝一日你回到这里，需要一支军团支援，那么就在熊堡最高的围墙四角点上火堆，并且记住喊出这句暗语——熊王，请以战斧毁天灭地！那时你就会看到奇迹降临。现在是时候说再见了，愿诸圣与你同在！”

拉尔夫也向他们回以祝愿并向他们道别，然后骑上马沿着绿道飞驰离去。三个牧羊人挥舞着手中武器作别，目送他离去。

---

① 圣玛丽：即圣母玛利亚，是基督生母。据《圣经新约》载，犹太女子玛丽还是处女时便受圣灵感应而怀孕，后来在马棚中诞下耶稣基督。（译注）

Chapter 05

# 抵达海厄姆城

此后一路平平无奇，直到他走到丘陵草地的尽头，终于看到山脚下的海厄姆城。一座白色堡塔矗立在山丘之上俯瞰全城，护城河弯弯曲曲地穿过一片草原。那草原就跟克莱门特所说的一样肥沃秀美。城内三座教堂高塔拔地而起，凌驾于其他铅灰色的屋顶之上，其中最高的那座就是历史悠久、宏伟壮丽的大修道院教堂。现正值黄昏，城垛上的镀金风向标和天使翅膀在夕阳映照下熠熠生辉。

拉尔夫迅速骑着马奔下斜坡，眼看太阳就要落山，而他并不知道城门何时关闭。这条路陡峭曲折，一个多小时后他才到达城门口，门还开着，似乎一会儿还不会关，因为有很多人在呼啦呼啦地往城里挤。在他进入这片平原国度后，身后的路很快就被人群挤满。城门宏伟坚固，不过在那天傍晚拉尔夫并没有见到士兵。他骑着马随意地走到一条街上，满眼望去全是穿着盛装华服的人。拉尔夫这才想到这是施洗约翰节前夕，他料定前面必有盛宴。

大街上人满为患，他只得先在一边等着。随后，原本站在他身边紧挨着猎鹰的那位修道士转过身来，向他问好，说道："从您的武器和行头来看，您是从外地来的吧，骑士先生？"

"是的。"拉尔夫说。

"要到哪儿去呢？"修道士问，"您在城里有亲朋好友吗？"

"没有，"拉尔夫说，"我想找一个能负担得起的舒适旅店过夜。"

修道士摇摇头，说："你看到那些人了吗？今天正是节庆日，又是晒草季节之后的仲夏。除了我们修道院，你在别处怕是找不到落脚地了。怎么办呢？一直往前走，那儿有最舒适的住所，去拜见一下我们的修道院院长，他最喜欢像你这样年轻敏捷的侍卫了。看！现在人群散开了点儿，让我牵着你的马，带你走捷径过去。"

拉尔夫没有拒绝他，两人钻过拥挤的人潮，一直走到集市广场上，那儿宽阔整洁，地上铺满石子。广场三面耸立着高大宏伟的房屋，另一面则是一座大教堂，比那三座房子高出不少。教堂大部分都是新建的，虽然大主教并不是启动该工程的人，但是他承接了上一任大主教的工作，并竭力推动这项工程。此外他十分富有而且慷慨大方。这座教堂在斜晖下宛如黑色黄金，镀金彩绘的石像则好似金块上的珠宝。

"不错吧？"修道士说，因为他注意到拉尔夫在为这巧夺天工的教堂而惊叹，"这是世上最美的房子，住在里面的是世上最快乐的人。”

随后，他带着拉尔夫继续往前走，徒步穿过大广场。拉尔夫看到广场上站满了人，好在场地十分宽阔，所以人群并未显得太过拥挤。此刻，在广场中央放置着被鲜花缠绕的一大堆木头，在那附近有一个舞台，舞台的一边挂着昂贵布匹搭成的帷幔。他问修道士那代表什么，修道士答道，那木头是用来在仲夏节前夜点篝火的，之后舞台上还会有演出。他领着拉尔夫走到大西门南边的一个小巷，沿大教堂的一侧来到修道院大门。在那里拉尔夫受到了热烈的欢迎，并得到了优等骑士必备的所有物品。之后，他被带进宾客大厅，那房间装饰华丽，里面人潮涌动，三教九流，各阶层的人都有。厅内有两个副修道院院长的上座，他被带到其中一个位置坐下，旁边则端坐着一位尊贵的领主，他是圣玛丽的臣子。丰盛的晚宴随即开始，上好的佳肴美酒、精美的餐具酒杯，所有一切都极尽奢华。厅内墙上挂着一张高贵典雅的花毯，毯子上描绘的是“人类心灵的朝圣者”。

厅内不少人都主动与拉尔夫攀谈，对他格外尊敬有礼。他听到人们在讨论海厄姆城圣玛丽修道院所统领的这片土地多么富有并且愈加繁荣，听到大家称赞修道院的院长多么伟大强势，权力大到可为所欲为，却致力于助人奉献，期望让所有人都幸福愉悦。人们还谈论起其他地方的动荡和战争，称赞着海厄姆城的和平稳定。

拉尔夫听了这一切，不过微微一笑，自言自语地说，或许对其他人而言这里很可能就是旅程的终点，但对他而言和平安定与荣华富贵是远远不够的。因为尽管这儿比爱普觅斯繁荣，但他在国内也过够了安稳的日子。既然选择外出闯荡，就不是为了享受和平，而是要看看在自己青春年少之时，以自己的勇敢才能、雄心壮志，凭借机遇好运究竟能完成什么样全新的挑战。

随着晚宴的结束，餐后美酒小食被端上来，宾客大厅也逐渐冷清，这时之前带拉尔夫进来的修道士走到他跟前，说：

“大人，如果你要出去也并无不妥，你可以像其他客人一样去大广场看以圣约翰之名举行的仲夏节篝火，在那能看到很多海厄姆城的习俗。孩子，你看！”

他指着大厅上的窗户，窗外出现了拿着火把的人群，将自己照得通红发亮，好似在夏夜的黄昏诞生了一个个火热的白昼。火光透过窗户照射进来，让大厅的烛光黯然失色。拉尔夫吃了一惊，用右手去摸剑鞘，但是那把剑方才已给了管家。修道士笑着说：“别害怕，阁下，在海厄姆没有敌人。快去吧，免得去晚了错过表演。”

他领着拉尔夫走到广场，看台前有专为教士及其客人准备的座位。广场上人山人海，片刻前还拥挤的街道此刻已经空无一人。

几队穿着锃亮铠甲的士兵像圈羊的栅栏般将人群围起。不过，他们对百姓不仅毫不粗鲁，反而谦逊有礼。数不清的火把和灯标在静谧的空气中不断燃烧，将夜晚映照成白昼。在舞台脚手架上站着几位满面喜色的人，不过拉尔夫没来得及询问他们的姓名和身份。

大教堂的高塔上传来钟声，很快大钟被按序敲响，音色分明地奏出一曲和谐的乐章。钟声一响，只见脚手架上盛装打扮的人们迅速散开，拽着一块帆布的背面将它拉起，布上画着一片岩石山坡，坡上有一洞穴。随后，一位国王扮相者缓步走来，牵着一名面容姣好的少女，他身边还有一位穿着华丽、头戴王冠的贵妇人。两人亲吻过少女，为她叹息几声就顾自离开了。少女则孤身在磐石上坐下，掩面哭泣。正当拉尔夫还在想其中缘由，猜测少女为何伤心时，却发现地上有东西在蠕动。它慢慢从岩石的裂隙中爬出，原来是一条巨首恶蛇，在火把的照耀下，蛇身上的鳞片闪闪发光。拉尔夫立即起身，担心少女会被巨蛇吞掉，但一旁的修道士却拉拉他衣角示意其坐下，笑道："坐着吧，大人！英雄早就准备好了。"

拉尔夫又坐了下来，有点尴尬地继续看着演出，不过他的心还是提到了嗓子眼。少女看到了面前的巨蛇大吃一惊，那怪物张着大嘴慢慢向她爬去。突然，从岩石的缝隙中跳出一位骑士，他手握利剑，扑向巨蛇与之搏斗。巨蛇则竖起身子拼命抗衡，二者你来我往，战况胶着。少女则双手合十，跪倒在一边。

看到这儿，拉尔夫明白了这演的是圣乔治大战恶龙[①]的那场戏。于是他静静坐着，看到英雄砍掉巨蛇的头颅，走到少女身边，亲吻拥抱她，再将那可怕的蛇头拿给她看。随后，

① 圣乔治：据基督教史所述，圣乔治原是一个殉教者，活动于公元3世纪。自6世纪起，传说他曾因从一条恶龙爪下拯救过一个女郎而被后世颂扬。从8世纪起，他被神化为圣者，还成了英格兰的保护神。（译注）

又见一群人跑到脚手架边，原来是国王、王后，以及穿着精致法衣[①]的主教和几位骑士。他们站在圣乔治和少女身边，几位乐师开始奏起竖琴和小提琴，其他人则开口唱着甜美的歌谣，向圣乔治和被拯救的少女表示祝贺。

演出结束后，修道士说："这个戏是我们主教的侍卫们特地准备的，主教曾誓死追随过圣乔治，他是侍卫们的朋友和敬仰的主人。随后将演出几场其他戏剧，讲述黄金时代[②]的荒野流民和他们在林中宴请宾客的故事，那是由文人和画家共同完成的。在那之后便是服装商人和织布工安排的圣艾格尼丝[③]游行表演，我们城里的商人、织布工不仅人数众多，而且技艺精湛。你虽年轻，但今天一路劳碌奔波，想必也没精力再参加游行了，所以我最好直接带你离开。而且我想，从教堂的屋顶甚至塔楼上我们能看到的会比在这儿多得多。你愿意去吗？"

拉尔夫更想坐在这里看完所有剧目，这些戏实在太精彩，简直勾去了他的魂。但是出于羞涩，他又不知道怎么拒绝修道士。修道士则一把拉过他的手，带他穿过人潮，向教堂的西门走去，西门北侧的角落里藏着一个小门。然后，他们爬上里面的楼梯，走了好一会儿才到达西门外的走廊。从那儿抬眼远眺，拉尔夫好似看到一条如白昼般漫长的路，那条路甚至高过所有房子的屋顶。

---

① 法衣：主教在主持盛事时所穿的服饰。（译注）

② 黄金时代：古希腊神话中美好的远古时代。（译注）

③ 圣艾格尼丝：基督教敬奉的童贞女和殉道者，生活于公元 4 世纪初的古罗马。传说艾格尼丝容貌十分美丽，约 13 岁时自称除了耶稣以外别无所爱，矢志终生不嫁。（译注）

他们站在那儿，凭栏俯瞰着广场和人群，方才上楼时还在鸣响的大钟，此刻却静谧无声。突然，下面的人群闹腾起来，他们看到有人拿着火把走向那堆木头，霎时间木堆窜起高高的火焰，所有的人都一齐兴奋地欢呼呐喊着，钟声则在他们的头顶上再次长鸣。

修道士用手指向远方，说：“您瞧！尊贵的大人，平原的枕地上点起了一堆又一堆的篝火，枕地下就是一个临河的小山村。”

拉尔夫果真看到在西面燃起一团接一团的火光。修道士说：“如果我们站在高塔上向东望，你会看到更多这样的火光。所有篝火都是主教大人的臣民和佃农自己堆积点燃的。今晚，他们点燃的不过是仲夏篝火。但你不用怀疑，一旦这里开始打仗，每一个火堆都代表着至少十名勇士、弓箭手和士兵，他们都随时准备为主人冲锋陷阵。厌恶圣教堂、欺压百姓的邻国君主对此再清楚不过。正因为如此，我们才能在城内享受着和平稳定的生活。”

拉尔夫听完他的话，不发一言。附近闪烁的火焰、欢呼的人群和规律的钟声扰乱了他的思绪，他也不知该说什么。但修道士从栏杆边转过身，看着他说：

“你风华正茂，英俊潇洒，强壮有力，而且我认为你骨子里温文尔雅，今天有幸能和你面对面说话，我想说，如果你能追随主教，你将永不后悔。你想，有什么理由拒绝为他效劳，成为军官之首，与君王打交道呢？”

拉尔夫看着他，还是没有说话，因为他无法集中精力想出对策。修道士说：“我请求你，年轻的大人，考虑一下吧。我保证，没有哪儿的生活比这儿更好，哪怕你是国王的儿子也会认同。没人敢违背我们主教麾下侍卫的命令，也没有哪个君主能与我们主教相提并论。”

“是啊，”拉尔夫说，“你说的都是事实，但是我不知道我是否要找一位主人。”

修道士说：“不，请你一定要去见见我们主教，如果你愿意可以明天就去见他。”

“我想得到他的祝福。”拉尔夫说。

“你会得到你应得的，”修道士说，“不过，你看看那边，主教已经向这边走过来了。”

拉尔夫往下一看，只见人群分成左右两列，中间留出一条路，由士兵把守着，队伍里还穿插站着持十字架者和教士。在喧嚣的人群上空响起了嘟嘟的号角声。

“如果主教过来了，”拉尔夫说，“我希望在今晚入睡前能得到他的祝福。我们快下去吧，这样就可以跟其他人一起跪拜他了。”

“什么！”修道士说道，“大人，你宁愿和这些普通大众一起跪拜主教，而不愿在他的私人住所与他单独面对面交流吗？”

“神父，”拉尔夫说，“我并不是什么大人物。明天我必须准时启程，这里的职务远超过我的能力，我无法胜任。”

“好吧，”修道士说，“或许以后你会回心转意再回来，既然如此我自不多言。”

于是他们走下塔楼，来到人群中，台上的篝火还在熊熊燃烧，使得夏季夜晚明亮得如同白昼。教士为拉尔夫开辟出一条通道，好让他们站在人群的前排。两人站了还不到一分钟，就听到了教士们的歌声，看到主教从大门里出来，踏上人群中分出的那条小道。所有人都齐刷刷地跪下，主教停下了步伐。拉尔夫感觉到有人在扯他的袖子，但挤在一大群人中间有点拉扯毫不奇怪。不过他还是转过身来，看向左边，拖拽正是来自那个方向，他看到跪在他身边的一个高大士兵，头上戴着的便盔几乎遮盖了整张脸，只露出一点下巴。看到他，拉尔夫突然想起那个身上有无叶树图案的人，他扫视对方的外衣想知道他带了什么武器。可那人只在盔甲外穿了件白色亚麻罩衫，此外再无他物。但拉尔夫听到有个声音说："第二次！"据此，他认定眼前这人就是上次碰到过的那个武士。不过，拉尔夫还没仔细打量他，甚至还没跟他说上话，身着金色衣装的主教走了过来。主教站在华盖[①]下，头上戴着宝贵的法冠，手中拿着权杖。作为拥有至高权力的领主，他似乎一直都是教会的大牧首[②]。

主教经过时，拉尔夫的目光紧紧追随着他，看着他抬起手为民众祈福。他又高又瘦，胡子刮得干干净净，面部偏窄，但并非老态龙钟，看起来也就五十岁上下。拉尔夫吸引了他的目光，主教朝这个年轻人和蔼一笑，有那么一瞬间拉尔夫认为自己不妨在圣玛丽教堂待一段时间。他想，如果我的父王或者尼

---

① 华盖：位高权重者座位上面或者后面悬挂的顶棚或者披风。（译注）
② 大牧首（或宗主教）：早期基督教在一些主要城市如罗马、君士坦丁堡、耶路撒冷和亚历山大的主教的称号，比一般主教地位要高。（译注）

古拉斯听说我在这里，他们必定放心让我独自待在这儿。

随后，主教走向自己的座位，在华盖下入座，民众也随即起身。但是当拉尔夫寻找那个戴便盔的人时，他已不见了踪影。主教坐定后，人们在篝火边围成了一个圈，十二个少年进入圈中，他们身上只穿了羊皮，腰上围着用鲜花树叶编成的花环，每人带着一个用稻草、麻绳混合沥青、硫黄做成的轮子。少年们点燃轮子，推着它绕着篝火走了十二圈。随后，十二个跟那些少年同样打扮的少女走了过来。少年和少女两支队伍都走近快要熄灭的篝火，站在一边，手牵手围着火堆跳起了舞。其间，小提琴家演奏了一首拉尔夫从未听过的欢快曲调。舞毕，男女又两两组合，来回跳过篝火。等最后一对跳完，人们提着水桶走上来泼向舞者，水像小溪般流下。最后，所有人一起用脚踩灭篝火里未熄灭的余火，火星四溅，散落在广场上。

与此同时，男人们一直喝着葡萄酒、麦芽酒以及其他美酒。每个人都开怀畅饮，尽情享受，喜悦无比。

但拉尔夫此刻却无比疲惫，说："神父，请你带我离开人群吧，带我去个能睡安稳觉的地方，万分感谢。"

他说话时，广场上空响起了号角声，主教站起身并再次祝福了他的臣民。修道士说：

"来吧，尊敬的殿下，我这就带你去就寝。"说完他笑了笑，带拉尔夫走出人群，直接抵达修道院，走进一个精致的小房间。房间的墙上挂着圣克里斯托弗和圣朱利安的画像，他们是旅行者的守护神和盟友。随后，修道士给拉尔夫拿来美酒和小食，道了声晚安，就离开了。

拉尔夫脱下衣服，自言自语地说：“真是漫长的一天。我从没想过哪天会像今天这样，经历这么多事。见到那么多新鲜事，今晚肯定会梦到，哪怕此刻我还醒着，眼前却仿佛已然浮现了那些画面。”

他躺在床上，进入了梦乡。梦中他拿着鱼钩在爱普觅斯河深处钓鱼，而且收获颇丰。可片刻过后，他钓到的猎物竟变成了一卷塞满羊毛的镀金纸。随后，河水居然也消失了，他只好把鱼钩扔到干涸的河道上。他从梦中醒来，看到天已微亮，听到教堂的大钟敲打了三下，画眉鸟在修道院的花园里唱着今晨的第一支歌。拉尔夫翻了个身又睡着了，直到日上三竿才醒来，这期间他再没做过什么梦。

## Chapter 06

# 离开修道院

拉尔夫被人叫醒了，正是昨日带他到处大开眼界的修道士。他站在床边，手里拿着一大碗牛奶。拉尔夫坐起来，揉了揉眼睛，有种年轻人的懵懂稚气。修道士不禁笑了起来，说：

“这可好，大人，这可好！我最乐意看见年轻人早起时的睡眼惺忪，有一种生机勃勃的劲头。我已经能看到你在历经磨砺后，回来为我们领主率兵杀敌、大战四方的那一天！”

“昨晚那些篝火怎么样了？”拉尔夫问道，他还没完全清醒。

“篝火怎么样！”修道士说道，“还能怎么样？它们早已化作冷灰余烬了。正如那凡人的种种雄心壮志，在蒙圣堂恩召回归大地怀抱之前，便已烟消云散了。好了，大人！起来吧，喝了这杯清晨甘露，之后你若是执意要走，便趁早启程，且要快马加鞭。因为要在天黑前赶到四湾镇，你还得穿过凶境密林，那是必经之路。可是孩子，树林里有些家伙很难对付；基督因他们的罪孽受十字架之刑，可他们已忘却地狱的可怕，也不再对天国心怀向往，只信奉‘与其天下人负我，莫如我负天下人’。而且，林子里还有些比他们更可怕的人物——愿主保佑！不过，我有件很不错的锁子甲足以应付他们，我还要送你一条念珠，孩子，这预示我们会在圣母玛利亚教堂里再次相见。”

这时拉尔夫已经接过碗正在喝牛奶，但他从碗边瞥到，修道士从他的袍子里扯出一串念珠，看起来几乎和凯瑟琳夫人所赠的礼物一模一样，除了末端换成了十字架形状的小匣子。拉尔夫把碗里的牛奶一饮而尽，起了床，光着身子坐在床边，全身上下只有脖子上挂着凯瑟琳夫人的礼物。他伸出手接过修道士那串念珠，就像平常他说话时需要斟酌词句那样，他的脸又红了。但他还是这样说：

“神父，我很感谢你。但我脖子上带着的念珠是我一个珍贵的朋友所赠，如果我接受你的礼物，并把它们戴在一起，我主会知道的。”

修道士装出一副严肃的样子，说道：“如你所说属实，我的孩子，那么我这串念珠，即便它早在圣理查时代[①]就已经受过祝圣，它也绝对比不上由挚友所赠的心意，一丁点都比不上。”他边说，边注意到拉尔夫的脸变得更红了，而且眉头也皱了起来，“但即使这礼物带着美好祝愿，它也不过是一件世俗物件。

① 圣理查(St Richard of Chinchester，1197-1253)：原文为Holy Richard，英国主教。(译注)

因此，既然你要踏上危机四伏的旅途，最好把它留下，让我替你保管直到你平安归来。”

他说话时非常焦虑地看着，不，应该说是非常贪婪地看着拉尔夫。但拉尔夫没有说话，因为他心中早已决定：绝不拿教母赠予的礼物与任何削发修道士交换什么圣物。可是他非常苦恼，初生之犊该如何对付一只老狐狸呢？于是他站起来，拿起自己的衬衣，当他把衣服从头上套进去的时候，他开始唱起了爱普觅斯宫里的那首黄昏之歌，歌词大概是这样的：

君从芳草走来，问君巾帼须眉？
只见佳人短衣，未见才子虬髯；
明月欲放光彩，清风拂汝脸庞。
愿携女伴嬉戏，抑是寻我踪迹？

明月照亮大地，唯见长裙逶迤；
榛树近旁坡地，金风初逢玉露。
素手沉沉在握，终得一吻难忘；
总有百般挂肠，不故吾心欢盈。

共披烛光对谈，摇红双影相看，
爱怜汝足柔兮，何以奔走田间？
佳人赤足采花，不误苜蓿季节，
四下杜啼歇息，仲夏时分将至。

糙糙吾之手掌，扛握镰刀山上，
俯耕为佳人兮，神魂颠倒吾心。
灼灼夏日午后，见汝眠枕菩提，
流连绮梦懒醒，为汝驱蚊逐瘿。

烈日炎炎在天，吾足灼灼在地，
起伏山丘左右，羊群相伴前后。
静坐幽幽山间，耳畔寂寂无风，
膝上汝之睡容，轻谣伴兮入梦。

汝兮大地之友，近兮佳人朱唇，
如沐日之光华，馥郁五月草地。
岂论荒山灰岩，何言水深火热，
誓必永随我爱，乃至天地相离！



修道士听明白了，但他眉头紧锁，显然不喜欢拉尔夫的这番言辞，不过此时表达质疑并不明智。于是他离开房间，却把那串念珠留在窗台上。拉尔夫开始迅速地收拾自己。等他穿戴整齐，他走到窗边把念珠拿在手里，好奇地把它翻来覆去仔细端详，然后又把它留在窗台上。接着他也离开房间，来到修道院的前庭，看到那儿有一个侍从已经带来了他的武器和坐骑，侍从还帮他穿上了整副行头。

然后，就在他刚把脚放进马镫的时候，修道士来了，他重展欢颜，左手拿着那串念珠，但这次并没有说要送给拉尔夫。

他和善地朝拉尔夫点了点头，说道：“现在，大人，我能从你的脸上看出来，你已经决定要遵循世俗之道[①]了，但这十有八九会让你后悔的。”

这时拉尔夫口中突然冒出一个问题，他问道：“神父，你能告诉我，谁能决定什么才是世俗之道吗？”

修道士脸红了，不发一言。拉尔夫又说道：

“说真的，造物主有失手的时候吗？”

这下修道士恼了，但他强作镇定，回答说：“这样的事情无论对你还是对我都过于深奥了，大人。但我可以告诉你，说不准，这座修道院里有人已经历经世事，找到这世界的欠缺。”

拉尔夫笑了，结结巴巴地说：

“神父，这个世界已经对他们试炼过了吗？也发现他们有所欠缺？”

说到这儿，拉尔夫羞赧得双颊泛红，继续道：“你们在修道院里真的都是这样？那么，到底是谁把修道院管理得井井有条，为民众服务得这么周全呢？这个世界不尽是你理解的那样运转吧！”

“尊贵的大人，”修道士严厉地说道，“他们侍奉我们，正如侍奉上帝和他的仆从。”

“好吧，就算是这样。”拉尔夫道，“那么，上帝又怎么看待被恶魔视作懦夫而驱逐的人？会满意他的侍奉吗？”

① 参见圣经《哥林多前书》7:31。（译注）

修道士皱起了眉头，却挤出了一个微笑："先生，你涉世尚浅，但聪明才智却在我之上。修道院中还有其他人能够精辟地解答你的疑惑——阅读过异教智者所撰之书的人，教会的圣师，还有至今仍在努力撰书，让抄写员忙个不停的人。"接着，他的声音柔和了下来，说道，"尊敬的大人，我们多么希望你就在这里，但既然你执意要走，请带上我的祝愿吧。待你回到我们身边时，双倍的福泽将护佑你。"这时，拉尔夫记起了自己对牧羊人的承诺，便从袋中掏出一顶金色皇冠道："神父，我请求您为草原上的牧羊人做一场弥撒，这顶皇冠就是祭品。"

修道士一听，称赞起这顶皇冠来，夸奖并亲吻了拉尔夫，随后拉尔夫跨上了马鞍，执事弟兄则取来他的钱袋，里面有上好的肉和饮料。接着，拉尔夫摇动缰绳，穿过修道院大门，对修道院门口游荡的杂役伙计与卫兵微微一笑，随即离开了。

拉尔夫重新回到大街上时欣慰地吁了一口气，他注视着街道上一排排小贩和小工匠的商铺，有鞋匠铺子、手套作坊，有铁匠、铜匠铺子，有卖号角的铺子等。他往南门骑去，路上遇见的民众看起来都满脸欢欣喜悦，相貌和蔼可亲。街头遇见的少女、少妇清秀可人，衣着华美，令他心神摇曳，而且有不少少女都在朝他前行的方向走着，等他走到南门附近的街道分岔口，看见的少女更多了。她们都从乡村来，带着粮食、货物等进城赶集，或是奉给修道院。当拉尔夫注视着几张少女的脸庞，他切实地感受到了，爱普觅斯宫殿中的歌声真是如此美妙。

Chapter 07

# 伯顿乡少女

拉尔夫走出大门，他俊美的面庞引得众多男男女女不禁侧目凝望，但没人主动前来搭讪。

门外是一片风光旖旎的郊区，精致的房子点缀其间，房屋四周大多被花圃和果园环绕。离开郊区以后，拉尔夫骑马穿过河边一片绿油油的草地。他曾三次穿越这条河，一次是从一座美丽的石桥上经过，另外两次是乘船渡过；这里的道路虽还算笔直，但河流却十分蜿蜒曲折。

不一会儿，他顺着这条路离开了草原，到达山丘和谷地。山坡上满是葡萄庄和果园，谷地里则是广袤的玉米田。海厄姆城就在山谷之间，不过此刻已消失在他的视野内了。

骑行多时，他才终于穿过这片耕田和葡萄庄园，暗自思忖似乎从未见过比这更肥沃的土地了。一路上，拉尔夫碰到许多农夫和妇女，大家都正忙着农活，不过倒也不至于无暇顾及他，大多数人都跟拉尔夫打了招呼，其中还有几位跟他简单攀谈了几句。

拉尔夫心想，这些人想必都超凡脱俗，他们衣着得当、丰满健硕，走路时不紧不慢，漫不经心地四处打量着，仿佛世上的一切都值得注目，丝毫不惮因虚度光阴而招来外人的严厉苛责或冷言冷语。

拉尔夫一直驭马赶路，中午时分才抵达一座小山村，村里的房子都由灰石砌成，整齐划一，与他身后的山丘相比，这个山谷里的野树更加茂密，果树相对稀少。村里有一个小酒馆，酒馆外悬挂着圣尼古拉斯的旗帜。拉尔夫料想，进入这所由他的主和挚友庇佑下的房子应该没问题。因此，他很快下马走了进去。他看到酒馆里有一位十五岁左右的少年和一位正在纺纱的少女，屋内只有他们二人。两人均向拉尔夫问好，并询问他有什么需要。拉尔夫有意在此休息片刻，于是吩咐他们上点酒肉，并照看好自己的坐骑。随后，二人给他端上面包、肉食，以及山丘葡萄园里出产的好酒，同类美酒都整齐地摆放在门厅。拉尔夫随即入座，少女则在桌边服侍，而那少年前去照看猎鹰了，还未归来。

拉尔夫大快朵颐之时，少女仍然站在那儿，未曾移步。拉尔夫细细打量着她，只见她五官清秀，标致可人，但面容悲伤，萎靡不振。拉尔夫填饱了肚子，开始对她心生怜悯，于是询问她是否有难处。“可是姑娘，”他说，“你年轻貌美，身体健康，这一点显而易见，加之住的地方也不简陋，似乎还很富足。难道你是这家的佣人，有人虐待你了吗？”

听了他轻言细语的问询，姑娘抽泣起来，回应道："年轻的大人，您真是善解人意，是您真切的同情才让我掉泪，否则在一位年轻男士面前哭泣可不礼貌，请您谅解。至于我，既不是仆人，也没有被虐待，身边的人对我亲切和蔼。这房子和农场，以及附近的葡萄园都属于我和我弟弟——就是给您牵马的小伙子。嗯，我们在这儿的生活大多都平静祥和，因为这个山村是海厄姆修道院的管辖地，名为伯顿乡。虽然这里是海厄姆最远的辖地，但好在主教英明勇猛，为我们抵御了所有暴君的侵袭。我一切都好，除了一事。"

"何事？"拉尔夫说，"或许我可以帮你解决。"他注视着那位姑娘，只觉她似乎比第一眼看起来更加美丽动人。姑娘不再流泪，只是轻轻抽泣着："大人，我恐怕已失去了一个好友。""怎么回事，"他说，"为什么说'恐怕'，你还不确定？难道你的朋友生了重病，命悬一线吗？""噢，大人，"她说，"是那树林，那就是恶魔和疾病。"

"什么树林？"他说。

她说："是凶境密林，它在海厄姆城和四湾镇之间。大人，如果您打算今天骑马到四湾镇，请不要前去，否则您必须得穿越凶境密林。您还这么年轻，又英俊潇洒。请听我一句劝，在这儿等待海厄姆的商人，再同他们一起走吧，因为他们一般都结伴而行。噢，大人，您曾问我为何悲伤，这就是令我伤心的事，再无其他。我最好的朋友五天前骑马到四湾城，独自穿过凶境密林，到现在都没回来，虽然我们竭尽全力找了他三天，却只找回他的马、缰绳，还有马鞍上的斑斑血迹。"

她一边诉说一边抽泣。拉尔夫说（虽然他也不知道该说什么）："坚强一点，小姐，或许他安然无恙呢。年轻人常喜云游四方，我自己便是如此。"

她凝视着他，说："如果要以离开爱您的人为代价，那这样做就是不妥。虽然你贵为骑士，而且智勇双全，但我也要这么说。"

拉尔夫脸一红，没有说话，只觉得那位小姐既漂亮又贴心。她接着说："不管您之前做得妥不妥，不要再错上加错了。请在这儿等海厄姆的商队来吧，跟他们一起去四湾镇。如果您愿意，可以在这里安心住下。或者，如果您对我们这儿不满意，也可以先回到海厄姆，我相信那儿的修道士会好好招待您的，无论您住多久都可以。"

"感谢你的好意，小姐，"拉尔夫说，"但我为什么要住下来耽误时间呢？就算凶境密林真的很危险，我又有什么可害怕的呢？我身无分文，无名无辈，倒是带了趁手的武器，丝毫不惧土匪盗贼，他们一般都挑文弱且富有的人下手。我还会碰上比土匪盗贼更危险的事儿吗？"

"可能会啊，"她又开始啜泣，流着泪说，"噢，我活得太累了！我为什么要为您担心呢，反正您也不在意，教堂里的教士、主教也不在意我，哪怕我的父母亲都不曾对我这么上心。噢，但愿我能喝到世界尽头之井的圣水，哪怕只是一点也好！"

一听到那口井，本来已起身打算离开的拉尔夫急忙转过身看着她。原先因他为自己无法为她排忧解难而有些难过，所以希望尽快离开这里。但是，现在他急切地问：

“那口井在哪儿？你是在这儿听闻它的吗？”

“至少我知道关于它的传说，”她说，“但我不会再告诉您更多有关它的消息，以免您去更远的地方寻找它。我不能让您去冒生命危险。”

拉尔夫每次看她，都觉得她更漂亮了。此刻，骑士一直凝视着她，不发一言。姑娘也同样看着他，血液都奔腾到了脸颊，泛上了额头，但她却没有逃避他的目光。直到最后，骑士说：“那好吧，我是时候启程了，虽然在这儿并没有打听到更多消息，不过倒是没先前那么饥饿干渴了，为此我要感谢你的盛情招待。”

于是，他从袋中拿了一个爱普觅斯金币递给了她，这是上好的金子，还带着波罗的海商人的气息。她伸出手掌，拉尔夫将金币放在她的掌心，又想不妨顺势握一下她的手，姑娘并没有拒绝。

拉尔夫说：“那好吧，我必须带走放在这儿的东西，可否让你弟弟把我的马牵过来？时间紧迫。”

“好，”她说（她的手还在他手中），“不过请您尽量在天黑前到达四湾镇。您真不打算留下来吗？”

“不了，”他说，“我可不允许自己这样。不然，我会认为自己是个胆小鬼。”

她又涨红了脸，似乎有些生气，她抽回自己的手，击掌三次大声喊道：“休！把骑士的坐骑牵过来，快点！”

随后，她在屋里进进出出，到储藏室打包了些食物，又从柜台拿了些酒，但装作对他毫不在意。拉尔夫看着她，她每走一步似乎都比上一步更优雅，美丽大方，打扮入时。他再一次想到了爱普觅斯宫的晚祷之歌，多像在唱她啊，她光着脚像在田野上劳作的少女一般，她的双脚被晒成阳光下干草堆的颜色，但还是非常漂亮，而且她衣饰得宜，身着一件绿色绣花礼服。

他看着她来来回回走动，最后说道："小姐，在我离开前请你过来一下好吗？"

"好的，"她走了过来，面对着他。拉尔夫看她似乎没有之前那么难过，只是站在那儿，十指交叉，眼帘低垂。他说：

"我得走了。但我有句话还没对你说，对你的遭遇我感到很遗憾。或许我们再也不会见面，如果我亲吻你的嘴唇和脸庞，应该没什么大碍吧。"

随即，他牵起她的手将她拉到自己身边，一把抱住，反复亲吻着她，她看似也并不抗拒，而在拉尔夫眼里，她如同五月的花儿一样甜美动人。

之后，她冲他微微一笑，但看起来并不喜悦，说："或许以后我们还会见面呢。我能对您做同样的事情吗？"

于是她捧起他的脸，同样热烈地回吻他，一直到了他要启程的时刻。

姑娘拉着拉尔夫的手，领着他出门去上马，旁边的少年已等候多时。当他看到自己的姐姐和那英武的骑士一起出来时，皱起了眉头，拿上了挂在他腰间的刀，但拉尔夫丝毫没有注意。姑娘则将她弟弟拉到一边，并为拉尔夫扶好马镫，而当他坐上马鞍后，她说：

"祝您好运！其实您在那林中应该没有我说的那么危险。

我衷心希望，如果您能碰上敌人团伙，您能强迫他们听您的话。”

“再见，小姐，”拉尔夫说，“希望你的心上人很快就安然无恙地回来。后会有期！”

她一言不发，于是骑士扬起马鞭出发了。随后，他扭过身从肩膀向后看，只见她赤脚站在尘土飞扬的路上，用手遮在眼前挡住午后的阳光。他向她挥挥手，接着赶路，策马经过了村里一座座房屋。

Chapter 08

# 凶境密林遇险一

现在他终于离开了那个小村庄，沿着小路走出了山谷。当他来到山顶，他发现眼前的景物和他身后的完全不同。脚下的山路笔直地穿过一片荒原，这里寸草不生，除了几只山羊野羚，就只有一些零星的灌木丛；山路穿过荒原后随着地势开始上升，直抵一座连绵悠长的山岭；山岭上是一片森林，繁密得不见空隙。于是他继续前进，很快就穿过了荒原，这里的土地非常干燥，而且被下午的太阳晒得滚烫；所以当他来到密林的树荫里时，别提多惬意了（森林的前半部分全是榉树），尤其现在正是一天中最热的时分。树木之间还有一条被踏平的道路，尽管不足以让马撒腿奔跑，但已经算得上是主干道了。因为直穿树林的缘故，所以拉尔夫放慢节奏，让他的爱马省点体力，虽然被告诫前路凶险，但他并没有把那些话放在心上，甚至于那个小村里的漂亮姑娘，也早已被他抛到九霄云外。

不一会，他走出了榉树林，来到了巨大的橡树林中。这些高贵美丽的橡树，就像有个看林人在为他的主人仔细照料一样，彼此间并不会太过拥挤。林间草地生机勃勃，如绿毡铺地，繁花似星。一路前行，他看到了野鹿，有雄鹿、牝鹿，还有赤鹿，甚至还有其他野兽，却没见到半个人影。

太阳快要下山了，但他还没走出橡树林，看来这片树林只属于世上最强大的君主[①]。终于，他来到了一个十字路口，在另一条岔路上的树木显得稀稀拉拉，但沿着小路往后看，后面的树长得越来越密，随着地势慢慢往山谷下沉，树下还渐渐出现了冬青矮树丛和荆棘。

拉尔夫拉住缰绳，他对哪一条路才是通往四湾镇的正确路径有些疑惑；于是他下马停了一会，看看会不会有人经过。他自己细心地看了看，注意到那岔路上，还有路边的草丛里，都有被很多马匹踩踏的痕迹，而且看来它们刚走过不久。于是他躺到地上休息，让马自己去溜达，顺便吃点草；因为这匹马对他一向眷恋，只要他一声令下或一吹口哨，就会马上跑到他面前。

拉尔夫躺下的时候已经有些睡意了，虽然他一再提醒自己千万不能睡着，但很多时候事情就是这样发生的，他对睡魔的来袭根本毫无抵抗之力。很快他的手松开了，头歪到一边，安静地进入了梦乡。不知过了多久，当他醒来时，他马上意识到自己是被吵醒的，睡意还没消失；耳边不停传来马蹄敲击地面

① 指上帝。（译注）

和武器碰撞的声响，还有很多人在大声叫喊。虽然没有完全清醒，但他迅速地从草地上爬起来，开始吹响口哨召唤他的坐骑。可就在这时，一帮人向他逼近，其中两个上前来把他抓住。他问他们想把他怎么样，他们叫他闭嘴。

现在他终于看清了，这些人都全副武装，身穿铠甲、熟皮甲，又或者精钢甲；他们手里握着长矛，腰上佩着好剑。这支队伍带着一面燕尾旗，绿底的，中间绘着一座守备森严的金色塔楼，周围有四条白色道路环绕；这些人的外衣和衣袖上都有这个标记。那两个人把拉尔夫带到燕尾旗下，那里有一匹白马，上面坐着一名骑士，骑士全身上下都裹着华美甲胄，绿色的外罩衣上同样有塔楼和四条路的标记。骑士身边有一名老人，全副武装，但头上只戴着个橡树枝发冠，他的白胡子长得都垂到衣服上了。两人身后还有一名个子高高的年轻人，同样骑着白马而且衣饰华丽，高举着燕尾旗。在这三人的一边，有五个人没穿盔甲，只着绿衣，上面饰有金色无叶树的标记。这些人身材敦实，满脸胡子，一副凶相，他们的双手绑在背后，双脚在马肚子下缚在一起。而另一边则是骑士的军团，拉尔夫估计得有两百人。

所以当那两人把拉尔夫带到骑士面前的时候，骑士转向老人问道：

“问这年轻人是不是他们的人有用吗？他肯定回答‘不是’。你说呢？奥利弗？”

老人靠近拉尔夫把他上上下下、前前后后都仔细打量了一番，那两人为此把他转来转去就像在转一块穿在烤架上的肉。终于，老人说道：

“要不是他脸上还有点胡须，你肯定以为这是他们派来的女奸细，就像我们之前见过的那样。但说实话，我对他的行头很熟悉，就像雅各认得约瑟的长袍一样。[①]所以只要问他从哪来，大人，他要是说一句假话，我就马上把他绑起来带走，直到他说真话为止。否则就放他走，让他自寻出路，免得我们在他身上浪费粮食。”

骑士眼神冰冷地直视拉尔夫，但言语间彬彬有礼：

“您是从哪里来的呢？尊敬的先生，您叫什么名字？因为我们在这片野林中敌人太多了。”

拉尔夫的脸红了，回答道：“我来自丘陵地另一边的国家爱普觅斯，我请你放我走，让我继续赶路。你应该去对付那些找你麻烦的土匪山贼，而不是我。”

那边被绑着的五人中有人叫道：“你撒谎！你这家伙！我们才不是山贼！”但站在骑士旁边的一个军士赏了他一个嘴巴，说道：“闭嘴，叛徒！等明天刽子手把你放到绞刑架上你再开口！”

骑士没有理会这番唇枪舌剑，他转过头来问那位老人：“他说的是实话吗？”

“的确是真的，艾梅尔长官，”奥利弗说道，“虽然他不知道我是谁，但我倒是认出他的身份了。”

---

① 雅各和约瑟：圣经人物。雅各是以色列十二支派的先祖（约瑟的父亲），曾赠五彩衣给约瑟，约瑟被哥哥们剥下彩衣，推入深坑，后被卖为奴隶。参见《圣经》创世纪 37:33。（译注）

老人转向拉尔夫问道：“长腿尼古拉斯现在怎么样了，大人？”

拉尔夫脸又红了。“他很好。”他回答道。

这时骑士问道：“这个年轻人出身高贵吗，奥利弗？”

但老人还没回答，就被拉尔夫截住了他的话，说道：“老先生，我请您不要说出我的名字，看在长腿尼古拉斯的份上。”

老奥利弗大笑起来，说道：“其实，我和尼古拉斯在某种程度上来说算是朋友，但也可以算是敌人；看在过去的情面上，他的名字还能起点作用，小少爷。”然后他跟骑士说：

“是的，艾梅尔长官，他来自一个血统高贵的古老家族，但您听到他刚才是怎么恳求我的了，所以我就不说出他的名讳了。”

骑士静静地看了拉尔夫一阵，然后说道：“尊敬的先生，您愿意和我们一起前往四湾镇吗？您原本不是要到那边去吗？否则您为什么来凶境森林？”

拉尔夫心中一时天人交战。虽然他想不出拒绝加入他们的理由，但他心中有个声音提醒他对这份邀请不可急切轻率地答应，于是他这样说道：“我打算一个人去历险，尊敬的大人。”

骑士笑着说：“那只要加入我们这个军团，您就能得偿所愿了。”这下拉尔夫终于不知道该怎么拒绝面前这帮武装兵士了，虽然他并不是不愿意。但就在他准备答应的时候，一个人从前面山谷的树林里跑出来。这个人又高又瘦，跑起步来估计没人能追上。除了脚上套着的一双粗革皮鞋和身上穿着的一件长衬衣，他一无所有。骑士身边的军团向左右两边分开，给这人让出一条路，看来骑士一直在等他消息；当他来到骑士身边，骑士低下头让他在耳边低语，不让任何人听见。当这个人把信息传达完毕，骑士在马鞍上直起身来，抬起手喊道：

“奥利弗！ 奥利弗！快点带路！加速！所有人加速前进！”

然后他吹响挂在马鞍旁边的号角，传令兵跑上前跟在奥利弗身后，整支军团马上整齐地往东南方小跑起来，他们斜穿过十字路口，那里没有矮树丛的阻碍。现在他们都跟着最后一匹马的马尾向前跑，没有人顾得上拉尔夫。

Chapter 09

# 凶境密林遇险二

拉尔夫兀自沉思片刻，心想绝不能贸然到四湾镇去。他自言自语道："这条路跟我们家附近的那条路截然不同。尽管在这里也可能会有危险，但我宁愿在这儿待一两个小时，不过我必须挨着马并且保持清醒，以免出现突发状况。"

随后，他吹声口哨召唤猎鹰，那匹骏马向他走来，并轻嘶一声表达对他的爱意。拉尔夫微笑着把它拴到附近的一棵矮树上，自己则端坐在草地上陷入沉思：爱普觅斯的人们正在做什么，哥哥们都走到了哪里。正午过后约五小时，太阳的光线透过大橡树的树杈斜射下来，那群人骑马飞奔而去时，马蹄掀起的青草和凤尾蕨的气息升腾到了夏季燥热的空气中。他只是坐着冥想但还没睡着。山谷中小溪潺潺的流水声，混合着树林发出的窸窣声让他渐渐平静又几欲入睡。他把头枕在凤尾蕨上，慢慢进入梦乡，短短几分钟后就睡着了，还梦到了过去的一些事情。

他再次醒来后，静静地躺了一小会儿，想着自己身处何方。随着睡意渐渐消散，他起身环顾四周，看西下的夕阳为橡树树干镀上了一层红装。站立片刻，拉尔夫瞥见旁边有三只蹦蹦跳跳的野兔，这些兔子是在他睡觉时靠过来的，此刻却一点儿也没注意身边的人。拉尔夫见树林中有一头雄鹿和两头雌鹿慢悠悠地在草地上悠闲散步，在凉爽的黄昏时光寻草觅食，忽然三头鹿抬起头缓缓走下山谷的斜坡，于是他迅速朝向西北看去。他耳聪目明，刚感觉到一阵微风向他袭来，就再次听到了马蹄声。

于是，他走到猎鹰身边把它放了，手拿缰绳站在马边，并将宝剑握紧。只听马蹄声离他越来越近，于是拉尔夫轻身跃上马，换左手拿缰绳，坐在马背上注视着林间空地，以防随时要策马扬鞭，唯恐自己有性命之忧。随后，他模糊地听到有交谈声，还有个男人在吹口哨，很快几个陌生人从西北方来到了林中空地附近。他一眼就看到，原来是两个全副武装的男人骑在马背上。于是他拔出剑，让他们停在靠近大路的地方。二人见剑光一闪，只得乖乖勒马，并往前靠近一点，坐在马背上目光紧盯着他。拉尔夫见二人的穿着和装备与之前那群人无异，一前一后隔着一匹马的距离。后面那位肩上扛着一支长矛，但他身前的那位骑士则是带着佩剑，脖子上还挂着一个小斧头，他的右手似乎还牵着什么，拉尔夫起初也没看清，因为那人是左侧面向拉尔夫和大路。

拉尔夫仔细打量起来，看到长矛骑兵的鞍头上竟然挂着一个人头，红色的头发、红色的胡子。那人则愉快地冲着拉尔夫大喊："你好，骑士！你拿着剑骑到这绿林里，是要去哪儿？"

拉尔夫刚想回答，前面那个人往前靠近了一点，还调转了马头，这样拉尔夫就看到了他的右手边。瞧！他手中牵着的绳子另一头绑在一个女人脖子上（不过她双手并未被束缚），看起来就像是牵了头牛去市场。当那人停住马时，女人走到马头边，好让绳子松一点。于是拉尔夫看得更清楚了，站在那儿的那位姑娘虽不算一丝不挂，但也是衣不遮体，身上仅仅穿着一件又短又薄的亚麻罩衫和一双鞋。拉尔夫看到那姑娘手上戴着的金饰和宝石反射的微光，头上戴着金花冠，便知道她身份不凡。此刻她站在马头旁，双手交叉在一旁看着，似乎现在发生的或者将要发生的一切不过是为取悦她排的一出戏。

拉尔夫打量她时一直没出声，长矛恶汉对着他说道："呵，年轻人，你是哑巴吗，还是被我们吓傻了？"

但拉尔夫皱了皱眉，脸上先是一红，后又发白。他既生气，又不知道要怎么回应，说：

"我本要去冒险，不过现在就遇上了。你们为什么会带着这位小姐呢？"

拖着她的那个人说："不关你的事，我们要带她去接受应得的审判。至于你，你该庆幸不是她的同胞，很显然你不是他们中的一员，所以安心上路吧。"

"我不会向前走一步，"拉尔夫说，"除非你们放了她，让她离开，不然就告诉我她犯了什么罪。"

那人笑了笑说："那可说来话长，你可能没命听完了。"

随后，他冲长矛骑兵摇摇头，后者突然拿起长矛，策马疾驰，用尽全力刺向拉尔夫。当时当地这故事就要结束了，不过拉尔夫虽然年轻但也十分谨慎，而且还有猎鹰这匹好马，他手腕一扭，让马头突然转向，这样长矛骑兵未能刺中他，但又来不及迅速勒马及时停下。那人扯起马脖子奔过来时，拉尔夫双手握剑，抬起马镫，竭力一击，这一剑直接砍中了他头盔和盔甲之间的脖子，失去皮具或锁子甲的保护，他的头当下就被砍断，整个人哐当一声从马鞍上滚下来。但马镫还挂在他脚上，所以他的马在树林间横冲直撞时，他一直被拖在地上。拉尔夫转身去对付他的同伙，虽然因杀戮而变得愤怒和狂躁，他还是一眼就看到那人在树林前，骑在马上，气势汹汹地拿着斧子，但那女人则向后退了几步。

拉尔夫举起剑向前刺时，她敏捷如豹立刻翻身上马，坐在那人身后。恶汉刚要举起斧子砍向她，她就用胳膊箍住他的后背，等拉尔夫骑到前面时，她大喊："杀了他，杀了他！噢，亲爱的神之子啊！"

一眨眼拉尔夫便来到他们身边，虽然他不愿意在女人怀里杀死一个人，但又担心如果不赶紧动手，恐怕她会被那人用匕首杀害。所以他用剑猛刺过去，恶汉立刻就魂归西天，一头栽下马，把那位小姐也拖下了马。

拉尔夫随即也下马，小姐则起身面向他，身上白色的罩衫被恶汉的鲜血染得通红。不过面对他时，她表现得十分平静庄严，如同端坐在一座辉煌大厅的高台上。她对他说：

"年轻的战士，你做得很好，很有骑士风范，我应该给你应得的奖励。我劝你不要去四湾镇，因为关于你的传言会四处扩散，一旦传到了四湾镇，他们就会抓住你。你去那儿只会遭到鞭打和酷刑，那里的人都是冷酷无情的强盗和杀人恶魔。虽然目前你一路还算顺利，但你杀掉折磨我的那些人之后，还会遇到更多他们那样的人，最好不要招惹他们。如果你听我的劝告，你就会向东走，那样你就可以到悬崖下的汉普顿，那里的百姓都十分友好温良。”



她说这番话时拉尔夫一直凝视着她，她语速很慢，而且在面对他时，脸上慢慢泛红又变白，然后再泛红了。但无论她做了什么，穿着多么寒酸，拉尔夫都认为这是他见过最美的女人了。她有着深红色的秀发，灰色的眼睛，瞳孔时而深灰时而浅灰，嘴唇厚薄适中，但在她说话或微笑时充满诱惑；她圆润的下巴精致美丽，无人能及；她的身体强壮结实，个子高挑，四肢修长，美妙非凡。她只穿着薄如蝉翼的些许衣衫，所以这一切都一览无余。不管她说什么，都没有人会觉得她不可爱。此刻，她的脸色恢复了正常，又像之前一样变得冷静庄严。她搭着拉尔夫的肩膀，冲着他微笑着，说：

“毫无疑问你长得十分英俊，也绝不是花拳绣腿。”说着，她拉着他的手，轻轻抚摸着，然后说：“你觉得自己做了一件伟大的事情吗，俊俏的少年？或许吧。不过有些人会说，你不过是杀了两个屠夫。或许你会说是你救了我，要是在以前，我完全可以自救。你平静一下吧，我想还有更重要的事情在等着你。”

她转过身，看向刚刚死去的那个人，他的脚还挂在马镫上，跟他的同伙一样。不过他的马站在那儿几乎一动不动，只是偶尔低头吃一口草。她说：“把他拖走，我好骑上他的马。”

于是拉尔夫将死者的脚拽出马镫，然后把他拖到蕨草更茂密的地方，将他扔在那儿，也可以说是把他藏在那里。然后他转身回到那位小姐身边，她在马旁踱来踱去，马儿则安静地吃着微凉的青草。拉尔夫回来后，她握紧缰绳，一只脚踩在马镫上，似乎要准备上马，但突然又停下来，转而面对拉尔夫，拥抱着他，不断亲吻着他的脸，她的脸庞红得像玫瑰一样。而后她轻盈地骑上马，坐稳后用脚跟猛踢了一下马肚子，迅速向东南方飞驰而去，很快就消失在拉尔夫视线范围内。

拉尔夫仍一动不动站在原地，看着她离开的方向，回想着这次的冒险，认真考虑她的话，在心里做着激烈的思想斗争，思索到底该不该听她的劝告走另外一条路。他暗自思忖：“到目前为止我一直都很安全，还没有被什么武器伤过，而这个地方看上去充满危险，如果我要去悬崖下那个和平友好的汉普顿，今天晚上也不用再赶路了，毕竟现在已近黄昏。明天一早就从这儿出发，但我还是要保持警惕，尽量找林木掩护自己。”

他将被杀掉的那个人搬到一个小山洞中，那里长满蕨草和荆棘，不会轻易被发现。然后，他唤来猎鹰，在大路附近寻找藏身之所；终于发现了一小片稀疏的小灌木林，里面长着榛树和西洋栗，在那里还有两棵十年前已被砍倒的橡树。从那儿透过树叶向外看，能将四面八方看得清清楚楚，但是别人从外面却很难发现他。

抵达目的地后，他就立即行动起来，解开猎鹰的缰绳，把它拴在最茂密的小灌木丛里，自己则坐在靠外边一点。他脱下头盔，然后从口袋里拿出酒肉，在夜幕刚刚降临时开始享用起来。用完餐他就坐在那儿回想着自己冒险的第二天所发生的一切。月光洒向大地，今夜乌云稀疏，却不见月亮的踪影。他竭力保持着清醒，但很快就被瞌睡打败，一夜安睡到天亮。其间拉尔夫再也没被吵醒，也没有碰到那位小姐所说的那两人的同伙，事实上那些人确实没有到这儿来。

## Chapter 10

# 密林之再遇与别离

当清晨的第一抹曙光划破天际，拉尔夫在晨风微凉中醒来，即使入睡他也一直保持着警醒，因此醒来时他分明听到了一些动静，于是他坐起来侧耳倾听。马蹄敲击坚硬地面的声音越来越近，他站起来走到灌木丛边。在那里，他看到有人骑着马来到岔路口。新来者裹着一件宽大的斗篷，但看得出身量并不高大。他环顾四周，似乎想看清路上有没有人，当他从马背翻身跃下时，斗篷兜帽顺势从头上滑落，然后他就站在路中央苦苦思索哪条路才是最佳选择。这时天色渐亮，拉尔夫仔细打量，才看出来者乃是一名娇客。于是他轻轻地往前走了几步，来到路边的草地上，这时来人看到了他，正当她一脚踩上马镫想上马离开时，又转过头来瞧了他一眼，这一瞧让她又翻身下马，不顾斗篷掉落地上，直奔拉尔夫而来。

这时，拉尔夫认出这是在伯顿乡招待过他的那名少女，他走上前伸出手迎接她，她用两只手接着他的手，面带微笑地握住，说道："都说山不来就我，我便去就山。所以我一直追寻你的足迹，但我不知道在密林中如何寻你。能追上你实在太高兴了，因为我已经走得够久了。"



拉尔夫看着她，心中微微刺痛，还有丝丝愧疚。他说道："我是一个闯荡世界的骑士，除了四处探险我没别的事情。为什么我们不一起去呢？"

她深深地凝视着他，过了一阵才说道："不，这样行不通。你出身高贵，而我只是平头百姓。"她就此打住，而他并没有接话。

"更何况，"她说，"这条路太长了，我都不知道有多长。"他还是没有接话，她接着说，"我要去找世界尽头的水井，如果找到就继续活下去；如果找不到，我生无可恋。"

过了一会儿，他才说道："那为什么我不能跟你走呢？"

这时已天色大亮，他看着她的脸先是羞红，又转成苍白，双唇也紧紧地抿起来。

然后她说道："因为你不愿意，因为你更希望和别人踏上这段旅程。"

这下轮到他脸红了，他说道："我不知道还有谁会跟我一起上路。"

"那，"她说，"反过来说也一样，我不愿意你跟我一起。""那，为什么不愿意？"他说道。她说："你可以向我起誓从伯顿乡来此处的途中没发生什么让你改变心意的事吗？如果你愿意，那我们就一起走；如果你不愿意，那我就当你这话没说过。这样说是因为我看出来，你和昨天不一样了，你并非真心想成为我远游的旅伴。要结伴同行必须一心一意，只把旅途和同伴放在心上。”

她的眼中带着忧伤，而他思绪万千却说不出口，过了好一会他终于说道：“你真的要启程远游？”“啊，当然，”她说，“我见过你了，该说的也说了，现在是言出必行的时候了。”

两人都陷入了沉默，当她再次开口时，她用故作开怀的声音说道：“现在我面前的这些岔路，除了我来时走的路还有三条，我知道往南走将到达四湾镇。我也知道如果我问四湾镇的人怎么才能找到世界尽头的水井，他们会嘲笑我。而往西的那条路会带我到另一个人们认识我的地方，所以我打算走往东的那条路，你认为呢，尊敬的大人？”

拉尔夫说道：“我之前听说这条路通往悬崖下的汉普敦城，那里的人很友好。”

“是谁告诉你这些的？”她问道。拉尔夫脸又红了，回答道：“有人告诉我的，这个人既了解四湾镇，也知道汉普顿。她说汉普顿的人们都很友善，而四湾镇的人名声不好。”

少女听到他提到了“她”，嘴角扬起了悲伤的微笑。当他说完，少女接着道：“我之前听说，当然不是昨天才听说的，在汉普敦有枯树谷的人，这些人都是强盗土匪，甚至可能比四湾镇的人更坏。不过，世界尽头的水井据说就在枯树谷的旁边，所以我要到那里去碰碰运气。现在让我们就此告别吧，我们以后应该再也不会见面了。”

“啊，小姐！”拉尔夫叫道，“为什么你不回伯顿乡去呢？

那样我们很快又能见面了，而且，事实上，我也打算前往汉普敦。我们不能在那见面吗？”

她摇摇头，说：“不了，我要去的地方那么远，我不想在路上耽搁太多时间；而且，老实说，如果我见到你从这边门进，那我就会马上从那边门出，因为这若注定是不能治愈的情伤，我又何苦留恋呢？我知道，真的，你很快就会忘记想要见我这件事，无论是在伯顿乡还是别的地方，所以我不想再跟你道别了。”

然后她靠近他，双手扶着他的肩，吻在他的唇上，旋即潇洒地转身走开，拿起地上的斗篷披在身上，轻盈地跃身坐上马鞍，一扬马鞭便往东边的汉普顿而去。只留下拉尔夫呆呆地待在原地，各种滋味交织在心头。夏日尚早，他不知道现在该如何是好，于是便转身回到他在榛树林中的藏身之处。他又躺下身来，脑海中再次浮现出被他救下的那位女子动人的身影，想再见她一面的想法如此强烈，如此真切，几乎让他的心都痛了起来。这样的热望把他再次带入梦乡，因为晚上他其实并没睡好，他太年轻了，昨天的经历又太让人心力交瘁，无论身心，都经历了一场试炼。

## Chapter 11

# 前路漫漫

当他再次醒来时，明媚的阳光透过榛树叶照射下来，不过时辰还算早。他起身去看了下猎鹰，然后牵着它走出榛树林。拉尔夫环顾四周，有个人正从拉尔夫右手边的树林缓缓骑马过来，看起来他是要到大路上去。他一看到拉尔夫就勒马停步，将手里的弓拉满，然后拿着上好弦的弓箭警惕地向他走来。拉尔夫迎了上去，不过并未将剑拔出剑鞘，手里还牵着猎鹰的缰绳，那人停了下来，把箭从弓弦上取下。他没有穿盔甲，但在腰间别有一把小斧头和一把木刀。他穿着朴素，看上去像是寻常村夫。他向拉尔夫问好，拉尔夫也向他回礼，只见那人高大强壮，皮肤黝黑，头发黑亮，满脸喜悦。他直率随意地问拉尔夫："大人，离开良民和强贼共居的密林，你要去哪儿呢？我想良民会选出一个头领，等时机成熟就消灭那些盗贼——不过，也不排除有些人会追随强盗。"

拉尔夫说："我可能无法回答你，因为我自己都还没想好。不久前我还想去四湾镇，可是现在我又想去悬崖下的汉普顿了。"

"啊？"村夫说道，"在魔鬼的驱使下，我们都得下地狱。"

"这是什么意思，朋友？"拉尔夫说，"难道汉普顿是穷乡恶土？"不过他心里确实也这么想过，被俘虏的那位小姐不就在忍受恶魔的纠缠么。

村夫说："要不是看你是刚来这里的外乡人，我才不会回答你的问题呢。等吃过饭了再告诉你吧，我早就饥肠辘辘了，口袋里带了面包和奶酪。如果你也饿了可以跟我一起用餐，看你的样子也像是饿坏了，你这么年轻，又血气方刚的。"

"那好，"拉尔夫笑道，"我也可以给这荒野餐桌上添道菜，我口袋里还有点面包干。我们就地坐下来用餐吧。"

"劳驾，尊敬的大人，"村夫说，"我们还得向前再走几码[①]，那里有小溪，要是我带的水喝完了，还可以在那儿找点水喝。"

"不，我还有更好的，"拉尔夫说，"我也带了喝的。""不过，"村夫说，"我们还是得到那儿去，这里太开阔了，而我们只有两个人。这条路危机四伏，我得带你离开这个满是歹徒恶霸的地方。所以，如果你相信我，就跟我来吧。"

拉尔夫对他的话表示赞同，于是他们一同出发约莫走了一弗隆，到达一片空地，那里环绕着枝繁叶茂的桤木林，清澈的

① 码，英国长度单位，1 码约合 0.9 米。（译注）

溪水从中潺潺流过。村夫带拉尔夫走到溪流边上，这样灌木林就成了绝佳的天然掩护。他们坐了下来，从袋子里拿出食物，开始用餐，村夫一边吃一边说：

“英俊的骑士，我想你应该是骑士，你为什么要去汉普顿呢？”

拉尔夫说：“因为我不能去四湾镇了，听说那里的居民都是强盗土匪。”

“你要是到了那儿，就会发现它比你想的要好得多，大人。不过我要告诉你的是，虽然有时候那里的人会杀人越货，但是比起悬崖下的汉普顿，四湾镇简直是天堂，他们都算不上有罪。

“对此我再了解不过，因为我一直生活在汉普顿那座地狱里。现在我逃了出来准备去四湾镇，幸运的话我会以一个优秀者的身份骑上他们的良驹。到那时我可能会为自己报仇，报复那些曾伤害我的人，他们中是不是有人向你说了四湾镇的坏话？是这样吧？”

“可能吧，”拉尔夫说，“你看起来也是个大丈夫。”说完这句话，拉尔夫就沉默了。虽然他心里有点想告诉村夫关于昨日那场历险的来龙去脉，但一想到那位小姐和她的美貌他就迟疑了。他再一次担心起了去汉普顿的那位少女，内心掀起阵阵涟漪，想着自己应该陪她去那儿。村夫疑惑地看着他，似乎还有些焦虑，但是拉尔夫却两眼放空，不过他有可能是在仔细观察那个村夫，回想当他说到想为自己报仇时脸上的表情却并没太大变化，话里也没听出包含多少愤怒。

村夫说：“或许你有故事，只是认为不适合说给我听。好吧，你要么说，要么不说，都随你的愿。但是你作为一位英俊威武的年轻骑士，能跟我这个落魄穷人相谈甚欢，而且你说不定还能帮上我的忙，所以我要给你讲一个真实的故事。首先，四湾镇是一座繁荣的城市，它的首领卓越英明，绝不是压迫黎民百姓的独裁暴君。你在那里可以和当地居民友好相处，他们为人和善，但也不畏惧被强盗土匪包围。其次，我想告诉你汉普顿的居民都像是温顺善良的绵羊，但是他们却被恶毒的统领所统治，而那些人并不是他们真正的统领，他们在百姓身上附加了繁重的苛捐杂税，甚至摧毁了他们的正常生活。最后我想告诉你的是，我也是那些可怜人中的一个。但我并不像大多数人那样顺从如温顺的绵羊，所以那些暴徒抢走了我的土地，让别人霸占了我的房子。幸好我没有老婆孩子或者心上人，不然就会像我兄弟那样。他们认为一个住在汉普顿的人不配拥有那么漂亮的妻子，所以就把他的妻子掠走供枯树谷的人玩乐。那些人就住在悬崖城堡里，如果你到那儿去，保不齐他们就成了你的主人。

“这就是我的故事，而你的故事，我并不会追问。但我认为无论你是跟我走还是独自上路，无论是作为客人还是为领主效力的骑士，如果你不去四湾镇那你肯定会遭遇不幸。”

拉尔夫提高了警惕。这一次，他仔细打量起那个村夫，对于一个内心充满怨恨的人而言，他说话时未免太过冷静，这令拉尔夫对他的话产生怀疑。此外，他回想起自己救下的那位小姐的话，想起她的美貌和热烈的亲吻，不愿意相信她在撒谎，更不愿意想象伯顿乡的那位少女将生活在水深火热中。所以，他说：

“朋友，我不知道我是否该参与到汉普顿和四湾镇的纷争中，也不知道到底该去哪儿。除了汉普顿和四湾镇外，就没有别的出路可以走出这密林吗？附近有什么地方可以让我休息片刻，再去办事吗？”

村夫说：“倒是有一个村庄在四湾镇的西边，叫阿普索普。但那是个开放地，没有围墙，也没定领主，有时它属于四湾镇管，有时候又属于枯树谷。如果你在那儿被枯树谷的人带走，那么很快就能去办事了。但你要是被四湾镇的人带走，那么你会被带到城里，这比自己到城里去要危险得多。你怎么想？你看起来像个男子汉，如果是真男人，那在四湾镇如此纪律严明的地方有谁能伤害你呢？如果你想去历险，你很可能就是这么想的，很快就会发现身边危险重重。我建议你和我一起去四湾镇，老实说，如果和你这样的一位骑士或大人一起，会更容易进城。”

拉尔夫心想去四湾镇对他而言是有些许危险的，可他们两人对于究竟会遇到什么危险人物却都绝口不提，也没有别人告诉他有关那场战役的消息，除了那位小姐，而她在四湾镇遇到的危险比自己大得多。他想，就算有不幸的事发生，在老奥利弗那儿还有人照应。但另一方面，他也想去悬崖下的汉普顿，唯恐自己再也见不到那位小姐。

拉尔夫在这两个选择中纠结着，话到嘴边却说不出来，突然村夫说：“嘘！你把马留在了灌木丛外，它正在嘶叫呢（确实如此）。我们没有时间了，直接骑上马吧。肯定有人过来了，十有八九是敌人。”

于是他们赶紧起身走到猎鹰所在的桤木丛外，拉尔夫矫健利索地跃上马。村夫也没等吩咐紧随其后跳上马，指着从中通向公路的那片草地喊道："向那边走，往那儿！枯树谷的人今早出门了。驾！生死一线！"

拉尔夫甩着缰绳，还没等他踢马刺猎鹰就一跃而起。村夫扭过头向后看，说道："他们从那儿来了！有三个人，每个骑术都很好。哦，不，他们有四个人。" 他还说他们身后有个人在叫喊着。"快驾啊，年轻的大人！快！你的马精神抖擞，生气蓬勃。噢，那就行啦，那就行啦！"

接着拉尔夫听到马蹄蹬在草皮上的声音，他又踢了一脚，猎鹰便像离弦的箭一般飞驰过去。

"啊，"村夫叫道，"小心，他们看出你的马强健有力，其中有个人，就是最末手里拿着土耳其弯弓的那人正在往弓弩上放箭，他们最喜欢射马背。你拽着缰绳转一下弯，装作你的马害怕路上的鼬鼠那样。"

拉尔夫勒着马头让猎鹰转向，随之听到弓弦"砰"的一声，只见一支箭从他耳边飞过。

猎鹰风驰电掣，村夫大喊："这是朝四湾镇去的路！你要拼尽全力，尽全力！你再看看！"

在箭出土耳其弓弩的一瞬间，那群追赶者突然在他们身后发出巨大的响声。只听"砰"一声，但是这次箭并未飞出多远，村夫用力扭过身体，向追赶他们的人挥舞着拳头，用因疾驰而断断续续的声音向他们喊道："嗨，盗贼们！我是绳索路的罗杰，我要用绳子绞断你们的脖子！"

然后他对拉尔夫说："他们调头了。我们打败了他们，而且他们也不喜欢走大道。不过还是不能掉以轻心，年轻的骑士，除非你把这匹马看得比自己的命还重要。他们可能会从路边的丛林跟过来，来看看你是天生愚笨还是后天不学无术。"

"是啊，"拉尔夫说，"我想你现在会告诉我必须去四湾镇。"

"对，没错，"村夫说，"如果以目前的速度，我们不用太久就能抵达四湾镇的城门。"

"嗯，不过或许该慢一些，"拉尔夫说，他拉住缰绳，"他们现在没在追我们，而且我还不想累死猎鹰，它是我的好朋友，而你或许是我另一个挚友。"

随后，拉尔夫骑着马从容快跑，直到林中树木渐稀，走到一片农田和道路交织的田野。罗杰说："你可以让你的马喘口气，然后再独自上路也无妨。因为我们现在周围都是朋友了，就算是十个枯树谷的人也不敢骑到靠四湾镇这么近的地方，更不用说是在夜幕降临、乌云密布的时候。"

于是拉尔夫勒马停步，和罗杰一起下马。他环顾四周，看到麦地中间的小山上有一座石砌的高楼，楼下则是一些简陋的茅草屋。除了些在劳作的百姓，还有人在田间来来往往，那儿的人看到了站在马旁的二人，都没太在意。不过，目前他所看到的每个人手里都拿着一件武器。

拉尔夫问："朋友，我们到四湾镇了吗？"村夫笑了笑说："这不是显而易见吗，骑士大人。那边是四湾镇的望楼，下面居住着农夫百姓，士兵则住在楼内。在四湾镇郊区周围有二十七个这样的望楼。据当地人称，传说这些望楼是婀娜夫人嫁给森林王后不久修建的。森林王在此前一直和先辈住在木制房屋里，用木材在荒野树林的空地上修了宫殿。但是现在，其实你愿意的话，最好从大门慢慢走进去，若你不介意，我会走在你旁边，正如我之前说过的，与你为伴对我是有利的。”

拉尔夫说：“我希望你能跟我一起，朋友，然后告诉我进入这要塞最简单的方式。”等猎鹰休息好以后，他们便继续上路，在肥美的草原上驰骋，处处可见庄园田地以及农夫的简易小屋。最后他们终于到达上坡路上最小的一个村庄，在坡地的尽头看到了四湾镇的城垛和塔楼。从那儿一直到城墙脚下，再没见到任何房屋或者农田，唯有一片放养着绵羊和母牛的青青草原，以及草原上一条蜿蜒流淌的小溪流。

## Chapter 12

# 初入四湾镇

待得他们走近，才发觉城墙是以上好的方石垒叠而成，高大巍峨，城中建筑都掩藏其后，连房顶都不得而见；城墙上筑有望塔，数不胜数，洁白坚固。大道直通四湾镇主城门，城门外还建有结实的瓮城，守卫士兵手执兵器，另有一名队长带队。拉尔夫他们混在客商之中进入瓮城，并没有人对他们多加理会，直到他们走过深邃干净的护城河来到对岸的城门前。此时天色尚早，城门吊桥还没升起，吊闸还没放下，赶集的人们轻而易举就能走过护城河。但城门两旁站岗的卫兵都全副武装，他们的上尉站在右边，个子很高，露出满头银发，除了没戴头盔，他也是全副武装。只要有陌生面孔出现，都会被他拦下询问来此地所为何事。

正当拉尔夫和罗杰并肩前行，一名卫兵伸出长矛把他们挡在原地，上尉语气冰冷地问道："勇士，从何处来？""从海厄姆城的圣玛丽修道院来。”拉尔夫回答。

“好，”上尉说道，微笑中流露轻蔑，“我也是这么想的，你看来正像是修道院院长养的温室小花[①]。”“不，我才不是。”拉尔夫气愤地回答。“好吧，好吧，”上尉问，“阁下尊称？”

“拉尔夫·马特逊[②]。”拉尔夫边说，边皱起眉。“你来所为何事？”拉尔夫说：“我自有私事要办。”“你的回答很没诚意。”上尉说道。拉尔夫回敬道：“那不就扯平了，因为你问得太有诚意了。”“好吧， 好吧 ，”上尉笑着说，这次的笑带出一丝友善，“你看来倒是个硬气的家伙。我问你问题，因为这是我身为北门镇守上尉的职责。好好告诉我，你来四湾镇是为寻亲访友吗？”

这下拉尔夫眉头舒展了，说道：“并不是，尊敬的长官。”“那么，”上尉说道，“你是想借道，穿过这座城从另一个城门离开吗？”“也非如此，”拉尔夫说道，“若得许可，我想在这城里住上一宿，或者稍作逗留。”“那不成问题，年轻人，”上尉说道，“我想你总得有个地方落脚，可有去处？”

拉尔夫说道：“还没定，城中住处我概不知晓，我对此地一无所知。”但罗杰在一旁说道：“我的主人要到光之花[③]旅店投宿，就在中心广场那处。”

“那很好。”上尉说道，“他找了个很不错的落脚处，而

---

① 原文是 lily lad，字面上是像花一样的小伙子，实指其柔弱。（译注）
② 原文是 Ralph Motherson，motherson 从字面上看也可解作“妈妈的儿子”，但在英文俚语中即 Mama's boy，与前面 lily lad 呼应，意思都是长不大的孩子。（译注）
③ 原文是法语 Flower de Luce，意为鸢尾花。（译注）

且，尊敬的先生，明天你在旅店还能见到独家好戏上演，没有比那更好的看台了，先生。至于你，伙计，你倒是谁？对我们四湾镇如此熟悉，在此来往的手艺匠人和封臣我都认得，但我从没与你打过照面。”

一时间，罗杰的话到唇边却说不出口，这位骑士皱了皱眉，最终还是说道：“上尉先生，我原没打算说真话，只想告诉你我是这位青年骑士的侍从。”上尉打断他的话，阴恻恻地说：“你最好还是说真话。”

“是的，先生，”罗杰说道，“我知道，原本那番话已经到我嘴边，但我觉得你会看穿，所以我决定收起那套假话，告诉你最真的实话，那就是：我是一个被枯树谷那帮秃贼逼得无家可归的人。我被迫离开悬崖下的汉普敦城，我的财产都被抢走了，我的亲朋好友都被他们杀害。如果你允许的话，我想投靠四湾镇的主人，将来以牙还牙，正如老话所说，‘最好的复仇就是让仇恨延续。’所以，大人，我请求你借我利剑、赐我粮草，让我加入你们，这样我既可以为你，为四湾镇效劳，也可以为我自己复仇。”

上尉仔细地打量他，想要把他看穿，但罗杰只是睁着天真的双眼直视他。最终，上尉说道：“好吧，伙计，你就说自己是这年轻人的侍从吧，直到他离开四湾镇为止。等到他走了，你就在中午前到我这里。那时我会考虑是不是在你手中塞一把剑，在你两腿间塞一匹马。不过，”他语带威胁地朝罗杰摇了摇头，“你要保证一直待在光之花旅店，随时应召。”

罗杰紧闭着嘴，似乎对这番话感到不安。然后上尉转向拉尔夫，恭敬地说道：“年轻的骑士，如果你想历练自己，那便应该去找我们的领主；若你的智慧有你胆量的一半，那为四湾镇效力，定能让你名利双收。因为我们周边敌人太多，所以喜欢惹是生非或是心怀叵测的武士在我们这儿不受欢迎，即使他来自异乡，并非来自敌营。若是你考虑清楚，便派侍从过来捎个信，我会带你到码头的长官那处，为你安排份好差使。”

拉尔夫向他道谢，骑着马穿过城门来到街头，罗杰一直跟在他半个马位之后。

这时拉尔夫转过身来，对着罗杰尖酸地说道：“虽然你的谎话到了嘴边又改口，但我怎么知道你以后说的是真还是假呢？无论我愿不愿意，现在你都被看成是我的人。因为上尉说了，直到我离开四湾镇为止，你都要跟着我。所以我要在这里把话说清楚，我对你并不放心，更不清楚你是不是来自你之前说得咬牙切齿的那帮秃贼恶霸。”

“好吧，”罗杰说道，“你看出我来自枯树谷真是太聪明了，毋庸置疑这也是我从伏击中将你救出的原因。至于我，你会需要我帮忙的，因为四湾镇中并不如你想的那么安全。”

“什么！”拉尔夫嚷道：“你这人怎么出尔反尔？现在才说这话！我们在森林时，你明明告诉我四湾镇没什么可怕的，说此地秩序井然，行事公道。你现在又有了什么新发现？有什么需要我防范？”

罗杰的神情突变，似乎在内心挣扎，看来对这个问题毫无准备，但他迅速调整自己的表情，说道：“别这样，大人，现在我告诉你实情。在森林那里，你确实很危险，几乎落到了枯树谷人的手里。我跟你说的关于四湾镇的事，的确是捏造的，可我那时还能怎么办呢？不过，我可以肯定地告诉你，无论你在这里有什么危险，都比不上在汉普顿城那里等着你的危机。”

“那，在这里究竟有什么危险？”拉尔夫问道。罗杰说道：“如果你愿意加入他们，成为他们的人，那自然什么危险都没有。只要他们认为你是他们的一员，他们不会对一个英勇的骑士多问什么问题。可要是你拒绝了他们的邀请，那么他们就很有可能会把你关起来，直到你说出你原本的身份，以及来自哪里。”拉尔夫没再接话，但他知道这十有八九是真的。于是他沉默着骑行，直到罗杰说道：

“反正，你可以不理我，丢下我。但换作是我，我就不会这么做，因为明摆着，一旦有事发生，我一定会帮上忙，就像我之前帮你那样。”

拉尔夫还是太年轻，受不住别人指责他不知感恩，于是他说道：“不是这样，不是这个意思，我们一起去光之花吧。”

罗杰点了点头，嘴里还嘟囔了几句。于是他们继续往前走，拉尔夫时不时拉住缰绳好仔细看看街头风景，因为街上有很多露天小铺，整条街看起来就像是一个市场。房子造得坚固结实，但并不高大，道路宽敞，而且都铺了石砖。街上熙熙攘攘，人们各忙各的事，在拉尔夫看来，无论男女看起来都一副憨厚壮实的样子，却并不十分漂亮可人。 虽然拉尔夫明显是一个外表出众的异乡人，但这里的人只管自己的事，对拉尔夫和他的侍从并不关注。

这时拉尔夫看到了一个比其余大多数铺子都要华美的商

店，外面挂着圣罗伊[①]模样的招牌，招牌下面设置了一间售货亭展示精美的武器和装备。外面还站着军械师的两名仆从准备招呼客人，他们不时吆喝着“你们缺的我们都有”。于是他停在这里，沉醉在这些军械闪烁的光芒之中流连忘返，直到其中一个仆从来到他面前，问道：

“尊敬的阁下，看来你一定在找些装备，我们这儿有什么你需要的东西吗？”于是拉尔夫想起了他昨天手刃的那名男子所带的那把结实的小精钢斧，于是叫仆从拿来类似的武器，心里想着该怎么压价。那仆从找来一把精心打造的钢斧，斧柄上还饰有金纹，然后让拉尔夫看了看价钱。拉尔夫觉得可以承受，于是他把背包拿到手里，准备掏钱。正当他把手伸到袋子里，店铺里的军械师走了出来，这人又高又壮，但语气却恭敬有礼：“骑士阁下，你是我从没见过的陌生人，所以我要看一下你有没有四湾镇颁发的武器购买许可书，上面要有四湾镇的印章。”

“是我听错了吗？”拉尔夫说道，“一个人有钱却不能买这些拿来出售的武器，还得拿来四湾镇领主的手书盖上印章！别这样，把钱拿走吧，店主，把战斧给我，别开玩笑了。”“我不是开玩笑的，年轻人，”军械师说道，“等我们知道你成为四湾镇的一分子，你自然可以买任何你想买的东西，否则就如我所说按法律行事。而我，身为大军械师，又怎么能违反法律

① 圣罗伊(St. Loy)：法语名字圣艾里久(St. Eligius)的英文名，圣艾里久曾是法国努瓦永的主教，以对穷人仁慈著称，后成为金匠及其他金属业从业人员，甚至兽医的守护神。（译注）

呢？尊敬的阁下，别担心，我会把你看中的战斧存起来，直到你把许可书带过来，让我亲眼看到。你沿着路直走就能到市政厅去申请许可书，他们会验证你是不是四湾镇的敌人。”

拉尔夫明白再跟店主纠缠下去也不会有什么作用，于是垂头丧气地走了，当他看到罗杰在一旁咧着嘴笑，就更受打击了。

现在他们走到了镇中心广场，广场的一边是四湾镇的主教堂，坚如磐石，还建有钟塔，但并不宏伟，也没什么值得称道的雕饰。在教堂的对面，他们看到了光之花的招牌，就在一座美轮美奂的建筑上面，于是他们转往那个方向。但就在旅店前面，罗杰笑着指了指一样东西，一看就知道那是什么：一个高大的绞刑架伸出四个支架，每个支架都雕成树干模样，挂着四根绞索，上面还有一块牌子上写着“枯树”两个大字。绞刑架下面，各色人等在闲谈说笑。

于是拉尔夫马上明白，昨日他所见到被骑士捆绑带走的四个人将在此处行刑。他拦住一个走过的乡绅，问道：“先生，我是到访此地的异乡人，我想知道今日是否将有四人在此受刑？”“非也，”乡绅回答道，“明日行刑，他们如今正接受法官审理。”

这时罗杰语带挑衅地说道：“那阁下何不去看场好戏呢？”“因为，”那人说道，“眼下好戏欠奉，连可听的台词都没有，审判恶贼不会耗时过长，更不会对他们多加折磨，这才好留下他们的体力待明日刽子手行刑时感受苦楚，这场好戏确实不可多得。要是统领那些懦夫的巫婆能落在我们手中就更好不过了，我们已经对她围捕多时。可如今人们说她并不在城中，恐怕她已经又一次从我们指缝间溜走。”

罗杰放声大笑，说道：“你们这些四湾镇的人也太蠢了，竟然连她的行踪都不知晓。我倒是觉得她现在就在这四湾镇中，准备从你们的监牢中救出那被捉的四人。”

这下轮到乡绅轻蔑地大笑，说道：“如果我们是蠢蛋，那你也不过是一个傻瓜。难道我们的人没有枯树谷的人多吗？——怎么就不能抓到她？如果她在街上露面，我们又怎么可能毫无察觉？难道我们没长眼吗？你这蠢货。”说完他又在暴怒中长笑。

拉尔夫听了这话，有种恐惧爬上心头，于是他又问那乡绅：“告诉我，先生，你们在说的这女人是这些恶人的女王吗？”“不错，”他说，“或者更准确地说，是他们的女神，他们的偶像，他们的魔鬼，他们邪恶灵魂的核心来源。终有一日，我们会折磨她的身心，让她承受报应直到一命呜呼。”

“哼，当然，如果她能被杀死的话。”罗杰说道。

那乡绅敌视着他说：“好家伙，在我看来，你倒对她了解不少，你究竟来自何处？”罗杰马上回答道：“来自悬崖下的汉普顿，我是她的反抗者，是她的受害者，更是她的手下败将，所以我知之甚详。”

“很好，”那乡绅说道，“你看来是条真汉子，但我还是建议你拴好自己的舌头，尤其当你说到枯树谷的魔女时，否则你在这城中可要吃尽苦头了。”

说完他便走开，向绞刑架走去。罗杰这时开口，仿佛在自言自语一般：“一个笨手笨脚的蠢货走到那边去了，看来我们说完这番话，还是最好藏身在光之花中。”于是他们便往旅店走去。

然而中心广场实在太大，要走到旅店还有些距离，就在他们快到门前时，拉尔夫边心神不宁地皱着眉，边说道：“究竟这女人美得闭月羞花，还是丑得三分像人七分像鬼？”“这可不好说，”罗杰说道，“她有时丑若无盐，也有时貌美如花；有时风华正茂，也有时风烛残年；有时心狠手辣，也有时心慈手软。但你要留神，她最仁慈之时便是其手下最残忍之时。只有手下越残忍，她才会对他们越仁慈。”

拉尔夫苦苦思索此话何意，然后又暗忖这是否就是他救下的那名女子，还是其他无关人等。似乎在回答拉尔夫的心中疑问，罗杰继续说道：“他们以为枯树谷只有一个女王，实则枯树谷当中有很多这样的女子。正因如此，他们不可能把枯树谷的女王一网打尽。”

边说着他们边走进了旅店，发现里面富丽堂皇，大堂明亮宽敞，气派非常，还有三个商人在歇脚。两人需要马上用餐，因为时间早已过午。马夫接过猎鹰的缰绳以后，旅店侍应便开始招待他们。罗杰在拉尔夫身边服侍，仿佛真是他的侍从。然后拉尔夫上楼歇息，睡了好一会。拉尔夫在中午之前走到大堂，发现罗杰一直在踱来踱去，屋内并无他人，于是便对他说道：“虽然你不是四湾镇的人，但你对这里相当熟悉，要不你带我到外面去见识见识？我很想去看看这里的人是怎么生活的。”

罗杰带着一丝微笑说道：“若你是以主人身份命令我，我定当从命，然则我最好还是留在此处。因为我心绪反复，夜不能寐，忧心忡忡，心中有郁结难解，这是我一生的结，我能放下一时，却不能放下一世。”

拉尔夫暗道这人怎么如此啰唆，但他并未对此番言辞多加理会，只对罗杰友善地点了点头，便抬脚离去，临行前在罗杰的劝说下把身上的武器盔甲都留在了旅店。

Chapter 13

# 四湾镇街道

他走遍四湾镇的街道，发现与从北门进来时走的那条路并无二致，道路两旁既无寒酸陋居，也无大领主所住的豪门富宅，这里的房屋建造精良、坚固敦实，但如前所述，很少用雕刻或者绘画装点修饰。街上行人来来往往，拉尔夫此刻只随自己偏好专心打量着妇女，感慨妇人也并没有比男子穿得更好，她们大多身着深色的廉价衣料，衣饰虽不华丽，但像这里的房子一样倒也朴实自然。偶然间，他遇见了一个肤白高挑的女人，似乎身上流有别国血统。拉尔夫发现与她同行的人衣着跟普通居民不同，她们头上并没有包头巾，只戴着花环或丝质发带，身穿绣有精致花纹的麦秸黄无袖礼服，礼服很短只勉强遮到膝盖，而且面料十分轻薄，与其说她们穿着布匹倒不如说是穿着刺绣，她们都没穿正式的鞋子，只是用白色皮条将凉鞋绑在赤脚上，每人右胳膊上还都钉有一个铁环。

街上男人大部分都身带武器，手拿棍棒，穿着无袖短马夹或蓝色布衣，仿佛时刻都准备着应征去上战场。但在他们中有一群男子的穿着风格和身材都与其他人迥异，他们身材挺拔，手无寸铁，身着色彩夺目的长袍，头上缠着绚丽斑斓的薄布条。拉尔夫常在商铺里或摊位附近看到他们，所以猜想他们是商人。那些商铺散布在各条街道上，贩卖着各种食物，跟他那天看到的大同小异，只是人流稀少许多。

穿过鱼虾和家禽市场便来到一条长长的街道上，拉尔夫沿着街道一直向前走，直到抵达一扇大门前，这门正巧对着他进城的路。跨进门内，他看到一条宽阔的大路将城里房屋明细划分，以便侍卫自由地在各个区域间穿梭。他还注意到修道院外每个小区域都延伸出一条大路，但路的尽头却并非是城门。在城里拉尔夫未曾见到一座城堡，当他就此事询问城内某位居民时，那人却大笑着回道，整个四湾镇的房屋及其他一切就是城堡，这样敌人才难以入侵。这个答案也正好印证了拉尔夫内心的猜想。

拉尔夫与那人在南门内交谈的间隙，不少人聚集了过来，渐渐大批人潮蜂拥而至。于是拉尔夫干脆站在那里看究竟发生了什么大事。不一会儿，他就听到沿着城墙传来了敲锣打鼓的声响，正如他所料，还有不少号角在城外回应着。很快，号角声越来越大，民众则退到路的两边，而旁边的大门则完全敞开（先前那些大门都关着，只留了个小窗口）。随后，第一波士兵走来，有的手里拿着斧子，有的拿着弓箭，而全副武装的骑士和军士则都骑在马背上。

拉尔夫在队伍中穿梭，直到看到尊贵的将领从大门走进了四湾镇。他心潮澎湃，暗自赞叹这些军人都是真正的勇士，虽然他们身材并不魁梧，但从其盔甲装束以及绑在伤口上的布条，能明显看出他们征战沙场的痕迹。

在这群勇士队伍之中还有一群群牛羊和马匹，那是打胜仗赢回的战利品。紧随其后的是一辆辆马车，其中一些马车上装着兵器和战轮，另一些则载着成捆的货物和日用品。队伍末端则是战俘，有的自己徒步走来，另一些筋疲力尽的则坐在马车上被拉进来。这些战俘十之八九是妇孺儿童，要说有男子，也不过是几个刚乳臭未干的小年轻。虽然这些女人心情沉重又风尘仆仆，但在拉尔夫眼中她们仍长得十分标致。拉尔夫细细打量起她们，料定这些人必定与在街上碰到的那些白净美人同属一脉，虽然她们穿着迥异，但都一样偏爱鲜艳的色彩。

拉尔夫目不转睛地注视着这场盛会，直到人群散去，而他也因为人群的热闹以及混乱的谈笑呼喊声感到几分疲倦。民众大多都一路跟随着他们的将领和战利品而离去，很快街道上便空无一人，恢复了宁静。于是他转向一条相对较窄的小道，从南门向东走去，那条路隔绝了午后的阳光。拉尔夫缓步慢行，一心想着到东门后再进城，等众人都回家了他再到修道院去。

街上几乎没看到人，不过时常可见年迈的妇人坐在自家门口，有些身边还有年轻的孩子相伴。他走到街道转弯处时，看到一位老妇人坐在门前干净的乳白台阶上，那儿本是向阳面，不过好在大花坛中高高的夹竹桃为她送去一片荫凉。老妇人一边做着针线活一边唱着歌，拉尔夫闲来无事索性驻足聆听，只听她用干枯沙哑的声音唱道：

稻场之上，盾剑铿锵；
无人声讨，赤火烈焰，
燃兮草垛，燃兮屋上，
战争火舌，吐信人间。
耕农横卧，山林稻场，
曾几何时，耕耘其间。
而今无人，悲戚知怜。
牛羊群中，女儿受逐，
可怜呜呼，血染玉足。
所为何故？战事未歇，
城门流转，捷报待传；
尘土飞扬，山坡高岗，
战火烽烟，高旋天上，
号角齐鸣，响遏行云。

城门大开，夜幕不待；
追兵不再，玄月高照。
斩获颇丰，吾侪同享。
取盎掣签，兄弟情深，
吾之所失，彼之所得。
羯羊母牛，各归余伊；
且看沼地，马驹成行，

灰马从容，踏主而过，

如若整全，即归汝得。

织布玫瑰，金枝花萼，

美哉归予，圣伊莱斯[1]。

如今所获，各得其所；

唯余袋中，犹自空空。

战事未歇，女儿悲痛。

她刚一唱完，一位穿黄色礼服的美人走到了街道的转角处，手中提着装满鲜花的轻竹篮。她抬起头，正好瞥见拉尔夫，又马上垂下眼睑，放慢了步伐。她的出现让拉尔夫感到心情愉悦不少，只觉她美得恰到好处，玉米色的礼服纤巧轻薄，衣服上的银线刺绣几乎无法掩盖她纤细的腰肢，光洁的脚踝在白色绑带凉鞋中显露出来，双臂上则戴有几枚金银环以及一枚铁环。

她抬起眼，腼腆地看着拉尔夫。拉尔夫则开心地冲她会心一笑，心想若是能听到她的声音也不虚此行，于是走上前主动跟她问好。这份问候似乎让姑娘心生欢喜，但她却先扫了一眼坐在门口的那位老妇人。

拉尔夫说：“姑娘，我刚到这城里来，对这儿的人事物都不甚了解。不过，在我向你正式请教前，可否请你告诉我，那些被军队带回的俘虏是什么人呢？来自哪个国家？是什么

① 圣伊莱斯：7世纪在法兰西的古希腊隐士，残疾人、乞丐以及被社会遗弃者的主保圣人。（译注）

血统的？”

突然那位小姐脸色一变，忘却了先前那些讲究的处世技巧，身子挺得笔直。她直视拉尔夫的眼睛，脸上泛起红晕，紧皱眉头，片刻后迈着坚定的步伐迅速走过他身旁，似乎有些恼羞成怒。

原本那位满脸皱纹的老妇人笑呵呵地看着他们二人，此刻脸色也变了，对着那位小姐厉声叫道：“什么！难道你要从这位美少年身边逃跑吗？他对你这么善良温柔。美人？是啊，我想你肯定是有个年轻愚昧的女主人，她还没学会怎么和你们这些被诅咒的女儿们相处。啊！我若是富有，定要买你们这种人，而且还是你们中的佼佼者，她要为我当牛做马，而不是向年轻男子卖弄风骚。我会为了她修长的大腿和白皙的皮肤而买下她，直到让她开始咒骂自己的命运，后悔怎么没能生得小巧玲珑、皮肤黝黑，不靠打扮美貌而靠真本事过上自由自在的生活呢。”

她还在接着说，但那少女已经走远，早听不到她的咒骂了。拉尔夫一直候在原地，并没有想摆脱她滔滔不绝的恶言恶语。从那些污言秽语中他也听出个一二，原来那些黄衣女人都是四湾镇人的奴隶，或许她们就是随将领进城的那些战俘的家眷。

随后，他便独自离开，思考着在日落前的行程安排。拉尔夫一直沿着那条路，直到走到了城墙边的空地上，然后穿过空地走到了东门。他朝周围四处看了看，发现大家都从修道院涌出来，汇聚一堂观看将领们点名，战利品被祝圣。于是他继续走，到达城墙下，并没有注意到处处都有人在好奇地盯着他，因为他完全陷入了沉思，心里想着今天的所闻所见，又猜测着哥哥们自从在爱普觅斯王宫旁的四望路分别后有何经历。不过他心中最强烈的想法还是离开四湾镇，因为这里让他感到不自由。他自言自语道，如果被迫要与这些民众一起生活，那他还不如从来没离开父王和母后，他甚至还想过明日一早就竭力返回爱普觅斯。但一想到自己在家中会过着怎样的生活，他就觉得似乎心中仍有遗憾，扪心自问是何遗憾时，他的眼前浮现出在树林里与恶汉打斗前看到的那位小姐的样子，她站在他们面前，穿着薄如蝉翼的衣服。当兀自说道其实自己最想做的事就是见到那位小姐时，他竟冲自己笑了笑，内心澎湃不已，暗下决心无论她是什么身份，哪怕一路历险也定要找到她。

怀着这些想法，他走到了北门，这还是他第一次从那里进城。此刻夏夜已至，四周一片漆黑，他只好从自己美好的沉思中醒来，快步走回了光之花旅店。

## Chapter 14

# 小镇往事

当他走进旅店大堂，那时还没点起烛火，但大厅里不算昏暗，因为他可以清楚地看见罗杰坐在壁炉旁的矮凳上，他对面的高背长椅上坐着两个人：一个是又高又壮的大汉，另一个却恰恰相反，十分瘦小。罗杰的视线不在两人身上，此刻他正瞧着别处在吹口哨。拉尔夫这时却在脑中冒出一种想法：这是罗杰故意做给他看的样子，好撇清跟这两人的关系，虽然这个想法还不知真假。但拉尔夫一踏进大堂，罗杰就马上转过身站起来迎接他了，殷切地询问他在镇里的见闻。他说话又快又响亮，拉尔夫觉得他似乎想借此传递什么信息。

拉尔夫的注意力没再停留在罗杰身上，而是穿过大堂的晦暗落在另外两人身上。他们已经站起来往大堂的入口走去，但他们走到一半时，一个仆从突然走了进来，手里擎着烛台，于是烛光笼罩住他们，在那名大汉头上的铁盔反射出一道闪光。

这时拉尔夫才看清这人外面罩着一件白色长袍，他认出这正是上次在海厄姆城的大殿里，在之前的教堂外面，还有在路上一共遇见过三次的那名男子。但拉尔夫没看出来那小个子是谁，因为他的脸几乎看不见，虽然傍晚的气温不算低，但他全身都罩在一件斗篷里，头上还戴着一顶宽边软帽，看得出他有一双大眼睛，明亮得惊人。

等这两人出了大堂，拉尔夫问罗杰知不知道这两人的情况，有没有跟他们交谈过。“没有，”罗杰说道，“我一个人坐在这里的时候他们进来了，自顾自地吃了点东西，完全没有和我搭话，就连彼此之间都很少言语。我只看出他们不是四湾镇的本地人。其他就不知道了，说真的，我怀疑他们不一定是人。”

他说话的时候一堆吵吵嚷嚷、大声说笑的本地人走进了大堂，吩咐旅店上些佳肴美酒，再多点些蜡烛。于是餐桌很快就摆好了，大堂里变得热闹起来。这些人一边等上菜，一边开始跟拉尔夫和罗杰搭话，问了些诸如你们从哪来、要到哪去的问题，倒没有丝毫冒犯的意思。罗杰用先前和拉尔夫说的那个故事打发了他们，而拉尔夫只说了些场面话，并没有透露自己的身份。

等到菜上齐了，这些人邀请他们一起坐下就餐。拉尔夫欣然应诺，罗杰本打算在一旁服侍他，但拉尔夫不许，让他在身边落座，只是两人坐的位置稍微与那些人拉开了距离。

当他们吃完晚饭，酒也上桌了，那些本地人在开怀畅饮的时候，拉尔夫开始向罗杰打听他在街上看到的那些女子是怎么回事，还有那些被军队带回来的俘虏，是不是同一个部族的人，又是怎么落得如今这个境地。他说话的时候轻声细语，并不想打断那些本地人的高谈阔论，但罗杰声音洪亮地回答他，几乎整个大堂都能听见：

“好的，主人，我告诉你他们的来历，这都多亏了四湾镇人民和他们的领主大发慈悲想出来的好主意。”

拉尔夫说道：“因为这些女子是枯树谷的人吗？我觉得她们来自四湾镇的敌对部族。”

现在那些本地人都静了下来，在细听这两个外地人的对话。罗杰依然用他的大嗓门回答道：“不是，她们不是枯树谷的人。这些美女都是战败的俘虏，但她们并非枯树谷那边的人，否则她们早就像那些该死的部族一样，被杀得一干二净了。她们来自戴穗者那个部族，就像你今天看到那些被带回来的战俘一样。但四湾镇对她们已经算是仁慈了，大军攻打和攻克那些尊贵的领主时（几乎是只要见面就开战）绝不杀女人，只杀男人，不论年老年少还是尚在襁褓。女人会被带回来这里，在市场上卖给出价高者。但在市场上拍卖的殊荣，只属于那些容貌出色的女人，越年轻越值钱，绝对不会打折。至于我自己倒不觉得这些美女有什么用，因为她们绝不是好仆人，她们太过骄傲，再轻的鞭子抽打都经受不起，更别提做脏活累活了。再说，把她们放在身边就像把刀递到她们手上。我说得对吗，各位大人？”他边说边转身看向那些本地人。

一个上了年纪的四湾镇本地人说：“这倒是真的，像我这种不想惹事的人就绝不会要这些女奴，尤其是，如果这些女人用刀干出些什么事，或者抵死不上主人的床，本镇的法律都是绝不会插手的。因为智者说，这些女人等同于母牛，法律对她们不适用，因为母牛决不会被带到民事或者巡回法庭上经受审讯。所以主人绝不能因为她们做错惩罚她们，只能由她们去，即使她们杀了人也是这样。”

“确实如此，”一个年轻一点的男人说道，“而且有时候我们家里的女人根本容不下这些女奴。比方说，我父亲的兄弟就因为他老婆把他的女奴折磨得不成人形而大动肝火，但他能拿他老婆怎么办呢？就像是花了大笔钱买回来的爱马或者好牛却被弄成了残废。”

“不错，”第三个人说道，“这样的牲口我们最好别要。一剑刺下去她们就完了，这才是处置她们最好的办法。”

另一个人说道：“但这些女子倒都是编织好手，我说要是没有了她们，丝绸做的衣服就只能到外地采买了，价格也会越来越高。”

一个衣着华丽的年轻人，一直用一种鄙视的眼神看着这些说话的人，接着说道：“尊敬的先生们，你们也太虚伪了吧，像是妻子在这听着你们表忠心似的。你们都深知这些女奴的妙处，而且其中很多都性情温顺，你们到时不对这些美人的身价讨价还价才怪呢。下礼拜六有谁不打算去集市找个比本地女子更貌美的妻子呢？还不用迁就她们的臭脾气，就像你也不会管猎犬有多执拗，或是驴子有多易怒，只当是被荆棘扎了一下，或被树枝抽了一下。”

听见他的这番话，其中一两个偷偷笑了起来，其他的却皱起眉看着他，但实际并无责怪之意，于是谈话就此告一段落。

拉尔夫也没再问任何问题，因为他已经意兴阑珊，心头浮现出爱普觅斯那些大胆奔放的女郎身影，她们的话语是如此温暖贴心，她们的亲吻是如此深情款款。他发现外面的世界比他原来想象的要险恶得多。

然而，这些人当中年纪最大也最冷静的男子，看出拉尔夫是一个出身不凡的异乡人，走过来坐在他身旁，开始跟他讲述四湾镇和戴穗者之间的陈年恩怨。很久以前，四湾镇是座毫不设防的小镇，戴穗者轻而易举就攻破城门占领了这座城镇，大肆屠城，但当时放走了很多还有战斗力的男子。虽然四湾镇原住民在他们的统治下三代为奴，但通过多年繁衍生息，原住民后代数量重新在城里反客为主，他们遍布各行各业，深受统治者信赖，几乎不受压迫。于是他们看准时机，在深冬的圣诞节揭竿起义，把所有统治者都杀了个一干二净，只有少数几人得以逃脱。

“所以自此以后，”他说道，“我们全力把四湾镇建得固若金汤，难以攻克，正如你今日所见。我们又把森林王请回来当我们的首领，他之前一直在林中空地隐居，后来与我们被戴穗者打败以前的首领的孙女缔结婚姻，我们又可以安居乐业，重拾自由强大。而森林王的儿子，我们称他为战匠，他看到四湾镇的人们耽于安乐，沉湎于盛世的幻象中，于是下令要让人们硬起心肠，让男子都学战术和战斗技巧，让妇女、女奴和外乡人负责手艺和贸易，我们都照他的意思做了。你也发现我们心肠现在都变硬了，虽然不如从前快活，但至少我们再不会轻易屈居人下。”

“看来确实如此，”拉尔夫说道，“但我可以先问你一个问题吗？之后还有第二个。”

“问吧。”那个四湾镇人说道。

拉尔夫说道：“既然你们是如此强大，那又为什么要如此忌惮枯树谷的人呢？你们完全可以把他们全数歼灭，但现在却只能东抓一个西追一个。”

那名本地人脸红了，清了清喉咙说道：“先生，先说清楚，这些可恶的畜生对我们四湾镇来说没有任何危险，他们对我们最大程度的伤害，也就像是一条杂种狗咬了一个人的小腿，那个人当然会痛，但那条狗一定会被杀掉。他们对我们不时造成伤害，但他们也为此付出了代价。不停对他们进行追剿可以锻炼我们的人，也可以从中得到乐趣。简而言之，他们就是我们养在林子里用来打猎取乐的野鹿。”

他停了一会儿，又继续说道：“说真的，要歼灭他们当然没有捏死一只黄蜂容易，因为他们会巫术，又诡计多端，特别是他们的女王，那个最大的女魔头竟然对着圣坛吐口水，她权势强大，吞噬了众多灵魂，愿主保佑我们！”说完他在胸前划了个十字。

拉尔夫说道：“还有一个关于戴穗者的问题，看来你们从没有在战斗中输给他们对吗？”

“几乎从来没有。”那个本地人说道。

拉尔夫便道：“那么说，你们集合一支战斗力强大的队伍不见得是什么难事儿啊，还可以占领他们的城镇和城堡，禁止他们使用军械，让他们沦为奴隶为你们耕田——这地方现在姑且还算是他们的。这样一来你们就能攫取他们全部劳动所得，扣除他们作为奴隶的日常所需。”

“我认为这么做确实很容易。”本地人说。

拉尔夫道：“那为何现在没有做呢？”

“那样就只算是一场无趣的游戏了啊。”本地人回答，“我们若是想夺取他们所谓的财富，只要发动一两场战争就好了，一小时内速战速决。而一旦我们成为他们的统治者，成天生活在他们的仇恨之中，身边充斥着他们的复仇密谋，那么，每天太阳一升起，战争便会在那仇恨最狂热、秘密最猖獗的地方打响，等太阳下山了也不会结束。哈哈！这样你又怎么看？”

拉尔夫答道：“依我看这是赤裸裸的事实罢了，可是像你这般举手投足如此得体、圆滑的人却看不清楚。你们已经抢走了女人，放在家中奴役她们，可你们为何把所有的战俘全杀掉呢？那等于在家中圈养自己的仇敌啊！”

“或许我们做的这笔买卖并不是最精明的，”本地人答道，“可我们别无选择，于是，就在摆脱了他们统治的那一天，我们发出了最宏大的誓愿，要尽己所能捍卫自由，但一开始我们并未付诸全力。到了今天，消灭戴穗者已经化作我们日常生活中的一部分，也与我们的思维心智融为一体，杀死他们真是动动手指就能办到的事儿，就跟杀一只兔子或猫没什么区别。但现在，尊贵的先生，看一看，我的同伴们都站起来了。呵呵，我还是祝你今夜平安无事。我要献给你一个忠告，还有祝福——不要过问太多与这座城市的敌人相关的问题。一个陌生人要是这样提问，而且不愿意接受本地人付的酬劳上战场去，或者手上没有兜售变卖的东西，他会被质疑的。”

拉尔夫听得面红耳赤，本地人一边说着，一边死死地盯着他，拉尔夫嗅到了一股浓厚的不信任感。他还感到有三四个人朝门口走去的时候，投来虎视眈眈的目光。罗杰则站在那儿，脸上露出莫名其妙的微笑，哼着一小段古老的曲子。

不过，等所有宾客都走出旅店之后，罗杰停止了哼唱，转身对拉尔夫说：“主人，我认为这群人不信任我们，或许，这就是今早我在来四湾镇的路上提到的危险，但它来得比我想象中快。我宁愿我俩现在就离开四湾镇，回到美丽的树林里去，真后悔把你带到了这儿来！”

“并非如此，朋友，”拉尔夫道，“先别多想了。再说，他们不信任的是我，不是你。明早我就离开吧，那样也不坏，你就留在这儿，继续追寻你的财富，愿你好运！”

罗杰直直地盯着他，道：“不要这么说，年轻的王子，你若要离开，我会追随你，因为不知不觉中，我的心已被你虏获了。我会一心一意地服侍你，你去哪儿，我就跟你到哪儿，我坚信你会成就一番了不起的事业。”

拉尔夫听闻此言甚是欣慰，毕竟他还如此年少，待人不设防，容易轻易听信他人的言辞，也享受被人关照呵护的感觉，何况还能收获亲密的友谊。他便回答：“所言极是，我感激你有这样的看法，往后的冒险我将不让你失望，你也会得到应有的报酬。喏，我们握手吧！”

罗杰握住了他的手，却看起来面露难色，但一言未发。拉尔夫开口了：“我确实不想拿四湾镇的报酬，在我看来，他们的心肠太狠，为人凶残又毫无乐趣，他们的侍奉想必十分粗野，而非侠士所为。但不论如何，我们好好度过这个夜晚吧，明天就见分晓，毕竟我现在又困又乏。”言毕，他呼唤侍应，对方取来一支蜡烛，放在他的房间里，拉尔夫褪去衣着，躺到了床上，还来不及看一眼罗杰的床位是在大堂里，还是别的地方，就一下子睡着了。

## Chapter 15

# 逃离魔窟

拉尔夫感觉自己入睡不到一分钟就被一个轻微的声音吵醒，“阁下，阁下，醒醒！”于是他坐起来，也轻声回应道：“谁啊？天都还没亮，出什么事了？”

“我是你的同伴，罗杰啊，”那人说，“要是你不想在日出前被关到四湾镇大牢的话，就马上穿好衣服，带上武器，千万别弄出声响。”

拉尔夫二话不说，按他的嘱咐一一照做。其实，早在他卧床入睡前，心里就感觉到这里危机四伏。拉尔夫小心翼翼地拿起武器和盔甲，唯恐它们碰出声响，然后跟罗杰一起走进大厅，发现此时大门已关，但并未上锁。走出门外，拉尔夫看到天上暗云涌动，月牙西沉，四周一片漆黑。不过微风送来的熟悉气味和略微杂乱的声音让拉尔夫明白黎明将至。他甚至还听到城墙上守卫巡逻的声音，在大声询问着时间。钟楼上响起了洪亮清晰的钟声，听起来就像在他头顶上敲响一般，此时已是午夜过后两个半小时。罗杰沉默不语，拉尔夫作为骑士心里十分清楚此刻必须保持镇定，虽然他也很想带着猎鹰一起，却不能贸然拿自己的生命冒险。

他们继续悄悄前行，走出大广场，进入了一条狭窄的小道，然后踏上另一条街道，最终抵达城墙下一隅未建房屋的空地。罗杰驾轻就熟地带着路，似乎很熟悉这里的地形，不一会儿他们就走到位于东门和南门之间的一扇小门前。拉尔夫视力极好，他清楚地看到小门附近站着几个人，还有几个人躺在不远处的地上一动不动。

罗杰轻声问站着的那些人："绳子搓好了吗？""没呢，搓绳工。"其中一个说。然后罗杰转过身，对拉尔夫耳语道："朋友，拔出你的剑！"随后他们打开小门走出城外，来到方塔转角的沟渠边。拉尔夫看到有人弯腰将宽木板扔在渠道上，水沟很深但并不宽。随后，他跟随那些人径直穿越水沟，罗杰断后。很快一行人就到达了沟渠另一边，拉尔夫看到东方的天空显露出黎明的曙光，但四周仍然很黑，大家都沉默不语，四周静谧无声。接着他们缓慢地穿过城墙外的平原，在灌木丛中匍匐前进，在树林间慢慢穿梭。那里似乎是四湾镇附近的无主地，有些许树木在此扎根。随后，这列队伍穿越了一片小树林，就着黎明逐渐到来时的微弱光线，拉尔夫看到除罗杰外另有六名男子。他们面前是一片草地，四周被高高的篱墙围住，隐约可见一排方正的队列，拉尔夫猜想那是谷仓的屋顶或者农田，在那之外便是黑压压的树林了。

他们依然保持缄默继续赶路。一路上，听到一条狗在不远处狂吠，公鸡鸣啼报晓，旁边的草地上一头牛“哞哞”叫着，突然像受了惊似的越过篱笆，奔向那片长长的未啃过的毛茛草地。时间飞逝，彼时他们已抵达了方才远远见到的谷仓围墙以及田庄顶棚附近，听到“咩咩”的羊叫声。天已渐亮，他将那六名男子看得更清楚，六人中有一个魁梧的大高个，还有一个灵活的小身板，他猛然想到，这两人不就是他昨晚在光之花旅店偶遇的那两个人吗？

突然，从农场边的羊圈大门那儿走来一个人，一看到他们便立刻机警地边往回跑，边叫：“修、沃特、理查德，所有人，快出来，快出门！这里来人了！小心是枯树谷的人！拿好弓箭和斧子！弓箭和斧子！”

看到眼前这一幕，拉尔夫的同行者们并没有太过慌乱，只是全力奔向之前提到的在农场旁山坡上的那片黑树林。现在可不能再慢慢走了，也无暇再顾及身上的盔甲摩擦出声响。拉尔夫也跟着那个小个子年轻人拼命地跑过去。小个子并未在树林外停步，反而一头冲了进去。但拉尔夫却停了下来，转身看了看前方，身材魁梧的那个高个儿竟不知何时跑到了队伍末端，他手中拿着弓弩跑进树林。在他给弓弩上弦时，农场来的七个人从谷仓的楔形墙后狂奔过来，大声叫道：“嘿，小偷们！你们这些枯树谷来的人，待着那儿等我们过来！你们根本躲不过我们灵活的拳头。”高个儿在微光中将箭杆放在耳边立刻放箭，还没看清第一支箭如何飞驰，他立即拉弦又放了一支箭。拉尔夫看到每支箭都射中了一个人，中箭者瞬间倒地。还没等拉尔夫看看其他人，高个儿就一把抓起他，大声说道："第三次！"然后带着他去追赶大部队。鉴于他腿长而拉尔夫脚快，他们很快就赶上了其他人，大部队一刻也没停歇，还在继续赶路。他们边跑边笑，嘲笑着刚才的追兵。高个儿朝他们喊道："是啊，小伙子们，他们在镇上竖起的那个冒牌的枯树现在应该已经干得透透的了。""没错，"另一个人说，"让我们用那些可怜人的血液浇灌它吧。"

"好了，好了，言归正传，"第三个人说，"别把力气浪费在说话上。那些人只会追着我们到城墙那儿而已，只要那里还是我们的，所以我们应该继续匍匐前进。"

高个儿大笑起来。"你说得没错，"他说，"但说得最多的就是你吧。继续加油，小伙子们。"

听了这话他们又哄笑一番，不过继续前进后大家都没再弄出声响。拉尔夫心想，自己无疑是加入了一个陌生队伍，并且他笃定那高个儿就是他在熊丘下村庄里教堂大门处第一次遇到的那个人。但他现在别无选择，只能继续往前走。

行进途中有段时间大家都有些懈怠，不过此刻已经恢复过来，他们加快脚步穿过了灌木丛中的路，在拉尔夫看来这里就属于四湾镇南面的凶境密林。罗杰找到拉尔夫大声跟他说："尊贵的大人，你此刻已经摆脱了死亡的威胁。"

"你确定？"拉尔夫回道，"跟我们同行的是什么人，我怎么觉得他们来自枯树谷？"

"没错，不过也可以说他们是枯树谷的叛徒和逃犯，"罗杰干笑一声，说，"但不管他们是谁，你应该知道如果我们不跟着他们，而随自己意愿离开，他们一定会让我们尝尽苦头。这点我可以保证。”

“可是，”拉尔夫说，“我失去了我的爱马猎鹰，这让我非常痛苦。”

“或许吧，”罗杰说，“但是至少你安然无恙。况且这世上那么多马匹，可你的命只有一条。知足吧，你要明白有失必有得，失去的爱马也一定会为你换回什么。”

拉尔夫笑了笑，但多少有点酸楚，这时他听到远方传来了清晰的口哨声，所有人都停下脚步保持安静，可过了片刻他们又谈笑起来。高个儿把手指放在嘴前也吹了声口哨作为回应，接着第三声口哨声响起回应了他。随后他们继续赶路，路途上听到有男人的说话声。不一会儿他们抵达了树林里的一片小草地，十多个人或站或躺在他们的马旁，但是并没有竖旗帜，也没有展示任何标志。他们都身着白色铠甲，外面罩着白色外衣。拉尔夫心想，这里有数十匹马，远远超过他们自己的需要。

两队人马会面十分热闹，大家像朋友那样拥抱亲吻。拉尔夫注意到没有人拥抱那个小个子年轻人，他跟其他人保持一定距离，不过其他人看似都非常尊敬他。

其中一个亡命之徒说道：“好了，小伙子们，现在我们四个又会面了，还有那两位曾救我们于危难的朋友，以及当我们需要时有求必应的好帮手罗杰，此外还有一位罗杰的朋友，不过我们都不认识。谁来介绍一下。”

高个子往前站了一步说：“他是个英俊年轻的骑士，这个不用我说你也看出来了。罗杰告诉我们他是来探险的，他本可以一走了之，但还是冒着生命危险在四湾镇待了一段时间，虽然这并非出自他本意，我们当然也希望他不愿留在四湾镇。至于其他的就是我对他身份的猜测，有远见的人会认为他是个有福气的人。”随后他转向拉尔夫对他说，“你怎么想呢，英俊的阁下，你是否愿意当我们的客人，跟我们一道启程？”拉尔夫说：“显然，你们让我去哪儿，我就必须去哪儿。但是我确实还有别的事，跟你们并不顺路，所以如果我跟你们走，你可以视为我是被强迫加入你们队伍的。简而言之，我要离开这里继续朝我的目的地前进了。”

他说话时看到那个年轻人到处徘徊着，但几乎看不到他的脸，一是他的帽檐低垂，二是他穿着宽大的斗篷。最后拉尔夫见他走到高个儿那儿轻声吩咐着什么，高个儿频频点头，随后年轻人走到灌木林附近，高个儿又对拉尔夫说道：

“英俊的阁下，我们同意你的请求，不过我们希望让绳索路的罗杰，你的老旅伴，继续跟着你，一路上给予你必要的帮助，这样你恐怕就不能再回四湾镇了——在那里你的任务和生命都会很快终结，不然就会落入凶境密林里为你准备的其他陷阱。但是如果你想得更周全，就应该跟我们在一起，我们绝不会继续在这儿逗留。无论怎样，鉴于你失去良驹，我们会为你备匹好马，罗杰也会跟你一起骑马上路。”

高个儿从头上解下头盔，拉尔夫凝视着他的脸，看看他是否显露出任何轻蔑或者恶意，但却一点也没看出来。他一脸的严肃庄重，没有丝毫邪恶，不过他的脸型倒是跟身材一样又长又宽，颧骨突起，灰色的瞳孔位于眼睛正中央，似乎一直凝视着远方。

拉尔夫暗想，说到凶境密林的陷阱，他此刻不就正身陷其中么。用不着别人告诉他，他也知道这些人来自枯树谷，他也知道是罗杰一步步把他引入陷阱之中，不过他倒并不认为罗杰是出于恶意。于是他自言自语道，若是跟罗杰一路，怕也只不过是绕个道去枯树谷，这样一来还不如直接跟大部队走。不过他又转念一想：跟罗杰一起可能会比跟他们一道更安全，免受些苦难；而且虽然他不会跟大部队走，但假设跟他们一起恐怕他就会成为枯树谷的一员，这样很可能会直接去到谷中要塞。思前想后他终于开口，像高个儿一样严肃地回应道：

“既然你们让我选择，尊敬的大人，那我跟罗杰——也就是你们口中我的老朋友——单独离开，尽管在我看来他更像是你们的人。他曾把我引到你们这儿来，难保不会有第二次。”

“那是，”高个儿不再板着脸，大笑起来，“那就将是我们第四次见面了。启程吧，尊贵的大人，请记住一句话，我希望你一切都好，无病无灾。”

## Chapter 16

# 二闯凶境密林

罗杰把拉尔夫带到一匹健壮的骏马前面，这马皮光毛滑，泛着枣红色的光，马具齐备，简直随时可以上战场。而罗杰自己有一匹灰色骏马，两人马上上马；拉尔夫信马由缰地慢慢穿过森林，因为他脑中满是发生在他身上的种种，但也好奇还有什么奇事会发生。而其他人也没有在林中闲逛，他们抓紧时间上马，离开拉尔夫，在森林中往四面八方散去。

拉尔夫一直没说话，直到罗杰驭马靠近他，说道："我们现在打算去哪里，尊敬的主人？你对自己要往何处去有头绪吗？"

拉尔夫觉得这问题太好笑了，所以他尖酸地回敬道："我怎么知道？你想带我去哪就去哪，就像你之前用谎言和捏造的故事把我引到这里来一样。我觉得你接下来会绕路把我带到枯树谷的大本营。没关系，反正你也不敢把我带回四湾镇。现在想想，与其别扭地和一个已经现出原形的叛徒和骗子单独上路，我还不如跟他们走。”

“不不不，”罗杰说道，“你现在被怒气蒙蔽了理智，所以我不怪你。不过，如果可以的话，请你先平息怒气。因为其实我之前跟你所说我自己的事和我遇到的不幸并非全是谎话。而且我说你如果继续留在四湾镇，那里的强人会威胁你的性命这也不假。你举止英武，直言不讳，而且身份尊贵，如果我猜得不错，你生性嫉恶如仇，痛恨不公。这种随意不羁在他们那种崇尚强者的同伴关系中是绝对不能容忍的，他们很快就会对你不利。更何况，跟那些人分道扬镳绝对不是什么坏事，他们接下来很可能还有大事要干，输赢尚是未知数。如果你不想去悬崖下的汉普顿，我绝对不会带你去那。我可以告诉你的是我会带你去一个地方，但先别问我是哪里。我能说的是就这么多了，那里一定会让你觉得安全舒适。最后我要说的是，无论我之前做了什么，都是为了你好而不是害你。虽然我不能说出这个人是谁，但还有人也希望你好，就因为两天前你在凶境森林中干掉了那两个人。”

当拉尔夫听到最后一句话的时候，强烈而又甜蜜的希望和心愿在心头涌起，此时他脑子里只想着一件事情，就是再一睹那位在凶境森林中的小径上遇见的女子芳容。因此他现在绝不能与罗杰再起争执，以免两人不欢而散。如果没有罗杰的帮助，他很可能再也见不到她，那个让他在不知不觉间已经难以自拔的可人儿。于是他平静下来谦卑地回应罗杰道：“好吧，我的旅伴，你也看到我只是一个涉世未深的年轻人，却遇上这么多危险强大的势力，靠我自己的力量是肯定应付不过来的，至少要等到我跟他们实力相近才能正面迎战，那时即使他们对我有敌意我也能应付一二。所以现在请你带我到任何你想去的地方吧，如果你以后要背叛我，全凭你的良心决定。而且说真的，我根本不熟悉这片森林，说不定会迷路回到四湾镇去，那里可有一大堆对手在等着我。我相信你的话，希望你会遵守诺言，现在我不会再问你任何问题，等以后再说。”

“尊敬的大人，”罗杰说道，“只要等我们离开这里就可以了，因为我们离四湾镇还不算远，不能保证安全；等我们到了别的地方安定下来，我们再边走边聊。”

说完他便用脚跟踢了马腹一下，两匹马精神抖擞起来。榉树林中也没有低矮灌木，两人胯下的坐骑很快便一起齐步小跑起来。罗杰看来对方向很熟悉，一直毫不犹豫地调整方向前进。

不知不觉间，已经过了四个多小时，榉树变得稀疏，渐渐消失。两人来到了一处乡郊，但实际这里还是荒原，遍布低矮丘陵，地质坚硬，到处都有荆棘丛，还偶尔冒出几棵小鸟衔来的种子长出的浆果树。这时罗杰说道：“现在我们已经远离四湾镇的威胁了，即使他们一直追在我们后面，在我们和另外那些人分开以后，也已经找不到我们的线索了，只会跟着他们那边的痕迹追踪下去。所以现在我们可以让马儿休息一下了，虽然这片荒原中可供它们小憩吃草的地方不多。我们比它们好的是，我那匹老马背上的鞍囊中有干粮和饮料，你可以用些。”

于是两人下马吃东西，让两匹马自己找草吃。一边吃，拉尔夫一边问起罗杰现在要往什么地方去。罗杰说道：“我会带你去一个还不错的落脚处，那座庄园属于一个我认识的贵族先生，你可以在那里住几天，如果你想的话，不过你在那里不一定自在。”

“那这位先生，”拉尔夫说道，“他是枯树谷的人吗？”罗杰说道：“你有很多问题如果我不说假话真不知道该怎么回答，但我可以告诉你，这是真的，虽然我不知道他是不是他们中的一员，在他们之中我有密友也有敌手，命运的安排将我和他们捆绑在一起。”拉尔夫脸红着问：“那里有其他女子吗？”“当然，当然，”罗杰说道，带着一点坏笑，“这是毫无疑问的。”

“那这位枯树女神，”拉尔夫说道，他的脸更红了，但并没有低头，“这个四湾镇居民提起来就咬牙切齿，只要抓住就要百般折磨、碎尸万段的女子，你能告诉我一些关于她的事吗？”“我知道的不多，”罗杰说道，“只除了一件，那就是你很想见到她，只要你跟着我，以后你会如愿的。”

拉尔夫听明白了，虽然他装出一副不甚关心罗杰说话的样子；但现在他站了起来，皱着眉来回转圈，似乎在思考什么难题。他不发一语，罗杰看来也不打算开口劝他，虽然他时不时扫他一眼，最终拉尔夫又回来躺在罗杰旁边，过了一会他说道：“我不知道你们这些枯树谷的人为什么要抓我，也不知道你们要对我做什么，一想到这些我就恨不得不管前面有什么危险，马上离你远远的。”

罗杰说道：“这些事情你以后都会知道的，到时你会发现原因很简单；同时我再说一次，这是为了你好，为了你高兴。所以如果你想的话现在就可以走，有谁阻止你吗？我肯定不会拦你。”

“不，”拉尔夫说道，“我会先跟你到那座庄园去，之后我们再看看有什么事情发生。”“没问题，”罗杰说道，“那我们现在上马出发吧，否则我们不可能在天黑前赶到那里，可能要明天早上了，那个地方还挺远的。”

## Chapter 17

# 进入丰饶宫

他们沿着那条石头路向前驰骋，举目望去不见河流，只是在低洼处形成了不少水塘，细小的水流源源不断地注入其中。不久，他们走到了一处高高的山脊上，山脊的另一面则是一片广阔无垠的谷地，山谷里遍地是青草，零星可见几棵树木，但却见不到人烟。一条宽宽的河流从谷间穿流而过。此刻已到午后四时，罗杰说："天色不早了，我们就算拼尽全力也没办法在天黑前赶到落脚处。殿下，你水性如何？""我的水性堪比野鸭。"拉尔夫答道。罗杰说："那太好了！虽说几英里开外的下游流域有处浅滩，附近的人多半都从那儿过河去凶境密林，但是我们在那里多半会碰到敌人而非善者，至少也会遭人盘问，你是谁、从哪儿来、到哪儿去，这可能会让我们露出马脚。"拉尔夫说："没必要耽误功夫，我们直接从这骑马过河吧。"

他们策马一路向大河走去，河水很深但水流并不湍急。到了河的彼岸，他们又马不停蹄地爬上了一座陡峭的山丘。在山顶上，他们勒住马让坐骑休息片刻。拉尔夫跳下马鞍俯瞰脚下的山谷，前面提到过他耳聪目明，可以眼观六路耳听八方。此刻只听他说：“嘿，旅伴，我看到有人在山谷里策马奔驰，看来他们要去河边，身上还带着武器：那儿！你看到那些兵器的反光了吗？”

“我毫不怀疑你的话，尊贵的骑士，”罗杰说，“甚至还感到热血沸腾，毕竟他们是自我们离开丛林后遇到的第一波人。”随即，他扬鞭策马疾驰而去，拉尔夫二话没说赶紧跟上。

二人在青草漫漫的丘陵上翻山越谷，最后终于再次看到了树林，于是马上找了棵大树停下休憩。此刻他们的马匹早已气喘吁吁，疲惫不堪。拉尔夫说：“我们来到了一片广袤的土地，可放眼望去既不见房屋也不见羊群，既没有羊圈也没有牧羊人，真想知道我们身处何处。”

罗杰说：“你要是知道了那个故事，可能就没这么多疑问了。”“什么故事？”拉尔夫问。罗杰答道：“一个关于战争和荒地的故事。”“是吗？”拉尔夫说，“那至少也有勇敢的骑士或者英雄统治着那片土地，可以随意为自己搭建宫殿并雇人为他看守羊圈，烧火做饭，打杂搬物。”“这是自然，”罗杰说，“但是不仅如此。”“还有什么？”拉尔夫问。罗杰答道：“疾病降临，悲伤来袭，命运之手和蛊惑巫术。”“而且还有懦夫鼠辈？”拉尔夫说。“不错，”罗杰说，“不过也有英勇无畏者。夕阳已经西沉，故事一时半会也说不完。我担心会碰上歹徒，还是尽快启程吧。你看，这片树林就跟四湾镇的灌木从一样声名狼藉，很少有人能一路通行不被打劫的，安全起见我们还是早些上路吧。不过说心里话，或许不久前你离开我时，只需担心四湾镇的那些恶徒，但是如今你若离我而去，面临的危难将多得多。就算是天上的圣者也只知道你从哪儿来而不确定你往哪儿走，除非你可以自己找到出路。这条路虽前途凶险但起码方向正确，愿上帝和圣米迦勒[①]助我一臂之力！你说呢？是认同我还是又要批判我了？”

虽然经历了种种，但拉尔夫的心情还是十分轻松。于是他说：“当然认同，虽然我若是选择另一条路则很可能不会遇险。但我内心有个声音在说，在不久后我就能大开眼界，看到神奇有趣之物。”

“你内心的声音说得没错，”罗杰说，“在这树林中有一座房屋，我们今晚可以在那过夜，对于你而言那里或许就像是一扇通往生命和惊奇的大门。因为在此之前就有不少人从那出发去寻找世界尽头的水井。”

拉尔夫立刻转向他说道：“这些天我常常听到那个水井。你知道那是什么意思吗？我自己是一无所知。”罗杰说：“我知道的也比你多不了多少。虽然有人为了过上更好的生活而去寻找过那水井，但很少有人找到。不过我听说他们很可能跟随了一个能让天下女人都坠入爱河的人。”

① 圣米迦勒，《圣经》中唯一的天使长，也称“光明之子”。米迦勒意为“与神相似”，是父神所指定的伊甸园守护者，在与撒旦的七日战争中，米迦勒奋力维护上帝的统治权。在基督教的绘画与雕塑中，米迦勒经常以金色长发、手持红色十字架（或红色十字形剑）与巨龙搏斗或者立于龙身上的少年形象出现，以容姿英伟著称。（译注）

拉尔夫没说话，但罗杰注意到他听了这些话脸上泛起了红晕。

他们再次骑上马背，不过为了让爱马喘口气他们骑得比较慢，一路上走走停停。罗杰说得没错，长路漫漫，他们只得不时休息片刻，因此还没走出树林夜幕就降临了，还好有一轮明月映照天空。天渐渐全黑，他们索性睡了一觉，直到月牙渐沉黎明初上又继续上路，一直走到夜幕完全退去，不过茂密的树林将曙光遮掩得严严实实。

终于他们走出树林，来到了一片开阔草原，此刻黎明早已过去，已是清晨时分。他们面前出现一片广阔无垠的草原和耕地，一条小河贯穿平原而过。在草地中间，一座青绿的小丘上矗立着一座白色的城堡，固若金汤，虽构建精致，但也称不上是最恢宏的城堡。

罗杰指着那城堡说："我们到家啦。"他早已精疲力竭的坐骑也嘶吼一声，似乎也看到了旅途的终点。天已渐亮，他俩飞快踏过那条河的浅滩一路奔驰到城门前。罗杰拿起挂在城门上的大号角用力吹响，拉尔夫则环顾四周，赞叹还从未见过比它装修更豪华精致的城堡，不过这座城更像是旧城翻新的。他们只稍等片刻就收到回应，原本拉尔夫以为守城门的士兵会从城垛或者射击口瞥他们一眼，门卫会从格子窗窥探他们，但事实并非如此，很快一位瘦高的白发老妇人就打开了城垛侧门，亲切礼貌地问候他们。罗杰立刻下马，拉尔夫也紧随其后。二人牵着马穿城门而过，走进围城之内。老妇人在前面带路，一直将他们领到大厅门前，打开门，然后接过他们的马缰把马牵到了马厩。他们则走了进去，这座大厅真可谓美轮美奂，极尽奢华。罗杰带拉尔夫走到高台上的木桌前，那儿摆满了美酒珍馐，拉尔夫示意他的领路人坐在自己身边，随后就狼吞虎咽起来。这儿并没有侍从服侍他们，他们甚至没有看到其他任何人，只有那位老妇人从马厩回来，在桌边伺候着。每当她来回忙碌时她都会顺势多看拉尔夫几眼，好像有什么话想对他说，但每次她瞟一眼就又忍住了。

等到他们俩用餐接近尾声时，拉尔夫问她道："恐怕领主和夫人已经就寝，我们是不是要到明早才能见到他们？"

老妇人还没开口，罗杰就插嘴道："如今这城堡里既没有领主也没有夫人，这里连明天早上都没有，甚至都没有中午之前这种概念。所以现在你最好让这位妇人带你去歇息，余下的事就顺其自然吧。"

"那好吧，"拉尔夫说，他此刻已经心力交瘁，"我们俩可以睡一个房间吗？"

"不行，"老妇人简短地答道，"安排骑士和安排普通人的住宿是两码事。"

罗杰笑了笑没有说话，拉尔夫则向他道了晚安，然后自觉地随老妇人离开，并无二话。老妇人带着他到了楼上一个华丽的寝宫，他似乎俨然成了这座城堡的主人，睡在这张舒适无比的床上，也无心去想罗杰睡在哪儿，暂且放下所有事情，沉沉睡去。他没有梦到四湾镇、凶境密林或者城堡，也没有梦到任何男人或女人，只是静静地躺在床上，如同他那在爱普觅斯圣劳伦斯教堂的画框中长眠的祖父一般。

Chapter 18

# 暂歇王宫

他醒来时林中平原已经洒满阳光，他从床上一跃而起，望着窗外（因为房间就在大厅的山墙边，墙外没有其他城堡附属建筑阻挡视线）。这样一个六月晴朗的午后，年轻人惯常打个盹，拉尔夫也不例外。轻风拂面，把初夏的甜美气息送进房里，香气的主调是清爽的新割青草味，因为现在正是小伙和姑娘们在草地上着手收割牧草的时候。日过中天，城堡庭院里的几只乌雀也开始放声鸣唱。生命的喜悦让拉尔夫无尽感叹，几乎忘记了自己身在何方，也忘记了最近发生在自己身上的种种异事。但当他站在窗边看着青青草地时，记忆如潮水般袭来，他又叹了一口气，这次是为了心中的那个缺口。虽然此地并无旁人，但他却羞涩地笑了起来，因为此时他满脑子想的竟是那些收割牧草的姑娘能否与四湾镇里那些身穿黄衣的女奴媲美。当他转身离开窗前，一个新的念头让他的心狂跳起来，他有预感他将在此地邂逅改变他生命轨迹的人，揭开人生的新篇章。

于是他穿上衣服，下楼到大厅里去找罗杰，但没见到人，只遇到一个老妇人，正从备餐室走出来，于是他便问她罗杰在哪里。“他已经走了小半天了，但给你留了一句话，大人。他说，请你最少在这里等他两天，之后如果你想走，随你。但换作是我，”她说道，她对着他甜甜地笑了起来，脸上的皱纹都笑开了花，“我跟你说，如果罗杰不能在两天内赶回来，请等下去。只要你待在这里，我会尽力让你过得舒心的。谁知道呢？说不定你在这会有意想不到的奇遇。就像之前那些光临此地，或者走近此处的英勇骑士那样。”

“谢谢你，”拉尔夫说道，“即使我在这没有遇上什么奇遇，说不定我也会继续等下去的。至少现在我会留在这里等今天的午餐。”

“没问题，尊敬的大人，”老妇人说道，“你现在可以先到外面草地上走走，再等半小时午餐就备好了。本来可以早点做的，但因为不想打扰你，我等你从房间出来再做。感谢诸圣让你睡了甜美的一觉，你的脸色像化了妆那样好看。”说完这句话，她便匆匆赶回备餐室，身后的拉尔夫对她毫无保留的恭维大笑不已。

然后他便走出城堡大殿，城堡的门大开，内外皆不见人影。于是他来到草地上闲庭信步，看到草场里的牧牛人，还有那些正在收割牧草的人们，他们的声音乘着微弱的凉风悠悠地传进他耳中。他想，可以趁着暮色降临之前跟他们搭话聊个天；他还注意到在小河和树林之间整齐地排列着很多农夫建造的农舍和茅屋，中间有一座洁白小巧的教堂。不过由于天热，他的视线很自然地转向了小河。他来到河上的一座木桥边，这里有一个小水池，周围长了不少杨柳，但还没有柳荫匝地的样子，水像玻璃一样清澈，可以看到池底铺满了细沙。他跳到池里沐浴，一边戏水一边想起了在爱普觅斯河那蜿蜒悠长的河道中欢度的时光。那时七月的骄阳初升，他伴着芦苇丛中的麻雀啼鸣顺流而下，在摇曳的水草中畅泳。当他上岸后重新站在草地里，他觉得他人生中没有比此刻更惬意的时候了。他霎时只觉得卸下了心头重担，四湾镇的战事纠纷，枯树山谷的人，戴穗者，那些女奴、鞭痕，还有纵火逃亡以及四湾镇那座城池和它的民众如何忍辱负重、卷土重来的奋斗史，都被他抛诸脑后。

当他回到城堡大门，那位老妇人已经在铁栅后东张西望寻找他的影踪，等着叫他就餐。当她看到他一副笑逐颜开，嘴角带笑，眼中含喜的模样，她也被感染得眉飞色舞起来，说道："说真的，如今这里没有能跟你匹配的漂亮姑娘向你示爱实在太可惜了。该有多少姑娘希望亲亲你的嘴啊，帅小伙！不过现在是时候吃点东西了，这样你才会更健美，你的美貌也会更持久。"

他听了忍不住开怀大笑，和她一起走进大厅，厅里已经布好石台，高背椅上饰有织锦，墙上挂着描述亚历山大史诗的精美挂毯。于是他在餐桌旁坐下，享用美酒佳肴，老妇人在旁服侍，一边为他添酒加菜，一边不遗余力地用溢美之词称赞他，直到他把她使开。

午餐后他休息了一会，又召来老妇人，请她把自己的剑和头盔带来。"拿来干什么呢？"她说，"你要上哪儿去？"

他说："我想出去走走，呼吸新鲜空气。"

"你想走到树林里去吗？"她问道。

"不，"他回答，"我只想到草地上走走，去瞧瞧那些正在收割牧草的伙计。"

"如果是这样，"那老妇人说道，"用不着佩剑和戴头盔。我怕你就这样走了，你一走我的心都碎了。如果你要走到树林深处，握紧你的剑自然有助壮胆，可在丰饶平原上带剑有什么用呢？这里只有和顺的农夫和直率和善的村妇，他们就像喝了世界尽头的水井的水那样永不改变。"

她一说到水井他就想问了，但他忍住了，等她说完才问道："那这片美丽富饶的土地的主人是谁呢？""我们不叫主人，叫她夫人，"老妇人说道。"她怎么称呼呢？"拉尔夫继续问。"我们叫她丰饶夫人。"老妇人答道。拉尔夫又问："这位夫人行事和善吗？""她是我的夫人，"老妇人说，"对我很好，在这片土地上没有一个人会说她不好——只会更好。""那她长得如何？"拉尔夫问，"这里没有女子比她更美，"老妇人看着他说道，"但要是跟男子比，现在就难说了。"

拉尔夫静了一会，接着问："世界尽头的水井是怎么一回事呢？"

"我听他们说过，"她说，"要说起来就长了，不过城堡里有一本关于它的书，虽然我没读过但我知道在哪。如果你想看的话，我明天找出来给你。"

"谢谢你，"他说，"我请你别忘了这件事，现在我得出去了。"

“当然，”老妇人说道，“不过请等一下。”

说着她转身进了备餐室，然后带着一个用园子里的玫瑰和绿叶编织的花环回来，她说：“太阳现在还很晒，带上花环可以遮阴。我想你今天一定会出去的，所以早上就已经把花环做好了。年轻的时候人人都叫我花环织娘，带上它避暑比你那头盔好多了。”

他向她表示谢意，微笑着戴上花环，但心中懊悔不已，他对自己说：“要送我定情信物，这位妇人年纪也太大了吧。”然而当他戴上花环以后，老妇人拍着手嚷道：“就是这样，就是这样！现在你看起来正像是圣母唱诗堂里那幅画中所描绘的圣米迦勒，没有人比你更美好。我真希望夫人能见到你，只要你像现在这样，你的英姿一定能让她高兴起来。”

他的装束一看便知绝非凡品，因为他的铠甲罩衫是新的，用精纺绿布裁制而成，而铠甲上面有爱普觅斯的标记——金色土地上长着一棵结满果实的苹果树，旁边是一条小河。

听了她的话，他不自在地笑了，然后走出城堡。河这边的草地上正放牧着牛羊，一段河道折向城堡大门，他就在这过河，直走到河对面那些正在割草的人群中。他上前跟这些村民打招呼，村民也向他礼貌地致意。他们无论男女都举止有度，外表干练，精神饱满，充满干劲，而且以在田里干活的人来说，他们的衣着尤为整洁。于是拉尔夫走过去跟他们一个一个地问好，兴致勃勃地看了一会他们割草，有时他也会欣然地跟他们搭话。后来他在一棵高大的橡树底下，看到一位老人正为割草的人们看守脱下的外衣和干粮饮料，便走过去向他问好，老人回以问候并问道："你在夫人的城堡里留宿吗，尊贵的大人？""应该会住几天。"拉尔夫说道。老人又说："我们很感谢你来这里看我们。在我看来，你一表人才，的确应该在夫人的屋子里招待你。"

"这话怎么说？"拉尔夫问道，"她不是一位善良慷慨的好夫人吗？""当然，当然。"那人说道。拉尔夫又说："我猜，你还会说，她貌美动人，说话时轻声细语。"

"我想说的不只是这些，"那人说道，"不错，她貌若天仙，声音仿若天籁，但她的善行，她对我们这些乡野村夫的仁慈，绝不逊色于她的美。"

"你是她的奴仆吗？"拉尔夫，"或者你有其他身份？"那人回答："我们都是自由人，是她的子民，我们的土地上没有奴隶。""你们一直生活在和平之中吗？"拉尔夫再问。那人说："在这片林中草地上，曾经发生过残酷的战争，数之不尽的穷人为此送命，但这些都是在丰饶夫人降临这片大地之前的事了。"

"那是从什么时候开始的呢？"拉尔夫问道。"我不清楚，"老人说，"我在和平年代中出生成长；长大后坠入爱河，在和平中成家立业，也在和平中生儿育女，子女都在和平中成长，而我也将在和平中离开这个世界。"

"如此说来，"拉尔夫说道（他的心中生出极为痛苦的忧惧），"丰饶夫人从没年轻过？"那人说道："自我出生到老，她一直是如此美丽动人，苗条挺拔，直如坚矛，甜如苜蓿，声柔心慈，抚慰我们的灵魂。"

“那么，”拉尔夫说道，“她不时离开城堡，会到哪里住呢？”“我不知道，”那人说，“不过我觉得是回到天国。因为每次她回到我们身边，我们都觉得心中的喜悦倍增。”

“我说，老人家，”拉尔夫说道，“说不定在你一生中，所见的丰饶夫人并不是同一人，现在你见到的这位，可能已经是你最初所见的丰饶夫人的孙女了，你想过吗？”那人大笑起来：“不会，不会。”他接着说道，“绝不可能是这样，没有人能与她相比，无论是身姿语气，还是心地灵魂。正如我所说，她一如最初，从未改变。”“那什么时候，”拉尔夫问道，心跳越来越快，“她会回来呢？总是在每年同一个时节吗？”“不一定，什么时候，什么季节都有可能，”那人说，“无论是在皑皑白雪中降临，还是在七月雏菊中现身，她总是那么美。”

拉尔夫心中充满了讶异，不知道该如何回应，但他转念一想，又想起了树林另一边的美丽荒原，那片大河奔腾穿行的乡野，于是他说道：“这片树林北面的那片土地，你能告诉我那里发生过战事吗？是因为你之前说过的那场战事令这里生灵涂炭，也让那片土地变成荒原吗？”“树林那边的土地，”那人摇头道，“我一无所知，因为我们没离开过这片树林，从来没有，我们最多走进树林一阵，一旦在树梢间看不见闪烁的天边微光，我们就会回头。我们只需要按照丰饶平原上的阳光行事，这对我们来说已经足够了。”

“好吧，”拉尔夫说道，“感谢你讲述这里的故事，愿你在和平中得享天年。”

“我也愿你如此，年轻人。”那人说道，“我真切希望，你离开之前有机会跟丰饶夫人见上一面。”

这番话再一次让拉尔夫脸红心跳，他急忙往城堡赶去，因为恋爱让人糊涂，有个傻念头告诉他：“说不定她现在已经回到城堡中，如果我不回去就见不到她了。”但当他站在城堡大门前，他却犹豫起来，不敢马上进去，反而绕到西北角进入城堡。除了老妇人从窗户里向他点头示意，他在城堡里没有见到其他人。城堡外的草原里只见放牧牛羊的人，有男有女；而在西北角，河流靠近城堡外墙的地方，他看到两个村姑正在河的岔道里一个平静的水洼里钓鱼。他向她们问好，这两个年轻貌美的少女，向他还礼时看到他英俊的外貌，都羞红了脸，他的思绪也被两个少女的美貌打断了。于是他只打了招呼，没再说话便转身离开。但没多久他又转回头，因为他已经等候夫人多时，想知道更多关于她的消息。看到他又往她们的方向走来，两个少女站在原地微笑，脸红了起来。

拉尔夫说道：“美丽的姑娘们，你们知道城堡里的夫人什么时候回来吗？”她们迟疑着没有回答，后来其中一人答道：“不知道，尊贵的大人，我们从不知晓夫人的行踪。”

拉尔夫一边说，一边向少女回以微笑，一半是因为她友好和善，一半是因为她的美貌让人心旷神怡：“她回来难道你不高兴吗？”

但她一言不发，只是定定地望着他，银灰色的大眼睛里闪耀着好奇的光芒，而另一个少女低着头，仿佛只关心她的钓鱼竿。

拉尔夫不知该如何问下去，于是他转身告辞，迈着坚定的步伐绕着墙往回走。

现在他心中想见夫人的愿望越来越强烈，他觉得，这种奇怪的情况似曾相识，但他不明白究竟是魔鬼把这粒愿望的种子种到他心里，还是他一往情深的并非真实女子，而是魔鬼或是来自古代异界的女魔神，他的心里满是酸楚，还有各种疑惑、盼望和恐惧交织而成的困惑。但他自信当他见到她时，他能一眼分辨出她是好是坏，是应该放手一搏还是按兵不动，他相信，只要见到她本人，所有疑虑都会得到解答。

他一边想一边走得飞快，没多久他又绕到了城堡大门，他穿过大门，走进大厅，老妇人正在那里忙着家务琐事。拉尔夫怕她又拉着他滔滔不绝地说话，向她点了点头便转身离开。他专心致志地探索着一个又一个房间，熟悉城堡的构造和位置。他来到卫兵室，发现墙上挂满了甲胄和武器，虽然城堡里一个兵士都没有，除了老妇人也没有其他人，这里却非常整洁而且井井有条。他又沿着楼梯走上城垛，登上城墙上的望塔，发现每座塔里都放置着或手持或用以投掷或射击的武器，而且井然有序，可以随时投入战斗。然后他重新来到庭院，穿过大厅对面的精致回廊，来到一扇门前，门虚掩着没有上门闩，他进门后沿着一道小楼梯来到一个房间，发现这是城堡里最富丽堂皇的房间。房顶漆以海外风格的黄金色和宝蓝色，地砖按照亚历山大风格精心铺设。房中有一高台，上面有一座象牙雕成的宝座，宝座上面是一顶样式最为华美的织锦华盖，宝座前有一块地毯，上面绣着猛兽以及猎鹿的场景。而房间的四面墙上都挂着相似的精美挂毯，背景都是在一个树林里，有一个种满草药的花园，外面围着篱笆，里面有山羊，还有一座小茅屋。而在这些绿色草纹勾勒装饰的场景当中，出现的都是两名女子，一人年长，一人年轻；年长者装束华丽，戴着金链子、金胸针以及金戒指，双手放在身前，在茅屋的门口或坐或站，监视那名少女工作，看着她纺布，在篱笆里耕作，在篱笆外为山羊挤奶等；少女的衣着极为朴素，甚至算不上体面。

那时拉尔夫还不知道这些场景意味着什么，但当他凝视着这些绿色的草纹和上面的场景时，他认为无论是谁编织这些挂毯，上面的年轻女子都肯定是按照他在凶境森林里救下的那名女子刻画的，除非那名女子还有孪生姐妹。

他一直待在房间里看着那些挂毯，心中想的却是坐在象牙宝座上的人儿是否像林中小茅屋的小女奴那般可人。他一直待到暮色渐浓，再也看不清挂毯上的内容，因为只要看到那些场景，他心中就充满甜蜜的爱意。

然后他慢慢走回大厅，看到老妇人已经点亮蜡烛，备好晚餐。当她看到他回来，她高兴地大喊："啊！我就知道你会回来的，对我们这个蕞尔小国，你还满意吗？"

"我很喜欢，"他说道，"但如果可以的话，能不能告诉我，那个有象牙宝座的房间里墙上的挂毯有什么含义？"

老妇人说道："没别的人能告诉你，还有谁比我清楚呢？我也不向你隐瞒，那边的房间正是我们夫人理事的地方，她坐在那里听取民意，作出裁决。"

老妇人边说边划了个十字，拉尔夫对此大惑不解，但没再追问，因为他有点担心她不会解释原因，甚至会因此连故事都不再说下去。

黄昏已逝，他像普通年轻人那样早早上床，第二天早上准时醒来，便出去和草地上的小伙子和姑娘们混在一起；但这次他没再提起夫人，也没听任何人提起过。于是他回到城堡里带上弓箭，走到树林里的灌木丛，靠近他和罗杰第一次出树林的地方。他问过一个年轻人是否愿意跟他一起来，虽然年轻人没说出原因，但看得出来他不太情愿。因此拉尔夫最后还是自己找路进了树林，一个人也没出什么问题。他回来时，绕了个圈往草原走去，在树林和草原交界处一个人迹罕至的地方遇到了一群鹿，他一箭就猎杀了一头牡鹿，因为他是一个熟练的弓箭手。然后他去喊来一些农夫帮忙，虽然他们不是很情愿，但还是帮他把牡鹿分成几块，然后把他送回城堡，老妇人把他们迎进大厅。她笑着夸奖拉尔夫带回鹿肉，说他打猎实在太厉害了："因为，像你这样漂亮，这样招人喜爱的小伙子，不应该只把心思放在一件事情上面。"然后她把他带到餐桌前，让他坐下，服侍他吃午餐。他一边吃午餐，一边想问她夫人今天回不回来，因为这已经是他答应等罗杰回来的最后一天了，但一直没问出口。

她笑着望着他，似乎在猜他的心思，最后她说道："你的舌头今天打结了。是不是今天在树林里遇见了什么奇怪的事情？"他摇了摇头，还是没说话。她问道："那，为什么，你不再问关于世界尽头的水井的事呢？"

他笑了起来，说道："可能是因为我觉得你不会告诉我的。""好吧，"她说，"如果我不会告诉你，那本书会告诉你的，今天傍晚，等太阳下山以后，你就能拿到书了。"

“谢谢你，”他说，“但今天已经是罗杰让我等他的最后一天了，你觉得他今天晚上会回来吗？”说完，他的脸红了。“不，”她说，“我不知道，你其实不在乎他会不会回来。我知道你会在这里等到另一个人来才走，无论等多久。”拉尔夫的脸又红了，然后试探着问她：“那你会让我继续在这里做客吗？让我多留几天避暑。”

“当然，”她说，“如果你想留在这，你可以等到夏天过去，等到玉米收割，等到冬天来临，甚至等到冬天过去。”他不置可否地笑了笑，虽然他心里很失望，但还是说道：“不，我怎么可能在这里待这么久？”

“哦，小伙子，”她说道，“你觉得时间漫长，但实际上时光飞逝。现在我给你一个忠告吧，以免你自己在心里烦恼，胡思乱想把自己想病了。与其等待命运安排，不如明天你去碰碰运气吧。穿上你的战衣，带上你的剑，到树林里去，但不要走得太深入。”他说道：“但如果我离开城堡的时候，夫人来了怎么办？”

“说真的，”妇人说道，“我不认为她明天会来，她和我们之间隔着千山万水。”

“那你的意思，”拉尔夫说道，他从餐桌旁站起来，“是她不会回来了？我请求你别拿话搪塞我，告诉我真话。”“别这样，别这样！”她说道，“先坐下，国王的儿子，先用完你的午餐。明天又是新的一天。只要她还在这个世界上，她迟早会回来的。现在我不会再对这件事多说一个字了。”

说完她便出了大厅，然后带着脸盆和毛巾回来，没再对他说一句话，只是和善地对他微笑。不久他就走出大厅来到草原上（现在时间刚过中午），去找那些割草的人们说话，希望能从他们嘴里再听到关于丰饶夫人的只言片语。但根本没有人提起这事，虽然之前和他聊天的老人也在，两个之前在河里钓鱼的姑娘也在；对他来说，他已经没有胆量再向他们打听关于她的事了。

他一直和他们待在一起，甚至和他们一起在草垛中吃喝，直到月上中天。然后他回到城堡，看到老妇人已经在大厅里等着他，她把书带来了。他拿了书后，就在烛光照耀的窗前开始读起书来。

## Chapter 19
# 圣井之书

这本书精妙绝伦，书中还附有许多插图，但拉尔夫并不十分理解这些图片的含义。其中一张描绘的就是他在凶境密林中救出的那位美人，虽然仅仅过去四天，但对他而言却如数年之久。书中并无多着笔墨详述世界尽头的水井，倒是讲述了一位世人都为之倾倒的女人。里面说到她早年孤身住在荒林（不过并没有提到她从何处来），后被一位王子发现，将她带回其父统治的王国，虽然遭受到众人反对仍执意迎娶了她。不久后，她的芳名越传越广，周围国家的君主纷纷对她展开追求，那位王子却因对她痴心一片被父王惩罚逐出王宫和领地。为了争相占有她，诸国间竟爆发了一场漫长而痛苦的战争。她未等到战争结束就回到了荒林老家中。书中随后又说到，她在那儿发现了一位女巫，女巫将她变成自己的奴隶，用劳役和刑法折磨得她痛不欲生。后来又细述一位寻找世界尽头之井的骑士如何将她救了出来。但骑士在旅途中不幸被杀害，几个恶霸和强盗将她掳走。但那些人竟全都迷恋上她，就在他们为争抢她而互相厮打之时，她找机会溜走，只身去寻找那口水井。最后她真的找到了水井，饮过井水，获得永生。书中还提到，她虽还活着但却沦为水井的奴仆，被迫去迷惑寻找水井的人，防止他们喝到井水。所有见过她的人都甘愿成为爱情的奴隶，甚至愿意为她做任何事情，她也借此得以长生，并留下美名。

拉尔夫沉浸在书中直到夜色退去，皎洁的月光一点点消逝，大厅的窗外渐渐泛灰，光线慢慢透进来，城堡里的画眉鸟愉悦地唱出第一支歌，随后朝阳普照大地。敞开的窗户外传来了农夫在田间劳作的声音。直到日上三竿时，他终于看完了书中的故事，不过此刻老妇人还没有过来。刚刚读到的一切对于拉尔夫而言就像是一剂甜蜜的毒药。如果说此前爱情还让他饱受折磨，如今他的心却因此变得脆弱酸楚。虽然他并不确定书中故事是否与凶境密林中那位绝色美人有关，但是他必须这么认为，这份爱情不仅将他的心折磨得疲惫不堪，甚至还消磨了他身上的英雄气概。

Chapter 20

# 林中偶遇

他兀自静坐沉思，眼看晨光将逝，老妇人却一直没再出现。于是他想："她把我留在此处，定是让我按她说的去做，我现在就去吧，别在这耽搁了。"他起身穿上锁子甲，戴上便盔，在腰间戴上佩剑，便像之前那样，徒步出发了。他在一个宽阔的浅滩处过河，踩着池底的石头跨过了他前天洗澡的水池。现在他已经走出很远了，清新的气息在美妙的晨光中扑面而来，佩剑和锁子甲随着他的脚步欢快地叮咚作响，但他却被烦恼和沉重的心情所纠缠。过了河以后，在靠近树林的地方，有一座村民所建的农舍，一名老妇人坐在门口纺织。拉尔夫走上前去，向她问好，还想讨一碗牛奶解渴。于是这老妇转过身去，对着屋里的人喊了一声，接着便走出一名少女，正是拉尔夫之前遇到在钓鱼的两名少女之一。老妇人让她去拿些牛奶和面包过来。然后她便转头仔细打量拉尔夫，说道："啊！我听说过你，你住在那边的城堡里数着日子等待时机，就跟以往那些人一样。好吧，好吧，看来你会得偿心愿的，不过这对你来说是好还是坏，谁知道呢？”老妇人的话让拉尔夫的心忽地往下坠，他问道：“照你的说法，嬷嬷，这里之前也有人像我这样在那边的城堡借住？我不是很明白你的意思。”

“那么，”老妇人笑了起来，她说，“今早先在这小憩，用些巧手准备的茶点吧，吃喝完我再告诉你什么意思。”

少女很快就拿来面包和牛奶，虽然她长得确实不俗，且羞涩和善，但拉尔夫完全没有在意，也丝毫没有被她打动。她给他拿来一张矮凳放在门边，他便坐下吃喝起来，但心中的愁绪却没有丝毫消减。少女一直在附近徘徊，眼睛几乎离不开他。

老妇人来回看了他俩一阵，说道：“你问我之前说的话什么意思，那好，我问你，你知道我曾有不止一个情人吗？”“我不知道，嬷嬷。”拉尔夫说道，他几乎没有耐心听下去。“这就是了，”老妇人说道，“瞧瞧我这姑娘，她不是我的女儿，是我兄弟的孩子，她有一个追求者，是一个聪明伶俐的小伙子，她常说他是她的骑士，在我看来，她对他一往情深，但你看看她现在瞧你的样子，看着你这个英俊男子的目光，还穿上了最能展现她身姿的衣服，你可以看到她浑圆的大腿和纤细的脚踝，她还不停用右手拨弄左手手腕，做各种小动作。嗯，至于我，我当然不止一个两个情人。那为什么我会有这么多情人呢？不，你不需要回答我。我现在老了，但即使在我变老之前我看起来也不年轻，我现在的样子不好看，但即使在我变丑之前，我也并不漂亮——这说明什么呢？”

“是啊，说明什么？”拉尔夫问道。“就是这点，你这漂亮的傻子，”她说，“你想想你爱慕的这个人，她已经活了这么久，但看起来一点都不老，也不丑！而是美丽——美得让人窒息！”

听到这里拉尔夫忘了他的恐惧，心里又开始蠢蠢欲动，两眼发光，然而他却用平淡的声音问道：“是吗？她漂亮吗？”“什么？你还没见过她？”老妇人惊讶道。拉尔夫想起之前看到她乔装打扮的样子，脸红得快要滴出血来，他回答道：“我见过，我想我应该见过她，那应该就是她。”妇人笑了出来：“好吧。”她说：“你可能见过她，但你肯定没有像我这样仔细瞧过她。”拉尔夫说道：“你是怎么瞧她的？”她说：“每次夏天回来，她都会趁着炎夏在河那边的水塘里沐浴（就是拉尔夫之前洗浴的那个水池），她会让我和侄女，还有另外两个妇人，一起用丝绸把她和水池围起来，所以我能真真切切地看到造物主如何打造她的。我可以告诉你，当他做这件作品时，他使尽了工艺大师的手艺，因为她身上没有一丝瑕疵，没有任何一处需要掩饰或遮盖的地方。她的腰肢曲线动人，她的大腿就像她的脸颊那般光滑细腻，她的脚和她的手一样秀气精致，是的，她看起来就像是一颗完美无瑕的珍珠，但同时她又如骑士一般强壮健美，而且我保证她的心比大多数骑士都要硬。看你一脸心驰神往的样子，我相信你在这里等她，一定带着她留给你的信物或是凭证。”

拉尔夫低下了头，听着老妇人的话他几乎不能直视她的双眼；而那名少女早在老妇人说第一句话的时候就已经走出了她耳力所及的范围，现在已经快要走到河边了。

过了一会，拉尔夫才说道：“请告诉我，她是一个好人吗？是一个好女人吗？”那妇人嗤笑着说：“当然，当然，她是这片林中王国的圣人，穷苦大众的守护神嘛，不信你问问这里的乡巴佬。”



拉尔夫勉力维持镇定，起身离开，转出去的时候他看见之前那名少女正一边蹚过那处浅滩，一边回过头来望着他。他向少女挥手致意后便走开了，步伐轻快却心情沉重。他一边走，一边对自己说：“不是她派罗杰把我带到这里来的吗？但她为什么不出现？一定是她这几天改变了主意，又或者是她今天刚改了主意。对了，她一定是刚刚才突然改变心意。”

这样想着，他走到了树林里，穿过林间小径与林中空地，往城堡的东南方向走去。他的步调不紧不慢，但一路未停下歇息，直到正午时分。树林里什么也没见到，除了几只野生动物时不时地出现。就在这时，他听见一阵清脆的铃铛声朝他而来，便静立着，手按在剑柄上，随时准备拔出剑鞘。铃铛声越来越近，此时竟隐隐传来野兽的脚步声。拉尔夫径直迎着声音的源头走去，看见树林里一处较空旷的地方出现了一名身披斗篷的神父，胯下骑着一匹马儿，它的脖颈上还挂着一串铃铛。神父的行囊就垂挂在马背两侧，他的右臂夹着一本包了皮的书。神父看见了拉尔夫，并致以问候祝福，拉尔夫也向他致意，并问他上哪儿去。神父回答：“我正前往丰饶平原，你呢，孩子，这是要去哪儿？”“我就从那儿来，”拉尔夫道，“至于去往何方，我只是寻求冒险。除非我看到了比这个上午看到的更加精彩的风景，或者从您这儿有所听闻，不然我是不会回去的。不过，说实在，我不会介意有人帮我找找回头路，因为这林间道路有些让人发晕。”

神父说道：“我很乐意带你走，因为我很熟悉这里的路，我是教区大教堂主教指派到丰饶平原上的教区牧师，就在树林另一边的圣安东尼教堂那里任职，今天我要到这边的教堂去见这里的教众。”

于是拉尔夫转过身，在他的缰绳旁边和他一起走，一边走，神父一边问他：“你是我们夫人辖内的领主吗？”拉尔夫的脸红了，他叹了口气说：“我并非她的臣下。”那神父笑道：“那我不打算问你来这里干什么了，即使问了恐怕你也不会告诉我。”

拉尔夫没有作答，但他脸上的臊意却越来越深，因为他看到神父一直在好奇地打量他。终于，他说道：“轮到我问你问题了，神父。”“没问题。”神父说道。拉尔夫问：“这片土地的主人，丰饶夫人，她确实是一名女子吗？”“圣贤在上！”神父边喊道，边划了个十字，“你是什么意思？”拉尔夫说道：“我的意思是，她是不是外表伪装成女子，但内里其实是古代的魔族，那些异族所供奉的魔神？”

神父又划了个十字，带着审判桌上的法官那样肃穆的神情说道：“孩子，我希望你现在只不过是神志不清，因为你很快又要回到丰饶平原了。要知道，无论她的真实身份是什么，她都是一位真真正正、德高望重的女士。你是不是听人说了她什么坏话？”

拉尔夫听了他的话又开始困惑，不知道该如何回答，因为他虽然在脑子里努力把他所听到的传言拼在一起，但关于丰饶夫人的好事和坏事混在一起，至今他都没理出个所以然来，甚至他自己都没有结论，所以他根本答不上来。

但神父继续说道："孩子，告诉你吧，我也听说过那些传闻，但是从谁的嘴里传出来的呢？我说一定是那些闲来无事的妇人，特别是那些自以为姿色过人的年轻女子，除了不穿衣服的男子，她们什么都怕，说谎比念祷文流利，就是这些人散播传言。又或者是那些对自己或他人际遇愤愤不平的干瘪老太婆，她们年轻时没有感受过生活的美好，也没有到教堂里去感沐圣恩。孩子，这样的妇人老少都有，你仔细想想，她们说的传言，和我亲眼看到、知道的这位女中豪杰的事迹相比，有可比性吗？我可不这么想。至于我，我要告诉你，虽然她的确如维纳斯[①]那般美丽动人（愿主宽恕），但她也像艾格尼丝那般贞洁自重，像凯瑟琳[②]那样聪明善辩，同时也像桃乐茜[③]那样恭顺温和。她

---

① 维纳斯：是古罗马神话中爱与美的化身，她是主神宙斯的女儿，从海里的浪花出生，通常被称作爱神。但是她与多名神祇有染并生下子女，所以神父在说出口后又向上帝请求宽恕。（译注）

② 凯瑟琳：通常称作亚历山大城的凯瑟琳，基督教历史上著名的殉道者，出生在古埃及亚历山大城，是城主的女儿，14 岁成为基督教徒，古罗马皇帝马克森提召集了 50 名最顶尖的异教徒哲学家与她辩论，但都被她辩倒。部分哲学家甚至被其说服，当场皈依基督教。她在经过多次酷刑以后，在 18 岁被斩首。但至目前为止，没有任何考古发现证实她的真实存在。（译注）

③ 桃乐茜：基督教历史上有两个名为桃乐茜的殉道者，一个叫亚历山大城的桃乐茜，一个叫凯撒利亚的桃乐茜。这里指的是后者。桃乐茜在公元 311 年 2 月 6 日行死刑，在去刑场的路上，异教徒西奥菲勒斯嘲笑她，让她这个基督新娘把她夫婿在伊甸园种的水果送给他，桃乐茜没有作声。但在她行刑前一刻，一个 6 岁男孩用她的头巾装着芬芳馥郁的玫瑰和水果送给了西奥菲勒斯，西奥菲勒斯当场皈依了基督教。同样没有任何考古发现证实她的真实存在。艾格尼丝、凯瑟琳以及桃乐茜都是基督教殉教徒中的童贞女。（译注）

把最好的供奉献给教堂，对穷人充满慈爱。只要一有机会，她便履行圣职，而且从不放过任何向神认罪忏悔，或是以行动赎罪的时机，积善无数。虽然我不敢说我知道她有乔装，但我曾有一两次遇见她穿过树林到圣安东尼教堂去，她通常在夜晚或阴天时过去，这样就不会有太多人见到她，她一向谨遵《圣经》所言，‘不要叫左手知道右手所做的[①]’。她就那样穿着罩衣在崎岖不平的林地上赤足穿行，却比任何穿着华贵礼服的女子都要耀眼。是的，几乎和古代异族里的林中精灵一样美。”

说到这里，神父没再说下去，他看来似乎深陷在自己的幻梦之中，还重重地叹了口气。而与他并排前行的拉尔夫似乎也陷入了幻想，他没再留心听神父的话，只是专注地想象那林中仙子的神态。

他们在肃穆中前行，直到神父似乎刚从睡梦中惊醒那样，抬起头语气坚定地说道：“我告诉你，孩子，你对她的爱并不是罪过。”说完他便开始抽泣，拉尔夫对此感到很不自在，只是一言不发地与他并肩前行，直到神父收拾好心情。他转向拉尔夫却不敢与他对视，说道：“孩子，我哭泣，是因为人们有这么多恶意，彼此之间互相攻讦，甚至对这言行高尚的女子也不例外。”他一边说，泪水一边又涌出来。拉尔夫加快脚步，走到他前面，心中暗想不顾他的悲伤而去似乎并不礼貌，但他又不知道该说什么。而且即使是神父，一个成年男子痛哭流涕

① 谚语，出自《马太福音》第六章：“你施舍的时候，不要叫左手知道右手所做的”，意思是行善不需要广而告之。（译注）

也让他感到厌烦。

不过神父很快就追上来了，他止住泪水，开始诚心诚意地向拉尔夫介绍这片森林，这个林中小国，以及这里居住的人们和他们的情况。他对此地的人们，除了女人，都赞不绝口。拉尔夫予以真心的回应。此时，他们来到了那老妇人的茅屋外，但她和那名少女都不在屋内，那老妇人在四处忙活，而那名少女靠在一棵树上似乎在思考问题。当他们经过的时候，神父向她们予以祝福，但他的眼神却流露出对她们的蔑视。那老妇人露齿而笑，但那少女根本没注意到神父，只是炽热地注视着拉尔夫。神父嘴里嘟囔了一句，但拉尔夫没有听清，只是觉得他的情绪又不对了。经过那片浅滩以后，他拉住缰绳说道："好了，孩子，我现在要去那边的教堂履行神职了，但在我们分别之前，我要对你说一句话，我认为，除了天国的圣父圣灵夫人不会爱上任何人，除非是所有女子都倾心的男子出现。"

说完他就突兀地转身走了，向着教堂一路小跑，拉尔夫觉得他似乎又哭了起来。然后拉尔夫便安静地往城堡走去，现在已日薄西山，他心中思虑的事情却有千头万绪。

## Chapter 21

# 度日如年的三天

那天晚上他又读了一遍那本书，直到对情节篇章烂熟于心。他发现书中并未提到那位美人从何处来，是何身份，只不过大概讲述了她独自住在树林并在那儿遇见王子。书中也并未提及她在哪一年邂逅王子，倒是浓墨重彩地叙述了那场因她而起的多年战乱和灾难。此外，他也没从书中找到她长途奔波回到树林的原因，不过她或许已经嫁给了某位一心想得到她不惜为此征战的男爵。不知道她是出于什么原因，要屈服于那里的女巫，长期忍受她的折磨、承受鞭打和蹂躏，就像受制于古代野蛮人的苦命奴隶。最后，他也没能从书中了解到那个地方到底在世界的哪一个角落，也不知道世界尽头的水井到底在何方。正在他一筹莫展时，心中突然冒出了一个想法："等我碰到她，或许她会亲口告诉我这一切。我需要做的就是遇见她，让她爱上我，这样她自然会告诉我通向世界尽头水井的路径，我便能喝到井水长生不老。如果她也永葆青春，那么我们彼此就能长相厮守，至死不渝。”

他正专心构想着，突然在这愉快的小心思中冒出一个不和谐的想法：虽然所有男人都称赞崇拜她，但是女人们却大多害怕憎恨她，包括曾为了故意折磨他而大肆赞扬她美貌的那个风骚的老妇人。这个想法让他的脑袋愈来愈沉，他不得不走到床榻静卧休憩。熟睡中，他梦到在爱普觅斯的时光，那些在清醒时曾一度被遗忘的事也慢慢掺入他自己和这些天的寻梦征途中。

次日清晨一早他就起身，早餐时他吩咐老妇人拿来自己的佩剑。“你今天又要去树林吗？”她问。“昨天不是你让我去吗？”他说。“是啊，”她回道，“可是今天我担心你会一去不复返。”他大笑一声说：“嬷嬷，你没看见我是徒步前去，身上还穿着厚重的甲子锁、戴着头盔吗？我是不可能走得太快或者太远的。”“而且，”他顿了顿，“除了这儿我又能去哪呢？”

“呵，”她说，“谁又能知道会发生什么呢？”不过她还是去拿来了他的武器和装备，一脸疼惜地看着他穿戴整齐，而后离开城堡。

他往比昨日更南的方向走，不过步伐还是依旧缓慢，昨晚的思绪此刻仍然在他脑海里一遍又一遍浮现，记忆犹新。“或许我不只是见到她！而她不仅仅是爱我！噢，只要一滴世界尽头水井里的水，她对我的爱便会永不停歇！”

他在树林和低矮的灌木丛中穿行片刻，直到过了正午。但突然间一阵恐惧涌上他的心头，唯恐她在自己出门的时候回到城堡，没发现他就离开了，谁能料到呢。这想法一闪现在他脑海，他就大喊一声，急急忙忙又赶回城堡，赶到时他气喘吁吁，疲惫不堪，顾不得休息，直冲冲地向老妇人大声喊道：“她来了吗？她来了吗？”

老妇人笑呵呵地说：“没呢，她没来，不过你倒是回来了，感谢神灵！你在担心什么呢？不，不必担忧，她一定会来的。”

拉尔夫羞赧得红了脸，转身离去，心里暗骂自己是蠢货、懦夫，竟然无法待在那位小姐指引的地方等候她翩然而来。于是他随意换上自己日常的衣服，没再出门。老妇人走进来跟他聊天，但是不管拉尔夫怎么询问关于那位小姐的事，她都避重就轻，三缄其口。他索性也就不再说话，只装出倾听的样子听她絮叨其他事，譬如故事书中提到的那片土地上的人、荆棘族的祖先，诸如此类。

次日早晨他起床后暗自许诺，无论如何都要一直待在丰饶平原的城堡里直到那位小姐回来。早上他穿梭于晒干草堆的人群中，中午跟他们一起用餐，努力表现得开心满足，当地人都以为他是真的心情愉快。但其实他内心无时无刻不在被期盼煎熬着，以至于无法在一个地方待太久。午餐一结束，他们都各自散去忙农活，他也立刻回到城堡，翻开那本书，看看里面的插画，幻想着遇见她的场景，猜测她会说什么，预想自己该怎么回答，直到夜幕降临才回到床上，最后饱受思念折磨而疲惫不已的他终于沉沉睡去。

新的一天来临，他起床走到大厅，看到老妇人已在厅内等候，她说：“亲爱的阁下，今天还去树林吗？”“不去了，”

拉尔夫说，“今日肯定不去，我心有顾虑。”“其实，”她说，“如果你想还是可以去的。为什么不去了呢？”拉尔夫红着脸结结巴巴地说：“我有些担心，前三次离开城堡都很顺利，但第四次再去，我怕她来这儿而我却不在。”



老妇人笑道：“原来如此。”她说，“如果你出城，我就一直待在城堡内。如果你离开这里，我保证不出门。”拉尔夫说：“不必了，我会留在这儿。”“那好吧，”她说，“我懂了，你不相信我。嗯，没关系。如果你今天要待在这儿也行，我今天倒是要去我兄弟那儿办点事，他是那边荆棘会的教士。我非常希望你能准许我出城。”

拉尔夫听到这番话非常开心，心想如果就自己独自在这儿，也就不必再去树林。此外，如果小姐在他独自居于城堡时回来，必定会让这次会面更加甜蜜。所以他愉快地应承了老妇人的请求，后者不出一小时就启程了，留下他一人。

拉尔夫看着她离开，自言自语道，能独处于女王的城堡里肯定会更快乐，并且会比以往更有耐心地度过一天。但事实上，这一天比以往任何一天都更加让他煎熬，他一整天都没有迈出大门一步，他想外面的农夫若是看到他此刻的样子会发现他变了，变得急躁不安了。

他一会儿读那本书，或者说只是在翻页，并没有真的读进去；一会儿又走到珍宝室，端详着夫人的多幅画像。过一会儿，他从一个宫室走到另一个宫室，却不知道要做什么。

最后，天刚擦黑老妇人就回来了，他在大厅门口遇到她，对这个唯一的同伴也心生厌倦，心里一个念头在不停地翻来覆去。

而老妇人却很高兴见到他，热情地拥抱亲吻着他，牢牢抱着他不松手，好似他的亲生母亲一般。对此他虽有些不好意思，但也不觉反感，只是觉得她对自己的好意太过浓烈了些，虽然事实也确实如此。

她直视着他说道："一看到你我就打从心底里开心。但是可怜的孩子，你为何让你的期盼和疑虑弄得自己这般憔悴呢？你听我一句，明天就去树林里走走，看看会发生什么。不过毋庸置疑的是，你将丢下一个真正的朋友。"

他随和地看着她，微微一笑，说道："当然，老嬷嬷，我觉得你说的很对。虽然对我而言离开这里很困难，因为我的女王吩咐我留在这儿。但是我认为你说的在理。"老妇人对他的赞同表示感谢，而他则回到自己的床上休息。眼下他已经打定主意离开，心里似乎也更加安定了。

Chapter 22

# 森林奇遇

次日早晨，拉尔夫起来便开始整装待发，等他一切准备就绪，老妇人跟他说：“每次你要出去，我都担心你会不告而别，又或是何时归来。但如今我不怕了，因为我知道你总要回来的。只不过很可能你下次回来已经手执爱侣。所以去吧，祝你好运。”拉尔夫对她的祝福报以微笑，转身离去。他往城堡南面的树林走去，他一直往前走，根本没想过回头。直到灌木丛改了树种，林木换了颜色，直到太阳西沉，他看到夕阳余晖穿过巨大的松木林，此前那里黑黢黢一片。没一会儿，拉尔夫便走到了树林边缘，目光透过一排青翠的树干来回扫视，看见林外有一汪平静绵长的湖泊，湖面不大，两岸芳草萋萋。于是他从松木林来到那草地上，几丛荆棘树零星点缀其中，他小心地在一片片树丛后游走，以防侦查时被人发现。随后他保持警惕沿岸向东继续行走，当他来到湖水的上游，这才发现湖岸尽头是个缓坡，连接着那片松木林。举目望去，三棵高大的橡树巍然挺立，下方是密林入口鲜艳油亮的绿茵地。此时草地上出现三个村民，拉尔夫耳聪目明，一眼就看明白，他们就在那三棵橡树附近，稍远处有一匹白马。以灌木丛作为掩护，他蹑手蹑脚地向他们挪去。只消第一眼，拉尔夫就看见了武器刀刃闪烁的寒光，对方敌友难辨，他只能谨慎行动，以免被发现。没走几步，只见出鞘的刀锋上闪耀着夕阳的光芒，紧接着，另一把刀刃凌空相迎，遥遥传来了钢铁盔甲碰撞的声响；第三个村民也现身了，身着长裳，看着是位女子。拉尔夫加快了脚步，不到一两分钟，他就走近了，将打斗者的全貌看得一清二楚：两个男人全身上下披着厚重宽大的骑士战甲，手起刀落霍霍生风，安静的林地间回荡着盔甲的咔哒声；至于那女子，依稀能辨出容貌，武斗的男人们正在她面前飞转，阻挡了视线，高大的树影也将她身影遮蔽隐现。

拉尔夫继续前行，一丛丛灌木如同屏障阻挡在他和打斗者之间，等他抵达最后一片灌木丛，距离他们五十步远的地方，他隔着树叶窥视眼前：这一次如他所见，两名骑士正在喘息歇息。距离最遥远的那个人身材高大，身着一件蓝色外披风，上面印有一轮金光闪闪的太阳；另一名骑士背对拉尔夫，盔甲上挂着一件黑色披风。拉尔夫正思忖着要不要露脸，只见那太阳骑士扬起手中之剑，发出一声愤怒痛苦的嘶吼，朝对手冲去，予以重重一击，对手应声倒地，骑士庞大的身躯立即压了上去。对手还没来得及喘口气，一阵夹杂着膝盖、拳头与剑柄的雨点迎面而来，两个人在草地上扭作一团。

拉尔夫见状，径直走出灌木丛，手中握着那把身经百战的剑。两个骑士还在地上扭打不休，女子却从巨大的树影中露出脸，转身看向拉尔夫，他终于看清她的面容，此时他停下脚步，目瞪口呆——这不正是他从密林里救下的佳人吗！他兴奋得迈不开步子，双颊羞得发烫，她身上不再仅着一件单薄衣衫，但他的视线似乎能透过衣裳，将她的身体看得一清二楚。她此刻的打扮非常朴素：一袭又短又薄的绿色长袍，披着件黑色外套，其上刺绣金光灿灿；她的脖子上系着一条项链，与凯瑟琳夫人送他的那条如出一辙；曾经披散如瀑布般的秀发，此刻盘了起来，如一圈花环。她看着拉尔夫，双颊泛红，一脸欢快，似乎已然忘却那两个正在厮打的骑士，眼中只剩下他。可拉尔夫对她心中有几分畏惧，也畏惧自己对她的爱，他静立在那，不敢上前一步走近她。

如是这般，他们在林间空地上静静对视。此时，身材高大的男子撑起一只膝盖，站起身来，倚在剑上稳住自己。鲜血自剑锋到剑柄滴滴答答地淌着，身着黑色披风的骑士躺在地上，毫无生息。只见太阳骑士缓缓站起，转向佳人，似乎无视拉尔夫的存在。他缓缓走向她，满面愁容，面白如纸，沾满鲜血的长剑此时已伸到她面前，他冷漠严厉地开口道：

“我已经照你的吩咐行事，为你除掉了自己的心腹之交，你拿什么报答我？”

佳人的声音再度响起，无数次曾在危难关头安慰他的温言细语，此时却化作那骑士一般的冷漠无情：“我怎会命你杀人？是你的意愿挑起了这场战斗，因为你认定他对我有非分之想。

你好自为之！因为他挡了你的道，你就下此毒手，这不是正中你下怀？你以为他死了我会欢笑？算了吧！我为此悲痛，尽管我有足够的理由痛恨他。”

“我的意愿？”骑士叫道，“什么叫我的意愿？有个声音让我杀了你，却送了他的性命！那你对我有什么交待？”她皱了皱眉头，愤怒道：“今日别过，分道扬镳。”沉默了一会儿，她的声音柔了下来：“爱已至此，你不要为我悲伤，请你保有一颗善心，像一位真正的勇士而活。”骑士皱起了眉头：“你不跟我走吗？”她答道：“你若命令我带上你所‘爱’的躯壳，威胁要折磨它、糟蹋它，我也只好奉命行事。但你大概不会那么做。”“我是想这么做，”他回答，“要是我把你按在马上，把你的双手捆起来，再把你的脚与马肚子缚在一块儿，恐怕你无法逃脱。我怎么甘愿杀了自己的手足兄弟，竟一无所得？”

“可你就是有那样的想法，”她说，“你有这样做的勇气吗？”“我想应该有。”骑士冷笑道。

她昂然看着他说：“好，但我也不怀疑自己反抗的勇气。”直至此时，他始终背对着拉尔夫，双眼未曾离开过她。骑士再次发话时，她微微别过脑袋，给了拉尔夫一个暗示。“你这么自信？这荒山野岭之处，有谁能救你？”

“回头看看你的左肩。”她说。骑士转过头，看见拉尔夫正逼近他，手里握着剑，面带一丝惨白的微笑。他一惊，从佳人身边跳开，正面朝向拉尔夫，蹬着脚后跟绕圈走动着，大叫：“啊！你这巫婆，竟然背着我养了一头魔鬼，想要夺去我的悲悯、我的渴望、我的生命？！这很公平，我已经和我的死党决一死战，和你的恶魔也可以再斗一场！只是我现在不知道，应该杀了他，还是杀了你！”

她一语不发，只是静静地盯着他看，眼神里没有丝毫恶意。一阵风从水面上吹来，撩起她红色王冠上垂落的几缕发丝，拂起她的衣袍，紧紧贴上她的小腿肚子。拉尔夫凝望着她，尽管此时死亡近在咫尺（因为这位对手身形高大，如同战神莅临），他却渴盼着能用柔情蜜意将她那颗冰封的心融化，他感受到来自灵魂深处那生命的甘露，一股不曾体会过的甜蜜。

突然之间，太阳骑士又一次转向她，双膝跪地，双手合十祈祷：“我收回所有的话，请你原谅我，让这位年轻人毫发无损地离开，无论你要让他变得富有，还是带他远离故国亲友也罢。请你跟着我走，哪怕戴上一副爱我的面具也好，让我承受爱你的痛苦吧。一切都会好起来的，要不了几天，我们就会回到你的子民身边，我会做他们的王，你的奴仆，成为我兄弟的朋友，或者别的什么都行，只要是你希望的。啊，难道你不想度过一个美妙的夏天吗？”

佳人昂然扬起头，发出清脆甜美的声音：“我说过了，除非被胁迫，我不会跟你走的。”接着，她看向拉尔夫，如同面对萍水相逢的男子一般，拉尔夫见她微微一笑，但仍旧一言不发，好像与他并不相识。太阳骑士噌地跳了起来，手中的剑高扬过头顶，满面怒容，朝拉尔夫冲过去。拉尔夫迅速反应过来，往旁边一跳躲开了，否则那一剑足以致命。他回身就给太阳骑士一记拳头，将他打倒在地。骑士的左肩盔甲被打穿，鲜血喷涌如泉。拉尔夫狠狠地扑上去，一拳接一拳地砸向骑士，不给他喘息的机会。然而，这般拳脚对太阳骑士并无太大作用，除了第一拳惊得他呆若木鸡，待反应过来，骑士立即挡住了随后的进攻，盔甲替他承受了雨点般的拳头。骑士握着剑扑上来，用剑柄狠狠地砸向拉尔夫脑袋的一侧，这位爱普觅斯年轻人一下被击倒在地，眼前直冒金星，意识全无。太阳骑士趁机用膝盖抵住了他的身体，抽出一把厚重尖利的双刃短刀，大吼："你这恶魔，现在就看看你会不会淌血吧。"言毕，他举起手中的尖刀，而刀刃迟迟没有落下，原来，佳人一见拉尔夫被打倒在地，就飞扑上来，伸手护住身后的年轻人，另一只手抓住骑士握刀的手。骑士怒吼一声，咆哮道："你在做什么！我怎敌得过你的玉手！"此时她把右边袖子拨了上去，露出右臂，他发出一阵几近疯狂的愤怒大笑。然而此时她面色苍白，双唇嚅动，发出轻柔的娇嗔："你当真要杀这年轻人吗？"

"何不？"他反问，"我手刃了一生中的挚友，无视他不情愿与我决斗，单凭此事我看出你将他玩弄于股掌，哪怕你所言句句属实，你有足够的理由恨他而不是爱他。既然你不希望我杀了这个年轻人，或许我可揣测，他并非你亲自圈养的恶魔，要不然你会因为他赴死乐得自在，免得他成为你的绊脚石。这么看来，他是个真男子汉，受人爱戴的年轻男子汉，看起来英勇有为。那么，我猜他是你的心上人——又或者——某一天会成为你的心上人……"

说着，他又一次举起尖刀，佳人又一次拦住了他："你听好了，我要把他从你手中赎过来；事实上，我欠他一条命。""怎么一回事？"骑士问道。"你何必要知道？"她回答，"要是你又一次得到了我，就会把所有男人都从我身边赶走。没错，我知道你会说，这是为了我不再造孽。”她苦涩地微微一笑，又道：“这种事刚发生过。五天之前，他们带我到四湾镇，你就知道他们会对我做什么——没错，尽管他们心里认为我并不如宣判的那般罪不可赦，还是有两个全副武装的士兵把我带走，他们牵着挂在我脖子上的绞索套，就像屠夫牵一头牛犊子。这个好小伙子扑了上来，用男子汉的方式杀了两个士兵，我趁机逃跑了，虽然我真的应当再上一次绞刑架，换回我们四个子民的性命，尽管他们很可能已被四湾镇人折磨致死。”

“好吧，”骑士回答，“或许你比我所知道的要仁慈，虽然我不相信你，说不准你心里还在祈祷着我或者别的人能为你杀了他。你足够慈悲，我的女王，虽然待我并非如此，若是我还不如你宽宏大量，那我与蛮夫有何区别呢？所以我不会杀他，但也不会把他这条命让给你，要是我帮得上忙……看，亲爱的，他快醒过来了。”

于是他从拉尔夫身上挪开了。拉尔夫微微抬起身体坐了起来，头晕目眩，全身无力。太阳骑士站在夫人身边，俯身看着他们，手里紧握着剑柄，对拉尔夫说道：“年轻人，听得见我说话吗？”拉尔夫虚弱地微笑了一下，点头示意。“你珍惜自己的生命吗？”骑士问。拉尔夫愣了一下，虚弱地回答：“是的。”骑士又问：“你从何而来，家乡在哪儿？”“爱普觅斯。”拉尔夫说。“那好，”骑士道，“回到爱普觅斯去吧，好好生活。”拉尔夫摇了摇头，皱起了眉：“我不会回去的。”“哦，所以你不想活了？我真得适应你的幽默。站起来，跟我决斗，我是当之无愧的骑士，不会杀一个手无寸铁之人。”

拉尔夫踉踉跄跄爬起来，身子还是虚弱无力，他再次跌坐在地上，喃喃道：“我做不到，现在全身没有力气，头晕目眩。”说着，那声音逐渐微弱下去。骑士继续倚剑站了一会儿，朝他投去不怀好意的目光。顷刻，他又一次转向佳人，可是——天啊，她不见了！她趁着刚才那会儿，悄悄溜走了，奔向拴在橡树另一侧的坐骑，松开马儿，翻身而上，坐在了马鞍上，握紧了缰绳。她对骑士微微一笑，后者正目瞪口呆地站在原地，她喊道：“现在，大人，我警告你，不许靠近我哪怕一步。看到了吧，我骑着银鬃马，你知道它跑起来有多快。要是让我看见你迈了哪怕一步，它就会带着我飞速离开。你也晓得我对这林间道路了如指掌。告诉你，我身后这条通往枯树谷的道路安全无阻，越过飘渡河，我就能找到绳索路的罗杰与他的队伍。所以，你要是还想跟上我、拦下我，最好省省吧。你的坐骑足够强壮，但负荷太重，因为它的主人是身形如此魁梧的骑士，更何况，它还要驮着你，追赶前方几百码之外的我与银鬃马。想想，等你跨上马鞍，我会到了哪儿呢？”她看见骑士正想抽出那把短刀，说：“啊，对了，你大概用得上它，或许能击中银鬃马，却击不中我，也可能谁也击不中。但我想，你应该是想要夺回我的躯体吧，活生生的躯体。所以，你现在愿意听我说了吗？”

“愿意。”骑士应声，尽管他怒得咬牙切齿，无言以对。

“你听着，”她说，“这是我们两个人之间的事：就算你现在忍不住要杀掉这个年轻人，除非他发誓离我们远远的；不过，我还是不会跟你回太阳城，在那儿留下了你羞辱我的记忆。

现在，我接受你对我的侮辱，如果你留这位年轻人一条活路，容许他跟着我们走，那么我就跟你回家，带着爱意与我应尽的义务与你同行。换句话说——如果你更喜欢这种说法——我会把自己的身体献给你，换取他的性命。可如果你不喜欢这样交易，我没有别的东西能与你交换了，那么我就会回到枯树谷，而你可以杀了这个可怜的年轻人，也可以把他视为你的死党，就跟怀特一样——只要你乐意。”



夫人开口说话时，拉尔夫仍躺倒在绿草地上，无知无觉。而太阳骑士脸色阴沉，强忍着愤怒，回答道：“我的死党！哈，我懂你的嘲讽，但不需要你提醒，我的死党是怎么因你而被我杀死的。”

“不，”她说，“并不是因为我，是你自己做的荒唐事。”他无视她的话语，继续道：“这个年轻人，我再说一遍，如果他不是你的恶魔，那就是你的情人。现在我心意已决，他醒过来之前我要杀掉他，没准这算他走运。”

她说：“我不知道，你为何要对自己想要的东西斤斤计较。如果你让他跟着你，他不就在你的掌控之中吗——就跟我一样？当然，你也可以杀了他，等你乐意的时候——也可以杀了我。”

“好，”他冷酷地说道，“就等你哪天厌烦了他。呵呵，难道你在那些女人中间就没感到半分羞耻？我却必须为你付出代价，哪怕赔上我的荣誉和毕生幸福。话说回来，要是他不愿意跟我们走呢？”佳人笑道：“那你就把他当成俘虏与奴隶带在身边吧。反正，你不是在搏斗中打败他了吗？”骑士静立了一会儿，说道："的确如此。他可以跟着我，不管这个手无寸铁之人是否心甘情愿沦为阶下囚，成为我英勇战斗的俘虏。"然后他大笑起来，笑声里半是痛苦，半是发自内心的莫名欢愉。"那么，我的王后，"他说，"我们就这么成交。你可以从银鬃马上下来了。而我会到湖里取些水，唤醒这个孔武有力的勇敢年轻人——这枚新掘的珍宝，再次唤回他的意识。"

夫人默不作声，只是驱马靠近了他，轻轻地从马背上跳下，骑士的贪婪目光如饥似渴地包围着她的美丽躯体。接着，他握住她的手一扯，拽近她的身子，吻上了她的面颊。她忍受了这一吻，没有给予回应。接着，骑士取下自己的头盔，转身到湖里取水去了。

Chapter 23

# 佳人妙手回春

拉尔夫正挣扎着活动身体，趁此期间，她靠近拉尔夫跪卧在他身边轻轻吻了一下他的脸颊，又赶紧起身站得离他远一点。

眼下拉尔夫已经起身，他环顾四周，在看到佳人的一瞬间双颊泛红，而后脸色又变得苍白。渐渐地，拉尔夫恢复了元气，也认出了自己的心上人，更因这份爱情而心潮澎湃。她则温柔地凝望着他说："你感觉如何？很抱歉让你为了我而受伤。"他回道："尊贵的夫人，其实就一两拳而已，对一个爱普觅斯的壮小伙子而言根本不足挂齿。不过，我以前见过你呢。""是啊，"她说，"见过两次，尊敬的骑士。""怎么会呢？"他有些错愕，"我只遇见你一次啊，世间最美丽的人儿，那时你差点被恶棍所杀，何来两次？"

夫人愈发温柔地冲他微笑着，好似将他当做密友一般，简洁地解释道："你和罗杰逃离四湾镇后，在光之花旅店见到的那个披斗篷的年轻人就是我。当时我和我的战士们冒着生命危险到四湾镇去救援我的四个挚友，他们那时也命悬一线。”

拉尔夫沉默不语，只是呆呆地看着她的脸，想着她是多么勇敢善良啊。此刻，她握住他的手好一会儿也没说话，而拉尔夫也只是静静地坐着，看着她，心中回味着她的可爱和自己的幸福。好一会儿，她抽回自己的手，看着他说道：“你的心神已定，我的朋友，你现在很放松，不是吗？”佳人所说的一词一句都让拉尔夫欣喜不已。

“噢，是的，”他说，“方才醒来我非常开心，我梦到教母吻了我。她是个优雅美丽的女人，可惜青春已逝，韶华不再。”

他正说着话，那骑士悄无声息地穿过草地走了过来，就站在他们身边，手里端着满满一头盔的水，冷眼看着他们，而夫人则睁大眼睛讶异地看着他。拉尔夫一面注视着美人，一面想着：看来关于她善良可亲的传言果然不假。骑士说：“年轻人，你刚跟我对决了一场，不过你可能还不知为何而战。你进攻时我冷酷无情，现在依然是，所以在你真的死去之时，方才那刻就是你离死亡最近的时候了，因为这位夫人求情，我才让你活命，不过我要你跟我们一起离开这里。不，应该说我命令你，因为你是我的俘虏，无论是要囚禁你或者卖掉你还是还你自由都由我说了算。我可不愿看到你还带着盔甲和武器，至于个中缘由，以后或许我会告诉你。现在，我命令你喝下这些水，解下头盔和锁子甲，把你的剑和匕首交给我，顺从地跟我们走。你不必因被我打败而羞愧，就连那些自称剑术盖世的武士都是我的手下败将。”

拉尔夫喝过水，解下头盔，将剩下的水一把泼到自己脸上，起身笑着说：“不，大人，我丝毫不为败于你而感到羞愧。至于要我跟随你和夫人，早在你匕首下我就说过，只要你准许，我愿意一心跟随夫人。”骑士横眉冷对看着他说：“闭嘴，蠢货！你最好不要让我再动怒。”“不，”拉尔夫说，“你已经拿走了我的剑，如果你想杀了我，立马就可以动手，何必在语言上逞英雄。”

太阳骑士说：“好吧，你有说话的权利。只是小心点，不要越过我的底线。我们很快就启程，你得开始干活了：从这棵橡树笔直向密林走一百码，你会发现那儿有两匹马，属于我和那位躺在我面前的骑士。你去那儿把马牵过来，我不会留你和夫人单独在一起，以免最后我不得不杀了你，或许还会杀了她。”

拉尔夫愉悦地点点头，立刻准备前去，当他经过夫人身边时，看到她正对自己报以亲切同情的目光，这更调动了他的积极性。很快他就发现了那两匹马，一匹黑马是黑骑士的坐骑，还有一匹红棕色的属于太阳骑士，拉尔夫牵着它们轻快地返回。

等他返回橡树边时，看到太阳骑士和夫人都跪倒在黑骑士的尸体旁，拉尔夫看到太阳骑士在痛苦地啜泣哀悼，于是暗想他是不打算带着躺在那里的朋友离开了。但当拉尔夫将两匹骏马拴在银鬃马附近，走到二人身旁时，太阳骑士对他和悦地说：“你看起来不像是坏人，虽然你跟我心爱的夫人是老相识。所以我告诉你一个好消息，这位举世无双让我另眼相看的好骑士，我的朋友黑骑士怀特，他还活着。”“是啊，”夫人说道，“或许他还能活很久。”

拉尔夫看到他们解下那位骑士的锁子甲和头盔，让他赤身裸体，夫人则为他清理包扎一侧溃烂的伤口，不过他还没有苏醒过来。他看起来年纪很轻，样貌不凡，头发乌黑，身材修长，眉清目秀。当拉尔夫看到夫人的双手触碰他的胴体时，内心一阵苦涩，不过那个男人还没恢复知觉，所以恐怕对此毫不知情。

至于太阳骑士，他不再板着个脸，冷酷暴怒，而是满面笑容地对他说："小伙子，我并不是因此而杀掉我朋友的，知道这个对你有利。其实，在跟我返程这一路上你或许会遇到不少危险，到了我的住所你可能也会陷入重重危机。不过现在你倒是可以放宽心，除非你自己犯傻要舞刀弄枪，否则你不会有生命危险。"然后他又转身对着夫人说道，"尊贵的夫人，虽然你医术精湛，但恐怕一时也无法治愈这个年轻人，接下来这十天他都要带着伤口骑在马背上。你打算怎么办呢？"

她面带微笑看着他，眼中闪过一丝聪慧的光芒，说道："没错，老实说你又打算怎么办呢？你是要独自在这儿陪怀特，让我带着这位爱普觅斯的小毛孩回宫殿呢，还是你自己先回去再叫人抬着轿子过来接我们？或者让这个年轻人自己去冒险，穿越这片迷宫般的林地找到去太阳城的路？你选哪一个？"

骑士立刻大笑起来，说道："是啊，美人，这就跟农夫带着狐狸、山羊和卷心菜渡船①的故事一样。"

她脸上浮现出浅浅的笑容，温柔地说："有件事你要考虑

---

① 这是个有名的智力题：农夫带着狐狸、山羊和卷心菜过河，如果人不在，狐狸会吃掉山羊，山羊会吃掉卷心菜，而人一次只能带着一样东西过河，问如何能把狐狸、山羊和卷心菜都安全运过河。（译注）

到，无论是你或者哪个笨手笨脚的医生保证能治愈他，怀特的灵魂都不会这么快回归本体，只有这只手，才知道怎么能稳住病情。”她在伤者之上张开双臂，指尖指向水，面色潮红，似乎察觉到正在欣赏她美貌的那两人内心的贪念。

大块头骑士叹了口气，说：“唉，除非我再杀了他，否则在接下来至少几小时内我们只能带着他。明天又是新的一天，好在这盛夏林中山明水秀，我们应该不愁水源。但是至于食物，我想我们是一无所有了。”

夫人笑了笑，对拉尔夫说：“如果你到我片刻前查看过的那匹黑马那儿看看它的鞍囊，兴许能发现点什么？只要那些东西能让这个受伤的骑士活命，我们不妨拿点过来。”

拉尔夫一跃而起，立即跑到马边，很快发现了马身上的鞍囊，从里面拿出了面包和肉食，还有一瓶上好的酒。他把这些东西都带回给夫人，夫人打趣说：“你还真是个寻物好手。”随后，她给伤者喂了点酒，那人便可以动了，脸上也恢复了点血色。她建议找点凤尾蕨来为黑骑士搭个床，拉尔夫立刻着手去办，太阳骑士却只是兀自坐着，看夫人忙前忙后地照顾他的朋友，似乎心情又忧郁起来。

拉尔夫很快就收集了不少凤尾蕨，夫人敏捷迅速地用它铺好了一张床，三人合力将伤员安置其上。黑骑士似乎也恢复了些许力气，胡乱说了些断词残句，不明所以。随后，夫人从橡树下拿来自己精美的绣花斗篷盖在他身上，拉尔夫发觉她在温情地看着自己，从太阳骑士的怒目皱眉中可见他似乎也察觉了这一切。好一会儿，除非是与夫人谈笑，老橡树下很少能有什么欢乐。

## Chapter 24

# 餐风露宿于森林宫殿

夫人安顿好受伤的骑士，让他尽可能舒适后，转身面对另外这两人温和地说："好了，大人们，是时候用晚餐了，食物都在这儿。"说这话时，她友善地同时看着这两人，但眼神中没有丝毫放纵，仿佛是豪宅中的夫人面对尊贵客人一般。于是二人都满心欢喜，非常愿意陪在夫人身边，在草地上席地而坐，大快朵颐。太阳骑士一开始还是有点情绪，不过酒过三巡，菜过五味，他说道："要是有个隐士或者圣人过来就好了，这样我们就能把沃尔特托付给他，然后我们就能回到太阳大道，等适当的时候再派个轿子把他从容不迫地接回来。"

"是啊，"夫人说道，"说不定真会这样，有可能真会发生。最好是在夜幕降临前就有人来。"

拉尔夫看到她一边说着话，一边用右手食指勾住左手两根手指，并用大拇指与食指相碰，这样就在左手手指外形成了一个圆环。随后，她低声念着什么，但拉尔夫也没太注意，尽管他一直在跟着夫人移动。至于太阳骑士，他一直低头看着草地在思考事情，丝毫没注意到他们。不过此刻他开口问道："你说沃尔特现在怎么样了？他能活下来吗？""能，"她说，"或许能跟你们俩中的一个活得一样久。"骑士狠狠地看着拉尔夫，但没有说话，拉尔夫则未注意到他的表情，因为他的眼睛忙着将夫人吞没。

他们停留了片刻，这期间的话题多半是夫人挑起的。她先是询问拉尔夫关于他的家乡爱普觅斯以及兄长和家族情况，拉尔夫都开诚布公一一告知，毫无隐瞒，而她的声音渐渐让拉尔夫的灵魂都着了迷。能有如此美丽之人陪他聊聊简单熟悉的过往，眼神亲切单纯地看着自己，这让拉尔夫感到有些手足无措。夫人时不时会起身去看看伤者的情况，然后回来（因为他们坐的地方离那儿有点距离），告诉他们其恢复得如何。太阳骑士仍然没太注意他们，他再一次被阴郁笼罩着。

这期间太阳渐渐下山，静静流淌于天空之下的湖泊仿佛是一条光之被，着以金属般色调，湖面没有一丝波澜。最后，夫人朝着拉尔夫的方向，身子前倾，拍了拍他的肩膀（他坐在夫人对面，背对着湖泊），说道："骑士大人，骑士大人，他的愿望就要实现了，我真心相信。"他扭过头看去，似乎是机缘巧合，他的面颊触碰到了夫人伸过来指向远方的手，她缓缓抽回自己的纤手，对拉尔夫而言这次肌肤之亲正如同脸庞被夏日百合拂过一般甜蜜。

"不过，看！有什么东西过来了，"她大声说道。他定睛一看，是艘小船划着水正向他们靠近。太阳骑士听了夫人的话也回过神来，立刻站起来，望向新来者。

不一会儿船就靠了岸，一位男子从船舱跳到草甸上，然后很快走上岸堤，站着一动不动地环顾四周，仿佛在找寻什么。瞧，这是个神父，一个貌似黑衣修士的隐者。

于是太阳骑士急忙走下浅滩去见他，留下拉尔夫独自陪伴夫人，虽然只有片刻时间，他却心跳不已，极其渴望能用手触碰到她，但又没有足够胆量，只能期盼着她的手能跟刚才一样偶然碰到自己。但夫人却站起身，站在离他稍远的地方，然后温柔地跟他说起这美好的傍晚，受伤的骑士，以及夜幕降临前能有修士过来是多么幸运。拉尔夫却因为对她的爱而内心拧痛不已。

随后，骑士带着修士从浅滩回来，修士朝拉尔夫和夫人问好并祝福他们，说："现在，姑娘，请带我去看看伤者，因为我也是名医师，男爵已经同意我来医治他，我也想施以援手。"

他走向黑骑士，一看到他的伤口，就转身对他们说道："这荒山野岭的，你们是否有肉食？""有，"太阳骑士说，"还有一两天的量，如果我们不得不在这儿待更久，或者这个年轻人会设法去猎鹿，无论大小，来维持我们的生计，让我的朋友尽快复原。"

"很好，"修士说，"我的屋子离这里不算太远，就在这片湖尽头的密林中。不过这位骑士正发着高烧，所以我们至少在明天早晨之前不能移动他，如果明天我们能想法将他移到我的船上，或者，不行的话，我可以先回到住处拿些面包、肉食和山羊奶过来，这样我们可以等到时机成熟再将他送到我那儿，你们大可将他留在我的住处。等他痊愈后，我会带他回到你们居住的太阳大道，男爵，但如果他不愿回去，请准许他去任何想去之处，而我会独自到太阳大道替他向你们报平安。”

骑士对此表示赞同，然后修士和夫人一起照料伤者，喂他喝水，还给他喝了点酒。拉尔夫和太阳骑士躺在草地上，看着夜幕降临，拉尔夫奇怪太阳骑士为何如此开心，想着明天将会发生什么。

不过太阳骑士一边沉浸在喜悦中，一边跟拉尔夫说：“年轻的骑士，我已经跟她达成协议，若是你愿意跟我们回家，那就带你回去。但老实说，我在协议达成之时，心里想的是等你到了太阳大道就将你关进我的牢笼。不过现在我却不会这样做，如果你执意要飞蛾扑火，正如我一样，你就自由去追吧。那就再次穿好盔甲，拿好武器，用它们达成你的目的。但如果你能听我的劝导，那明早，或者最好今晚就离开，不要再奢望与我们同行了。”

拉尔夫听了他的话，内心五味杂陈。他很想语气温和地跟骑士对话，但他很快明白，如果内心充满憎恨，是无法说出祝福话语的。于是他倔强地说：“我不会离开我的夫人，因为她命我一路相随。如果你想杀我，大可利用你比我强壮、比我更加骁勇善战的优势，与我决一死战，杀了我。”

骑士的怒火燃烧到嘴边，大声吼道：“那你就只需要做一件事，拿上我刚刚给你的剑，刺向她。这么做对你、对我，甚至对躺在那儿的那个人来说，都是个好结果。”

随后他站起来，在薄暮中来回踱步，拉尔夫对他感到十分吃惊，但此刻却并没有那么恨他，因为拉尔夫知道夫人不爱他，而他则因此气愤不已。不过，拉尔夫的心中却对三人的前途感到一丝恐惧。

不过此刻，骑士走了过来重新坐在他身边，然后继续跟他说道："你知道我不会杀了你，就算你这么说，跟我决斗，这是个好主意吗？""这是个坏主意吗？"拉尔夫说，"我不知道。"

骑士沉默片刻，说："我该说什么才能让你趁早离开？可能过不了几天我就会对你很好，助你一臂之力。"

拉尔夫却不发一言。骑士叹了口气，继续说："我现在算是看懂了，你是不会走的，好吧，那就这样吧！"然后他又重重叹了口气。拉尔夫努力跟自己较着劲，礼貌地说："大人，很抱歉我对你而言是个讨厌的负担，但我不知道为何你不用武力摆脱我，既然如此那你就无法摆脱我了。这位夫人对你而言到底意味着什么？为什么你疯狂地爱着她，却又要我去杀了她？"太阳骑士大笑几声，正准备回答他，却见照料伤者的二人走了过来，修士说："那位骑士会痊愈，幸好他曾得到丰饶夫人相助，她的双手能治愈一切伤痛，就像古时候的圣人一般。愿圣人保佑她不受任何伤害，因为她是如此恭谦而圣洁，与我们听说过的一样。"

夫人将手放在他肩膀上，似乎在示意他别再继续说话，然后挨着太阳骑士坐在草地上，温柔地跟三位男子无忧无虑地聊天。在夫人的要求下，修士滔滔不绝地向她描述林中的野鹿飞鸟和他屋子附近司空见惯的湖泊，末了，他说："说真的，我真应该感到惭愧，无论何地，逢人便讲自己和神的造物是如何相处融洽的。你可知，之前我根本没想过来这儿，我正坐在林中想事情，然后开始打起瞌睡，睡得迷迷糊糊突然听到有人在跟我说话，他们让我赶紧乘船逆流而上，去帮助一个急需救治之人，我这才赶了过来。愿上帝保佑您。”

他说着话，太阳骑士则时不时插句嘴，多半是说些尖酸暴躁的话。拉尔夫则很少开口，修士的话让他有些分心，他忍不住想到夫人对自己说话要比对其他人更加温柔可亲，沉浸在爱欲的美梦中，无暇顾及其他人在说什么。

这样他们消磨了两小时的时光，修士和夫人不时去查看伤者，持续高烧已经让他开始说胡话了。

夜幕终究还是降临了，四周一片漆黑，虽今夜无云也未见风暴，但月亮已经下沉。夫人说：“噢，大人们，我们的蜡烛用完了，我也是时候就寝了，所以我们各自在这森林宫殿中找个房间入睡吧，我会挨着你、神父和受伤的那位朋友，以防晚上你们需要我帮忙。太阳大道男爵，你就躺在我与荒林之间吧，这样你好保护我，以免我被野鹿或其他飞禽走兽袭击。至于你，爱普觅斯的少年，你就在马匹附近睡下，以防它们被惊吓到，是否太为难你？”

“好，”太阳骑士说，“你确实是这里的尊夫人，荒野中无论是人类还是兽类都逃不出你的掌心。但这一次你安排得还算妥当，我就为其他人做个示范，照你吩咐去就寝吧。”

随后他起身，来回踱步片刻，然后走到一棵橡树下坐在树根上，双手抱膝，不过并没有躺下。夫人则用凤尾蕨铺了一张床，就在拉尔夫为受伤的那位骑士铺建的睡榻不远处。修士则直接卧在夫人附近的草地上，二人都已然入睡。

拉尔夫拿着武器和盔甲小心翼翼地站起来，在去找马匹时经过了睡美人的身边，心爱之人让他不禁有些羞赧。在侧身躺下时他自言自语道，独自一人静静也好，或许可能保持清醒，放松地回想起心上人的可爱和温柔。不过，他毕竟正值青年又身强体健，早已习惯了在异乡田野或林地入眠。在一天的舟车劳顿之后，他往往一躺下就能很快睡去。正如此刻，没有受到任何过去或未来梦境的打扰，拉尔夫已然睡着了。

# [第二卷]

# 险象环生

## Chapter 01

# 荒野佳缘

天还未亮，他从睡梦中醒来，感觉到有人在抚摸自己。但像所有优秀的猎手和武士一样，他冷静克制住，并没有立即起身，也没有发出任何声响，而是等自己的意识完全清醒能辨清来者何人时才睁开眼睛。只见夫人正俯身看着他，温柔地低声对他说："起来吧，少年，起来吧，拉尔夫，不要说话。在黎明到来之前快跟我到树林中去，只有几步路而已，我有话想对你说。"

于是他立马起身准备跟她离开，内心因喜悦和好奇激荡起伏，久久无法平静。"不，"她轻声私语道，"带上你的武器和装备以防不测，穿上锁子甲。我来服侍你。"她拿来战袍帮他穿上。"现在，"她说，仍然压低了声音，"带上头盔藏住你的卷发，佩好宝剑，安静地出发吧。"

拉尔夫按照她的吩咐一一完成，随后感觉到她握住了自己的手（他们在林中穿行时，四周一片漆黑），在她的引领下他仿佛到了七重天[①]，耳中充满了她的声音，哪怕只是浅声耳语，都让拉尔夫听出字词间饱含的怜惜和欢乐。

虽然此时伸手不见五指，但在松树林中穿行丝毫没有阻碍她的步伐，一路上带着他快速行进。拉尔夫一心想听她解释为什么带他到这儿来，却又怕她解释完就离开他，所以只得祈祷两人间的无言静默和双手紧握可以持续得更久一些——他一心只想着她，别无二心——这种沉默的确保持了很久，双手也一直紧握，她仍然一言不发，只是时不时会有甜美的笑声从她唇齿间流露出，悦耳似园中莺鸟的温柔歌声。美人的笑声和她疾步快走时裙摆摩擦出的沙沙声，在这黑暗无尽的树林中，拉尔夫听得异常清晰。

他们就这样走了半个多小时，此时天微亮，拉尔夫能看到身边她的倩影。夫人仍牵着他的手，拉尔夫感觉她走得越来越快，很快便意识到树林外早已过了黎明时分，不过即使身处树林中也略可察觉朝阳的曙光。

往前又走了一会儿，天快亮了，拉尔夫听到不远处画眉鸟在放声高歌，便推测他们已经到达了松树林外沿，她脚步不曾减慢仍继续赶路，直到抵达一片草地，远处可见枫树和荆棘丛。虽然太阳还未升起，但这里已经十分敞亮。

她终于松开他的手，转身面对着激动和急切的他，双眸炯

① 七重天：源自西方传说中的善良之地，第七重天是其中的至善之地，也有极乐之地的意思。（译注）

炯有神，半张着微颤的嘴唇。如此近距离注视着她让拉尔夫颤抖不已，或许是出于对她的渴望，又或许是害怕告诉她自己的渴望后听到她的回复。可是他已经下定决心要对她坦白。拉尔夫取下头盔丢掷在草地上，却又发现她此刻只穿着绿色的长袍，早已将斗篷和外套脱掉放在一旁。

他再次站起身来准备吐露心声，可瞧！她将脸埋在手掌中，胸前上下起伏，肩膀因啜泣而发抖，突然她哭泣起来，泪水从指缝间留出。拉尔夫立即蹲坐在地上，亲吻她的脚背，紧紧抱住她的膝盖，将脸埋于其衣襟，安慰她，大声说着甜蜜的情话，可她仍哭泣着说不出话来。终于，她伸出纤纤玉手抚摸他的脸，又任他亲吻着自己的手。好一会儿，她终于拉着他的臂膀站了起来，然后又如先前一般继续疾步赶路。此刻他不知该说什么，也不知该怎么做，既不敢让她停步，也想不出该怎么询问她哭泣的原因。

他们很快穿过了林木稀疏的荒地，拉尔夫沉默不语，而夫人一刻也没感到疲惫，一路上并不曾放慢步伐，也没有丝毫犹豫，直到他们再次走进了一片茂密的树林。每当拉尔夫想开口说话时，都会被夫人制止："等一等！等一等！"终于太阳升起三小时后，她带领他穿过如同篱笆一般低矮的榛树林，来到一片界限分明的草地，草地被灰色的巨石环绕着，好似某个无名者的残存的审判石阵[①]。她在草地上坐下，将脸埋在花丛中，

---

① 审判石阵：原文 doom-ring，亦称 Circles of Judgment，指由石头围成的圆圈，如同巨石阵。（译注）

又一次啜泣起来。拉尔夫俯身相对，夫人抬起头将他拉到身边，双手捧起他的脸，用被泪水浸湿的脸庞触碰他的脸，然后开始温柔地亲吻他。这下轮到拉尔夫为美妙的爱情而哭泣了。

过后她说："这是我要对你说的第一句话，因为我终于带你逃离了死神。于我而言这太幸福了，几乎让我无法承受。"

"噢，这让我一样幸福，"他说，"我等了你好多天了。"他又继续亲吻拥紧她，似乎还没有满足。好不容易她才将自己抽离出来，然后充满爱意地冲他微笑着说："稍微克制一下吧，我们说说话。""好，"他答道，"那我可以再牵一会儿你的手吗？""有何不可，"她笑盈盈地向他伸出手，说，"方才我说将你带离了死神，你还没有问我个中缘由呢。"

"那我现在就问，"他说，"既然你觉得有必要的话。"

她说："你觉得他会让你活命吗？"

"谁，"他说，"你不是保我性命了吗？"

"他，太阳骑士，是你的敌人，"她说。"之前你为何不逃走呢？他并不是非杀你不可，只是想让你离开。但如果你到他的领地上去，他一定会刺你一剑，或者至少把你关进监狱，将你终身禁足直到年华消逝——或许我也会遭到这种待遇。"她说，眼神中有些许犹豫。

拉尔夫说："你还跟他在一起，我怎么能独自离开，难道你没看到我吗？我原以为你定要我留下来。"

夫人看着他，眼中爱意深沉，而拉尔夫则假装要扑到她身上，不过她轻巧地避开了，笑着说："嗯，是的，我看到了你，认定你不会离开我。因此，我才想照顾你。"她用另一只手摸了摸他脸颊。拉尔夫叹了口气，眉头微皱说："但那个想杀我的男人到底是谁？为什么说他是你必须逃离的暴君？"

她笑着说："英俊的少年，他是我的丈夫。"

拉尔夫脸上通红，愁云满布，张开嘴正想说话，却被她打断："不过他也并不能算是我实质上的丈夫，要是我们曾同床共枕过，他也不至于咒骂着把我赶出家。"她微微一笑，但脸上却一片绯红，将她灰色的瞳孔衬托得更加明亮。

拉尔夫忽然一跃而起，将剑拔出一半，大声喝道："天杀的，我早该杀了他！为什么没把他给杀了！"他怒火中烧，在她面前的草地上来回大步地走来走去。夫人则向他探过身去，笑着说："不过，大英雄啊，我们不会回到他身边了，他比你强壮，而且已经打败过你一次。就算这里荒无人烟，你方才说话也太过大声，简直有点震耳欲聋。过来，在我身旁休息一下吧。"

于是，他走过去，挨着她坐了下来，再次握紧她的手，亲吻抚摸着她的手腕说："是啊，但看得出他很想占有你。我杀不了他，是我的遗憾。"

她再次抚摸着他的脸，说："这一切说来话长。他把我赶出去之后，我便逃出了他的国度，后来我们偶然碰到过几次。他哥哥是枯树谷的首领，你见过的，跟我一起的那大高个就是他。这位男爵每次跟随我时都祈求得到我的爱，好像被我拒绝他就会绝望得死去一般。不过，我亲爱的亮剑骑士，"随后她亲吻了他的脸颊，并双手抚摸着他的手，"每一次我都拒绝了他。"说完她的脸又因害羞而变得绯红了。

"他的兄弟，"拉尔夫说，"我遇到过四次的那个大首领，他也想得到你吗？”她笑了说：“只是和其他人一样，没有更强烈的渴望，他不会为我杀死任何人。”

拉尔夫说：“你可知道我在丰饶宫等你？”“知道，”她说，“你不知道是我让罗杰把你带到丰饶宫的吗？”然后，她轻轻地说：“就在我们初遇那次——你手刃了那名刽子手，我骑上他的马离开之后。”

“可你为什么这么晚才来？”他说，“如果我还在那儿等，你会来吗？”她说：“除了与你相伴，我还有什么其他期望呢？原本我独自出发并不想招来危险，因为我的骑士们都去北方对抗四湾镇的敌人了。但当我走到橡树湖时，碰到了我丈夫和那个人。那时候我再怎么反抗都无济于事，无论我说什么，他都强迫我跟他们一起走。但很快他们两人就闹翻了，还打斗起来，如你所见。”她甜甜地看着他，一脸坦率纯真，仿佛只将他当成自己最亲爱的兄弟。

他说：“他们是为你才自相残杀的，你认识黑骑士很久了吗？”

“是啊，”她说，“我不想瞒你，他是爱过我，不过他也背叛过我。正是因为他，太阳骑士才将我驱逐。其实这事跟你也有关：他编了一个关于我的故事，其中真假混杂，说我是个聪慧的妻子，也是个邪恶的女巫，而我的丈夫相信了他，在众人面前羞辱我，让我光着脚、鲜血淋漓、带着满心仇恨被驱逐出宫。”

他看了看她，只见她满脸的痛苦和悲伤，好像那是一段挥之不去的阴影。他心中强烈的爱意让自己的表情有些扭曲，于是夫人站了起来离他远了些，双眼注视着他。拉尔夫也站了起来，在她面前跪下，将她的双手握在自己手中说："跟我说实话吧，不要欺骗我。我只是个年轻人，心无城府，而且我爱你，无论你是世上哪种女人，我都愿意把你当成知心密友。抛开过去不谈，可如今你究竟是个什么样的人？是好是坏？你是会祝福还是限制我？这些天我听到了很多关于你的故事。其中多半是称赞，或许有的故事听来奇怪，但也有一些故事似乎在提醒我你也有邪恶的一面。噢，看看我，看看我是不是真的爱你！我无法自拔了。只此一次，这会赐我痛苦还是极乐？如果你曾作恶，就这一次发发善心，告诉我吧。"

听了他的话，她脸上既没有泛红，也没有变得苍白，但眼里却噙着泪水，泪如雨下，她俯视着他，像一个女人看着自己打心底爱上的男人说："啊，我的殿下，我的爱人，你会发现我跟那些故事所夸赞的一样好。说真的，我该如何在你面前描述我自己呢，无论我说什么你都会相信我说的每一个字吗？但是啊，我的心肝，你这么温暖正直而美好，怎么能被邪恶的爱人迷住呢？我只能说，无论我是怎样的人，我都会善待你——我会善待你，对你忠贞诚实。"

拉尔夫将夫人拉倒在地，跪在她身边紧紧抱住她。面对他炙热急切的爱情之火她丝毫没有退缩，这暗示着他应该不会被拒绝。她将自己完全交付出去，滑入他的臂弯，给予他同样多的疼爱。在这荒野里，他们之间只有爱情的欢愉。

## Chapter 02
# 大快朵颐

正值晌午时分，骄阳似火，两人在茵茵草地上休憩良久，这时拉尔夫站了起来，仔细聆听四周动静。但夫人望向他说道："眼下除了雄鹿与牝鹿在林中奔走，附近再没别的了。但我们最好马上动身，因为前路还十分漫长。""确实如此，"拉尔夫说道，"但那位先生很可能会召集人手追赶我们呢。""不，他不会的，"她说，"这你倒想错他了，以为他会纠集同伙追赶一个人。如果他要追，他只会一个人来。一旦他发现失去了我们的踪影，他会毫不犹疑骑上银鬃马，我的爱马，他以为它一定会找到我的去向。"

"那好，"拉尔夫说道，"如果他真敢独自前来，要追上你就得先问过我手中的剑。"

她与他并肩而立，这时又将纤纤素手轻搭在他肩上："听着，我的爱人，我的勇士！那位先生对自己的内心和右手极为自负，但他没有机会证明了，我早已将心安放在你这儿。仔细听好，如果你不觉得不妥，我就告诉你我所做的一切，无论好坏。走之前我在银鬃马耳边说了句话，那小兽善解人意，会把那暴怒的骑士带偏方向，但不会偏离太多，以防他凭着一腔怒意与敏锐的狩猎直觉跟上我们。确实，这就是我把坐骑留在树林那头的原因，不然你就可与我共同骑马穿过林中小径了，我知道你心中对徒步前行早已厌倦，因为你还带着武器和一身铠甲。”

他温柔地望着她，笑着说道：“那么你呢？亲爱的，你就一点都不担心这会让一位骑士和一个在野地里长大的姑娘感到疲倦吗？”“我不担心，”她说道，“你没看到我轻装简行，把我的斗篷和外套都留下了吗？”说着她把裙摆翻上来束进腰带以便行走，看到他盯着她的纤纤玉足目不转睛，她笑了起来。她一边在繁花点缀的绿地上翩翩穿行一边说道：“说真的，骑士，我并非纤弱女子，只在起舞时才策动双足，又或者只会擎着苍鹰，在草地上骑一骑温顺的白马。我身健力壮，脚步轻盈，堪比乡野村妇，或是古时女战神。我吃过很多苦，往后我会跟你一一道来。但我们最好还是先出发。不过，在我们走之前，我至少可以告诉你一件事，那就是根据我对这片树林的了解，此处并无魔法。因为我在林中出生长大，虽然不是这片树林，但只要在树林里，我就像回家一样自在，我可以这样说。”

拉尔夫说道：“那不错，但我要说实话，我更愿意留在丰饶宫中。我想看你坐在华盖殿的象牙座上，墙上挂满了织着你画像的织毯——你能说说那些挂毯上的图案讲的故事吗？还有那本我读的书，那本关于你的书都是真的？”

“啊，”她惊叹道，“你已经看过那本书了……好吧，我会告诉你完整的故事，因为那本书里写的很多事情都是错的。”然后她催促他加快脚步，她的脚步似乎从来不知疲倦，然而此时此刻，说实话，他开始觉得步履沉重了。

这时她停下来，望着他的脸笑得很甜蜜，说道：“在六月的盛夏天里我们已经走得够久了，我知道你现在缺什么，要缓解这种症状要到悬崖下的汉普顿附近，但如果我们一直步行的话，两天内是不可能到达的。”

“我还缺什么？”他回答道，“我现在什么都不缺，只要我愿意，什么都不会缺。”然后他用双手搂住她的肩膀，把她拉进怀中。但她把他推开，从他怀中挣脱出来然后大声笑道：“你真是一个胆大妄为的人，而且不顾后果，我的骑士，即使对我你也如此鲁莽。但我要确保你不会饿死。”他快活地说：“是的，以圣尼古拉斯之名，我现在确实很饿。之前没觉得饿，忘了人要进食，因为那时我心中只有愁绪万千，又顾着逃命；但现在我脱困了，心情很好，所以感到饿了。”

“看，”她指着天色说道，“现在已是午后两点，我们离开榛树林中的草地后已经步行了将近两小时，你现在想吃东西很正常，因为你还如此年少气盛。你之前问我的问题，我很快就会告诉你答案。现在正是一天中最热的时候，是的，太热了，即使是戴安娜，那远古的狩猎女神，如果她像我们两人这样徒步前行，也会在热浪中感到眩晕，现在休息一下不会带给我们什么风险。不论是谁，在这个地方休息都不会有问题，因为它偏离大道。我觉得我们可以先休息一小时，然后在夜幕降临之前赶路补上这一小时。来吧，勇士！”

言毕，夫人领着他往北边走去，穿过层层叠叠、错综复杂的树林，走了一阵子，拉尔夫听见了潺潺的流水声，没一会儿，他们就来到了一条小溪边，这儿有一小片空地，青翠又开阔的树丛挡住了高大的荆棘林，林子前便是一片青山绿水。他们停下了脚步，夫人道：“脱下你的盔甲吧，勇士！这儿没什么要提防的，比榛树丛里安全多了。”拉尔夫照做了，随后夫人跪坐在水边，捧起溪水啜饮了几口，清洗了面颊与双手，随后走上前亲吻了他：“我亲爱的爱普觅斯之子，我的旅行袋里还有几片面包，是昨天晚餐剩下的；我在河岸下找找，应该能发现一些林子野兽的肉。再坚持一会儿，故事和食物都会有的。”接着，她轻轻地迈入小溪，静立片刻，任赤裸的双足感受着溪水清冽的涟漪（刚才抵达岸边的时候，她已脱下了鞋袜），随后东奔西走，沿着河岸采集草莓。拉尔夫凝视着她，为她的出现祈祷感恩，想到自己是如此幸福，他的泪水便夺眶而出。

过了一会儿，夫人满载而归，裙子的下摆满满当当地兜着草莓。二人坐在芳草萋萋的河岸边，夫人从旅行袋里掏出面包，他们一起享用了这顿晚餐；她还把水一捧捧地接过来，送到拉尔夫跟前给他啜饮，并亲吻着他，为他拭去欢欣的泪水与对她的渴爱。最后，她安静下来，坐在了他身旁，开始述说故事，仿佛他们正坐在圣诞前夜的篝火边，故事缓缓铺现。

Chapter 03

# 佳人往事重提

“你从我这儿听到的故事可要比在花毯和书籍中看到的多得多。当然也不会是故事的全部，因为时间不允许，再者我内心也太不情愿。我无法告诉你我的出生地或者血统，也无法告诉你我父母是何人，因为连我自己也不知道，从来没人对我提起过。我最早的记忆，就是记得自己当时在一个花园中玩耍，那里有一幢小木房子，房顶盖着芦苇草，树林里的参天大树环绕着花园。此外还有两块空地，一块小的长满了鲜嫩青草，另一块稍大些，圈养着山羊。有位女士坐在小木屋的门边纺着纱，她身穿闪耀、美丽的华服，脖子上戴着昂贵的项链，手指上点缀着精致的戒指。这是我记忆中最早的一件事，不过与其他孩子们的童年记忆一样，这也只是日常生活中的一个场景而已。类似的事情我不用详说，你也能猜到。后来我了解到那个女人，既不年轻也算不上年老，大约中年模样，被我称为母亲，不过如今我才知道她并不是我生母。她对我非常严厉苛刻，但很少体罚我，除非是为了逼迫我做我极不情愿做的事情。平日里我的一饮一食均与她一样，虽只是些很简单的食物却足以满足食欲，正与你此刻期望从我这儿获得的一样。其实在我年幼时，与其说她对我凶狠恶毒，倒不如说是尖酸刻薄，她从未对我温柔过，从来不曾亲吻抚摸过我，我对她亦是如此。我根本不爱她，心里从未想过要爱她。但我非常喜爱家里的一头白山羊，它亲和可爱极了。后来时不时还会有其他小东西闯入我的心扉，比如，我从鼬鼠口中救下的一只松鼠；从我们房子附近一棵高高的白蜡树上摔下，还没学会飞翔的八哥；在我手臂上上蹿下跳的家鼠，以及其他类似的小动物。简单说来，凡是野生动物，包括兔子和小鹿都喜爱与我亲近，毫不畏惧，它们能令我快乐，所以我也很爱它们。

“等我成年后，有了些力气，那个女人便开始吩咐我做事。我们附近并没有人居住，因此很少在那里见到任何男人或女人，我也从没有与任何人交谈过。不过我要告诉你的是，后来偶尔会有一个男人或女人匆匆路过，我不认识他们，当然也不知道他们从哪里来、到哪儿去，可看到那些人我才终于知道，在这世界上除了我和她二人外，原来还有其他人。我知道怎么纺纱、放羊、挤羊奶、设陷阱捕鸟儿和小鹿，除此以外对其他事一无所知。虽然我抓到了猎物，却从不忍心杀掉它们，我会常常将它们放生，也不怕那个女人生气。每天清晨我就从木屋和庭院出发，直到黄昏才被准许回去。每当长日漫漫，草长莺飞的季节，我必须赶着羊去树林中的草地放牧，还得带上石头和纺锤，将她给我的所有亚麻或毛发都纺织好，不然就会挨打。当冬天来临，大地被厚厚的白雪覆盖，我的主要工作就变成了守望野物并且搭陷阱捕猎。

“终于在仲夏的某一天，那时我约莫十五岁，当时正在离房子不远处放羊，天色渐暗，突然间电闪雷鸣，下起瓢泼大雨，我被吓坏了，赶紧把山羊赶到附近的住处，在小农场的羊棚把它们拴好后，全身颤抖、蹑手蹑脚地走向小房子，在门口我听到纺织室传来“噼噼啪啪”的织机声，心想那个女人一定在纺纱，但当我朝里一看，却发现板凳上竟没有人，梭子自己从一侧飞快穿到另一侧，梭口不断开合转换，织杆一个接一个有序地按部就班。随后，我听到一个低声吟唱的声音，却听不明白歌词的含义。刚跨过门槛，恐惧就紧紧抓住了我的心，房间的门大开着，我从旁边往里一瞟，只见里面有个女子一丝不挂地坐在地板上，一本大书摊开放在她面前，那歌声正是从她口中唱出。她看上去冷酷得可怕，因为她身材庞大，头发乌黑，平时生活习惯严谨，跟我说话时惜字如金，而且随着我年纪的增长对我越发严厉。怀着万分恐惧之情我在门口伫立了片刻，虽然她并没有看我，我希望她没有看到我。然后，我跑回暴风雨中，雨比之前下得更大，在密林中我边跑边躲藏，被恐惧吓得半死，不知道自己将会遭遇什么，但我发现并没有人跟在后面，心情慢慢平复下来，暴风雨也渐渐停息，太阳在日落前透出最后一丝余晖。我惴惴不安地坐在地上纺着纱，直到纺完所有的纱线，生生等到黄昏时分才悄悄回到小木屋，双腿几乎无法支撑我迈过房间的门槛。

“那个女人如往常一样，一身珠光宝气端坐于房内，她并没有开口对我说话，只是瞄了一眼我纺的纱线，看是否完成了今日的差事，随后她照常对我冷冷地点了点头，我也如平日一样回到羊群中的床上睡觉，但直到次日清晨我才睡着。在梦中我被可怕的画面以及我无法明说的过往遭遇萦绕许久。

“我醒来时心情有些沉重，吃完早餐，喝过羊奶，然后走进了木屋。到达房间后那女人看着我，竟一反常态跟我说起话，她的声音令我恐惧地战栗起来，虽然她只是说‘去把你的白山羊带过来’；我照她说的做了，惶恐不安地跟在她身后。她带着我穿过树林到达了一片我常去的草坪，那里四周环绕着高高的红豆杉，草坪中间有一张由四个立柱和一块平坦的大石头拼装而成的石桌，这应该是林中除了我们的木屋、小棚子和篱笆外唯一一个出自人工的作品。

“那个女人靠着石桌对我说：‘去收集干柴来点火。’我不敢不从，心想若是慢了肯定又会挨鞭子了，当时我真以为她会杀了我。我给她拾来满满一捆柴，她却吩咐道：‘多找点。’直到我搬来第七捆柴，她才说：‘够了。站在我对面，认真听。’于是，我发着抖站在那儿。我的恐惧，在来去树林间时多少有所缓和，但此刻回来后却翻了十倍。

“她说：‘我本该就地杀了你，就像你杀掉从陷阱里抓到的山鹑一样。不过出于某些原因，我不能杀你。重申一次，这是你应得的，我原本打算折磨你，直到你自己祈求一死以脱离苦海，要是你成年了，就会被如此对待。可你现在还是个黄毛丫头，所以我会留着你，看看我们之间究竟会发生什么事。但我必须让你感到悲痛，也必须杀掉活物献于此祭坛之上，以防前功尽弃，这件事需要我们共同完成。抓住你的白山羊，你至亲至爱的东西，我要用它的血染红你我。’

“我不敢不服从她，紧紧抓住那小可怜，它舔了舔我的手，咩咩地叫着表达对我的爱意。它的声音缓解了我对死亡的恐惧，却也让我不禁因即将失去这位亲爱的朋友而痛哭起来。

“但那女人从腰带里掏出一把锋利的长刀，瞬间就割开羊脖子，用手指蘸上羊血涂抹在她和我的胸前和手足上。然后她转身面向圣坛，将血洒在石桌的立柱和桌面上。在她的命令下，我将七捆柴搬到圣坛，并将山羊的尸体置于柴堆之上。我还没回过神，她就不知从何处生出火苗并引燃了木柴，等火势渐旺，她站在圣坛前张开双臂，用嘶哑的声音大声吟唱着一首陌生的曲调。虽然我不知道歌词的含义，但这首歌却让我内心无比害怕，我瘫坐在地上，将脸埋在草丛中。

“她继续唱着，直到那头羊被全部烧掉。火焰渐渐熄灭，只剩下一堆灰烬，她终于停了下来，无力地瘫坐在草地，头往后一仰，居然就这样睡着了。我不敢离开那儿，只能蜷缩在草丛里。不知道过了多久才等到她站了起来，走到我身边，用脚踹了踹我说：‘起来吧，傻瓜！你受什么伤了？快去挤羊奶，然后把它们赶到牧场。’说完她就大踏步地回家了，并没留意我。

“照她的吩咐，我起身去找山羊。那时我为自己还活着而心生窃喜，那此后我生活中唯一的乐趣就是与我那些惊魂未定的山羊在一起，森林里的一切风吹草动在我听来都夹杂着恐惧。而一切最让我害怕的莫过于每天早晚进入木屋后看到那个女人的脸，虽然她对我并没有更严厉，或许反而还温柔了些。

“秋去冬来，我如往常一样，又开始设陷阱逮鸟儿、抓小鹿。虽然冬季艰苦难熬，但比起枝繁叶茂的夏天我却更爱冬天，因为冬天可以模糊我那天在圣坛的记忆。后来有一天，当我走在满是积雪的树林时，发现一个庞大晃着亮光的东西躺在地上，靠近后才发现原来是个人类的孩子。我停下脚步大声喊道：‘醒醒，快起来，不然你会死在这寒冷严冬的。’但她一动不动。于是我鼓起勇气，走到她身边，啊！原来是一个身着红色皮草、衣着华丽的女人，我跪在她身边想看看能否帮到她。但当我碰到她时，才发现她浑身冰冷僵硬，已经死去，不过她应该刚离世不久，因为身上还未落上积雪。还有一小时才到黄昏，夜幕降临前我是绝不敢回家的。索性我就坐在那里看着她，我揭开她脸上的面罩，脱下她的手套，心中暗自赞叹她真是个秀雅可爱的人儿，我为她的逝世感到难过，甚至还为哀悼她落了泪，也为自己失去了她的陪伴而黯然伤神。天黑后我带着鹿肉走了回去，一路上想着要不要告诉女暴君这件事。但她一看到我就主动问道：‘你是不是有事要说？’我一口气和盘托出，可她听完后竟问我：“你从尸体上拿回什么了吗？’‘没有。’我说。‘那么，我必须赶快去了，’她说，‘得赶在狼群之前。’话音刚落，她就从火堆中抽出了一个火把，吩咐我也拿一个火把在前面带路。很快，我就将她带到目的地，那时虽然夜已深，但明月高悬，雪映月光，宛如白昼。女主人跪在女人尸体旁，解开她的斗篷（我之前还没有碰过她的衣领），从脖子上拿出了什么，当时我举着火把仔细一瞧，原来是一串嵌着蓝绿宝石的项链，宝石之间由金珠相连——哦，亲爱的骑士，那项链就跟你的那串一样，好似一个个连接的豌豆。”她说。

原本她脸上痛苦的表情使拉尔夫的内心饱受煎熬，但随着故事的推进，她的眉间逐渐舒展开，似乎翻开了人生的新篇章，重新唤起对他的爱意。她亲吻着他，用自己的脸颊贴着他的脸颊，拉尔夫忍不住吻了吻她的嘴唇。随后她叹了口气，又开始讲述自己的故事。

“我的女主人接过项链并把它放在袋子里，自语道：‘那她又是个一无所获的探索者了，除非等到冰雪初融时，有人为她在这儿挖一个水坑并称之为世界尽头的水井。大概这样对她而言，将会跟真正的水井一样有用。’然后，她转身对我说：‘你处理余下的事吧。’说完她就急急忙忙地回去了。我也回到羊棚去拿了锹和镐，趁着月光铲掉那里的积雪，挖了一个简单的坟墓，将她和衣而葬了。

“那年冬天再没值得一提的事，只不过我认真考虑了女主人说过的话。春来春去，夏天也一晃而逝，一切都乏善可陈。直到有一天，当我将羊群赶到家附近时，看到从树林中来了四个人，他们都骑着马，带着武器，穿着盔甲，看不清面庞。他们经过我身边时，盯着我看了好一会儿，但并未问我话，就朝着我家的方向骑去。他们离开时，我听到其中一个说：‘她或许可以带我们去找世界尽头的水井！’我不敢待在那儿跟他们说话，回过头却发现他们正在跟女主人交谈。不过我看她那天却没有穿着华丽衣饰，而是粗布素衣裹身，我耳聪目明，看得十分清楚。在此之后，余下的秋冬又平淡无奇地过去了。”

## Chapter 04

# 脱离魔掌

“那时我已经长大，足以面对童年时的恐惧，但也不想再加剧这种恐惧：可以的话，我都尽量避免待在那座房子里。但这时，我的女主人不再像之前那样宽容地待我，她变得越来越严厉，常常残忍地折磨我：至于她对我做的事情，我的爱人，除了我能说出口的，你就不要再追问了。五月时节的一天，我把山羊赶到野外，带着它们越走越远，我从来没去过离房子那么远的地方。那是一年里最美的光景，所以我雀跃不已，觉得有什么天大的好事会降临到自己身上，所有烦忧都似乎离我而去。于是我一直走到一个开满鲜花的小山谷里，那里周围都是开着花的山楂树，中间还有一条可爱的小河穿过。那里与我们这里很像，除了那条河流更宽。那时已近晌午，太阳很晒，于是我脱下衣物，那些衣物质地粗糙、样式简陋，更适合冬天而不是五月时节。然后我走进一汪清澈的河水，在那里沐浴嬉戏，嗅着山楂树的甜味，听着各种鸟鸣。当我从水里出来，我觉得山间的气息如此柔润芬芳，双脚踩着的花草如此柔嫩，五月的花蕾窸窸窣窣地飘落在我肩头，让我不想马上把那件粗糙的衣服穿在身上，况且我从没在那片旷野中见过其他人。于是我在那里待了好久，喝了山羊挤出来的奶，把山楂和风信子编成花冠戴在头上，手里捧着那些花蕾，我感受到原来我要比娇花强韧，所以我不该永远安于当巫婆手下的奴隶。就是那天，我的朋友，我感受到了春潮的勃勃生机，就如我在你温暖的怀中感受到的爱意一样汹涌澎湃。

“我捡起了一块石子以备纺织时用，若主人要责罚我迟归，我还能以找石头当纺锤为借口，但就在我于良辰美景中沉醉之时，我抬头看见一个人影正沿着那小山谷向我走来，于是我从地上一跃而起，跑到衣物旁迅速穿戴起来，因为我觉得很难为情。当我见到那是一个女人，我首先想到的是我的主人来寻我了，我心想若她要惩戒我，我一定不会再忍气吞声，让她瞧瞧我们两人中谁更有力气。但当我再仔细看清楚，才发现并不是她，而是一个身形更为娇小、年纪更大的妇人。于是我站在那里等她过来，赤着脚，无所畏惧地向她微笑。

“等她走得更近，我看见了她是一个满头银丝的老妇人，衣着简陋，满脸皱纹，但双眸却异常明亮。她向我行了个礼说道：‘我正在这片孤独的旷野中穿行，无意中看向这个小山谷，发现一群山羊围着一个裸着身子的美丽女子。我活得够久了，所以什么都不怕。我想这也许是从远古归来的女神，她最多也就让我这个可怜的老婆子一命归西，反正这具颤巍巍的躯壳早已不能享受人生乐趣。但如果她是人类的女儿，她也许会把我当成她的母亲那样尊敬，亲切地招待我，给我一片面包和一些山羊奶解渴。’

“我回答得很快，因为她的赞美让我很难为情，而且我只明白她一半的话：‘我听了你的话语觉得你在嘲笑我，我从来不知道母亲是谁，我只是一个可怜的奴隶、一个牧羊女，和我的女主人一起住在这荒野的一角。我从没吃过面包，但至于山羊奶，我可以马上给你。’于是我唤了一只山羊过来，因为它们的名字我都知道，然后取下一直挂在我身上的木碗挤奶，让那老妇人畅饮。她吻了我的手便痛快地喝下羊奶，然后又跟我说话，但她的语气不再哀切得就像街上在讨饭的乞丐，变得爽朗大方。

“‘姑娘，’她说道，‘我能看出来你拥有与外貌相匹配的灵魂，你待人和善，为人清高。无论你是什么身份，我说的话都不是在嘲笑你，你的美貌确实不逊色于任何人。我想凭着你的样貌，没有男子会在见过你一次后能把你忘记，能不再想你，这是他们命中注定的。我看得出来你就像这林中牝鹿，对这凡尘俗世和它的运行之道一无所知。所以如果你愿意的话，我可以坐下来跟你慢慢说你应该知晓的事，反过来你也要告诉我你为什么住在此处，你在这里做什么，诸如此类。’

“我跟她说：‘我不能，我也不敢说这些事；我的主人非常强大，如果她知道了我跟你说话，她会杀了我的。我会遭殃的！恐怕她现在已经知道了，你还是安然离去吧。’

“‘不，’她说，‘你不用告诉我，因为我对她的行事方式已略知一二，但我会教你知识，不需要你用什么交换。坐下来，美丽的孩子，坐在这繁花簇锦的草坪上，我会坐在你身边告诉你很多要留心的事情。’于是我们就在那里坐了好一会儿，她真的说了很多我从未知晓的见闻，让我知道了这世间的美好与荒谬，生死无常，贪嗔痴欲，得失有道。当她说完这些，与其说我比之前更明白，不如说我比之前更开心。我对自己说，终有一天我要到世间去亲身感悟。

“然后她说道：‘看，天色将暗了，你现在有两个选择：要么你马上回到你的女主人身边，要么你就按照我等会儿教你的线路逃出她的控制。但如果你听我劝告，还能再忍一忍继续当女奴，你就先别忙着逃跑，再等一等，我们还可以再见面。既然我们在这里相遇，你以后还可以回来这里找我。现在白昼漫长，只要你在晌午前出发，都可以在这里找到我。’

“于是我重新把山羊皮鞋绑到脚上，把山羊赶到一起，我们两人一起走出山谷，来到那一望无垠的旷野之中。老妇人说道：‘你能凭着天上的太阳辨明四个方向吗？’‘当然。’我说道。‘那么，’她说道，‘当你想要离开，到那凡尘俗世中去的时候，你往西边稍微偏北的方向走，很快你就会遇到其他人。但如果那一天真的来临，你要行动迅速，脚步敏捷，想方设法在主人发现你离开之前逃走，因为没有人会轻易把像你这样的奴隶放走的。’

“我向她道谢，然后她便径自在旷野中消失，我不知道她是怎么走的。然后我把山羊赶回家去，有多快走多快，主人没有过问我的行踪，虽然我没有交够应交的纱线。第二天，我很想马上到山谷去见那老妇人但没敢行动，第三天也如此。到了第四天，我再也抑制不住自己了，不管会发生什么，我的脚自己就往那边走。我到了山谷没多久，那妇人便来了，坐在我身边开始向我传授知识，教我识读文字，了解文字的含义，我专心学习，就像唱诗班里的歌童一般。

“之后我逐渐克服了对主人的恐惧，每天都去山谷，跟老妇人学习；虽然我不时会担心主人的怒火随时爆发，因为我谨记着那天她用我的白羊献祭后对我的威胁。我下定决心，一旦她想要置我于死地，我一定会在她动手前先结束她的小命。但她又开始不再苛责我，不再伤害我，更不会对我口出恶言，只是对着我皱眉，似乎她心中对我的仇恨在不断滋长。

“时光如梭，我在荒野中已经走出了一条通往那学知谷的小路，五月已经过去，六月已经到来，很快就到了六月下旬。在仲夏节那天，我像往常那样走向山谷。正当我匆匆忙忙地赶着羊时，我看到原野中有什么东西闪着光向我走来，于是我也朝那方向走去，那时我心里除了害怕女主人，什么都不怕。不，应该说一切从没见过的新事物，都只会让我心里倍添欢喜。所以在我看到那是一名全副武装的骑士骑着白马时，他也当即向我走来，然后在我面前拉停缰绳。我满怀好奇地看着他，他英俊的外表让我心跳不已。虽然妇人早已向我描述过人之子的可爱之处，但之前我并不明白那些言词的含义。而我见过的其他人既不年轻也不好看，至于那些停留的人，正如我之前所说，我从没见过他们的面目。

“这名男子比我之前埋葬的那名女人还要貌美，我想起来时只记得那女子满面愁容。那男子身披锃亮的铠甲，外面是一件绿色的铠甲罩衫，上面绣有花纹；他头上戴着轻盔，头盔下面露出一绺绺金色的头发披到肩上，亲爱的朋友，他的脸像你一样，不见一丝胡须，但不像你的小麦色，而是白里透红，像娇花一般。”

拉尔夫说道：“这听起来是个女人。”在一片寂静中，他的声音特别响亮。她笑着看他，吻了吻他的脸颊，说道：“不，不是，亲爱的勇士，那不是一个女人。愿上帝让他的灵魂安息！他死去多年了。”

拉尔夫说道：“死去多年！这是什么意思？”“啊！”她说道，“别害怕，就像我现在一样，才能这么多年守着你。你是不是害怕我会消失，或者变成某种不堪入目的可怕东西呢？不要害怕，我说，难道我不就是一个女人吗，你的女人？”她的脸又一次激动得泛红了，灰色的眼睛闪闪发亮，她看着他，一脸的困惑与羞涩。

他捧起她的脸，吻了下去，一遍又一遍，随后放开了她，说道：“我并不害怕，继续你的故事吧，你的一言一语就像你对我的吻、你给我的拥抱、你的躯体。继续吧，我为你祈祷。”她握住了他的手开始述说，就跟刚才一样。

“爱人，这名标致的年轻骑士看着我，他看我的时候，他的脸变得比我现在还要红。我可以告诉你，我看着他，心里雀跃不已。他没有作声，过了一会儿才说道：‘美丽的姑娘，你能告诉我，有谁知道通往世界尽头的水井那条路吗？’我对他说：‘不，我从来没有听说过这个地方，我不知道该怎么走。

恕我不能如你所愿指明方向。’然后我告诉他，他绝不能前往我住的那座房子，我告诉他下场会是什么，这样他就不会冒失地冲进去了。我说：‘即使你回程还要经过这里，即使没有找到想要的物事，也请你千万不要踏入这个陷阱。’

“他静静地坐在马鞍上，望着我，我也望着他；然后他向我道谢，但他表现得如此勉强，我以为他生气了。然后他一挥马鞭，便干脆地骑马离开。我看了他一会，然后便回头走我的路。但我走了没多远，便听到身后传来马蹄声，于是我转过头，看到了，哦！是那名骑士又掉转了马头。于是我停住脚步等着他。当他快要走近的时候，他从马背上跳下来，站在我面前说道：‘我一定要再见你一面。’

“我站在他面前颤抖，想要触摸他。然后他又开始说话，像是跑步过来一样，气喘吁吁：‘我必须离开，因为我有一件事必须完成。但我很想轻抚你，亲吻你；只是若非得你首肯，我定会自我克制。’然后我看着他说道：‘我愿意。’然后他走上前来，双手放在我肩上，亲吻我的脸颊，但我却吻在了他唇上，然后他便把我带进怀中，吻我，搂着我。就在那处，就在那时，我们相爱了。”

“可过了一会儿，他就对我说：‘我必须离开了，复仇者还在追杀我。现在，拿着这个吧，算不上礼物，但足以纪念你我在荒野中相遇一场。’说完，他在脖子上摸索了一下，取下了项链——就是你眼见的这一条。我发现，这条项链与我的女主人从那位死去的女人脖子上取下的那一条十分相似，而且与你脖子上的那项链相差无几，拉尔夫。

“我将它握在手里，泪流满面，为自己无能为力拯救他而伤悲。他说：‘或许这一别，你我此生难再见，但你脖子上悬挂的印记或许能够让你记住，我一直爱着你、念着你，至死不渝——虽然我身为国王之子，但这条项链是我身上最贵重之物。’我便说：‘你我还年少，或许来日依然有缘再见，可你要知道，我只是一个女奴、一名牧羊人。’这么说，是因为那个老妇人跟我讲述过，世上的君王们势力有多强大。‘是的，’他说，脸上的微笑如此灿烂迷人，‘事实很明显，要是我活了下来——虽然我对此缺乏信心——你会登上王座，伟人们都将跪倒在你的裙下；那有别于现在的我为爱屈膝，亲吻你的双膝与双足，而是因为他们必将崇敬你。’

“说完，他站了起来，跳上马背，飞快地离去了。我也带着羊群离开，经过了学知谷，看见那个老妇人还在等着我。她走到我面前，握住我的手，触碰我的项链（我已经把它挂上了脖子），说道：

“‘亲爱的孩子，你不需要把故事告诉我，我已经见过他了。但是，如果你非要戴着它，我必须赠送你一件礼物，它们得配一块儿。不过，请先在我这个老太婆身边坐一坐吧，跟我聊一聊天，依我看，你要离开这茫茫原野，走到那山前的树丛，还要多等几天。’

“于是我坐在她身边，不顾她刚才所言，把我与王子之间的故事一股脑儿倒了出来，这会儿我有好多话要说，无法控制自己了。老太太一边听我讲，一边点头示意，但始终一言未发，直至我把故事讲完。然后她为我提了一些建议，这时刻来得比平时都要早一些。当我们漫步在学知谷那条我每天的必经之道，她对我说：‘现在，我必须把那件礼物赠予你，随王子送你的这条项链一块儿。要不了几天，你就会发现我的礼物是多么有用。’她从口袋里掏出一把锋利的长刀，刀身出鞘，利刃在午后的阳光下泛着寒光，她把刀递给我，我在胸前握住了它，向她致谢。我想，我已经明白了她的意思，也明白如此行事有何裨益。于是，我赶着羊群，飞快地往家的方向走，等我回到院子里的时候，太阳还没怎么下山，当我看见女主人时，与其说我被吓了一跳，倒不如说我感到毛骨悚然。想想看！她就站在门口，虎视眈眈地盯着下方的院子和远方的树林，仿佛看着我一路走来似的。她看见我，一脸怒容，咧出一个笑容，双拳紧握，虽然她的手中什么也没有。女主人是个身材魁梧的女人，如今竟显出了几分苍老。而我在靠近院子之前，左手的尖刀已微微出鞘，在背后藏着。

“在距离门口六步开外的地方，我停下了脚步，心脏飞快地怦怦直跳，对她的恐惧仍在心里滋长，但虚弱的紧张感与畏惧已经消失了。羊群已经安静地回到了羊圈里，此时已经没有任何东西横亘在我与女主人之间了。我挪动握着刀的手，原本肩头束住衣服的粗扣子松了，前襟剥落，我的胸口袒露在外，可以想见，我脖子上的项链一览无余。我们都静立了一会儿，我一句话也没说。最终她开口了，声音喑哑地咆哮起来，与以往没有区别，只是更凶狠了。

“‘这一天还是来了啊，你对我已经毫无用处了。我看得出来你给自己弄了些行头。不过我知道，你还没有尝过世界尽头之井里的井水，所以，要是想逃出去可对你没好处。只要我还活着，你就不可能逃出我的手掌心。我会长命百岁，我会长命百岁！来啊，给我乖乖地过来，我会给你一个了断，就像我当时屠宰你那只白山羊朋友一样。那个时候我就知道你的结局莫过如此。’

“此前只有两三回，她会一下子和我说这么多话，可这一回，我什么也没说，只是站在那儿，小心翼翼地盯着她。突然，她发出了一声可怕的嘶嚎，连周围的树林都在摇动，接着她朝我冲了过来；不知怎么地，我握着刀的手就从背后晃了出来，她还没来得及扑到我身上，那把利刃已没入了她的胸口，她跌在我的脚边，右手紧紧抓住我的衣服。我掰开她的手指，全身上下因恐惧而战栗，从她的身体旁挪开，站远了一些，脑子里一片空白，茫然无措。的确，我以为她还会从地上爬起来，死死地抓紧我、折磨我。然而，她一动不动，身体下的草地被她的鲜血染红了。最后，我鼓起勇气跪在她身旁，探了探她的鼻子——气息全无，就跟我曾经抓来供她献祭宰杀的兔子或山鹑一样。

“我站在那儿，思索着接下来我该做什么，其实从学知谷回来的路上，我就一直在思索着，要是我打算从女主人那儿逃跑该怎么走。我旋即下定决心，不在这座房子逗留哪怕一个晚上，免得女主人的鬼魂来找我索命。我走进房子里，这时候的天还没黑，屋内亮堂堂的，我环视四周，看见诵经台上摆着三本大书，即便我现在可以拿走它们，但仍没有勇气去碰，也不敢正眼瞧一瞧，生怕打开后，书里面有什么咒语飞出来。不过，我找到了一条黑麦面包，早上刚啃了两口，还有另外一条完好的，就挂在诵经台的一角，那儿还放着那条项链——女主人从那位死去女子身上取下的项链。我把这些都放进了口袋（至于那条项链的命运，待会再让我告诉你），随后步入了门外黄金般的美丽暮色之中，看着这景色，不禁心旷神怡。我放出了羊圈里的羊群，往学知谷走去，心想老太太会告诉我下一步如何该怎么走的。夏夜浓郁的黑色还未弥漫开来，我就抵达了那儿，把羊群圈在最肥美的一片草地上，躺在羊群里，沉入了甜美轻柔的梦中。”

## Chapter 05

# 继续述说

“瞧，我的爱人，”她说，“你曾在树林中匆匆邂逅过我。想到你的爱情和生命献给了这样一个人，会不会感到沮丧？”拉尔夫冲她浅浅一笑，说：“或许你还做过比你告诉我的更不堪的事情，这些天来我一直在想你何时会提及四湾镇的人对你的谣言。但是他们实际上很少议论你的过去，最多只是把你当成敌人罢了。”她叹了口气，说道：“好吧，那你且听着。但我不能保证将我所做每件事的细枝末节都告诉你。

“在那天次日，我坐在学知谷中，内心十分欢喜，渴望着再与那位美男子相见。其实自女主人去世后，世间万物于我而言都变得更加美好，甚至当我在溪泉池水边看到映照在水面上自己的脸庞，都觉得愈加美丽动人。但我又常常猜想何时会再来一个女主人，她会怎么对待我。我暗自想着等再次见到那位夫人时，就向她倾诉心中的疑惑。但整整一天她都没有归来，我对此并没太在意。直到七天过去了，仍然不见她的踪影，我开始思考自己该何去何从。面包已经所剩无几，木屋中肯定囤了些食物，但我根本不敢去那儿。那时候我只能喝羊奶，吃着用羊奶和草根做的凝乳，靠着树上的浆果充饥，亲爱的小伙伴，就跟你这些天来的菜单一样。我对这片丛林再熟悉不过，所以比大多数人懂得该如何在树林里生存下来。日子一天天过去，她还是没有回来，我开始臆想可能再也见不到那位聪慧的夫人了，而事实也果真如此。时间在我的指尖缓慢流逝，我开始思考夫人曾提到去西部的路线和人们的聚居处。我开始尝试走出山谷，在树林中四处游荡，到目前为止那是我第三次不在山谷中入眠。但是我知道村民聚居区与我而言十分陌生，加之我还害怕独自面对他们。

“时光飞逝，转眼就到了七月底，一天清晨我被耳边异常的声音吵醒。我努力睁大眼睛才看到有个男人站在我面前，他旁边的白马正在草地上觅食。一种踏实和喜悦之感充斥了我的心窝，我赶紧起身望着他喜笑颜开，其实在瞥见他身影的一瞬间我就知道一定是美男子回来了。虽然他一脸温柔地看着我，脸色却十分苍白，他疲惫地说：‘噢，亲爱的，我终于找到你了，可我现在饥肠辘辘，说话都困难。’说着他一屁股陷坐到草地上。我打起精神，给他端来了羊奶、凝乳和浆果。渐渐地，他恢复了点生气。我在他身边坐下，让他枕着我的腿休息。他沉沉睡去，过了好一会儿才醒来（那时已近黄昏），他吻了吻我的双手和臂弯，然后对我说道：‘亲爱的宝贝，你现在该是愿意跟我走了吧。就算你是奴隶，我也可以带你逃跑。虽然我此刻疲惫不堪，

但好在我的坐骑健壮无比，它已经在草地上饱餐一顿了。’

“然后他大笑起来，我也被他感染得大笑不止。我又给他准备了些简陋餐食，在他用餐时，我说：‘如今我已不再是那个女主人的奴隶了，因为在遇见你的那天晚上我出于自卫杀了她。’‘荣耀归天神’，他回道，‘那你现在可以跟我远走高飞了吗？’‘当然。’我说。随即我又感到一丝羞赧，红着脸道：‘我已经在此等候一位学识渊博的夫人数日了，她教会我很多事，不过与此同时我也在期盼着你能归来。’

“他伸出手臂搂过我的肩膀，充满着爱意，随后他说：‘我曾说要将你留在我身边并为你戴上皇冠，但如今的情况与我料想的截然不同。我已筋疲力尽，不仅没有找到所寻之物，还饱受羞愧、饥饿以及疾病的折磨。我从未想过能在这儿找到你。’我突然灵光一闪：‘或许你已经历经千难万险，寻得了意外收获。’‘或许吧，’他答道，‘如今也无关紧要了。’

“而我实在猜不出他更想得到的究竟是何物，我内心欣喜万分，眼前的一切已经好到极致。在学知谷中，我们促膝长谈直至深夜，然后又热情地亲吻拥抱起来，夏夜似乎都因我们的欢乐而变得短暂了。”

## Chapter 06

# 逃离荒原后

拉尔夫止住她的话头，说道：“当我在丰饶平原打听你的消息时，有人告诉我你的爱人不止一个：我那时只要一想到这种可能，就痛苦万分。但是现在，你亲自告诉我其中一段过往，我却并不觉得嫉恨。你会认为我心胸狭窄吗？”

“哦，朋友，”她说道，“我觉得是这样的：你总会找到爱我的缘由，只要你看到我真实的一面。还是说，那时你觉得我是另一种女人？不，我不是那样的人，一直以来，我始终是我。”她停了一下，然后接着说道，“别担心，我会给你更多爱我的理由。但现在我更清楚你在想些什么，我会尽量简短地说明在我离开荒原以后发生了什么。无论我做过什么，我经历过什么，那都是我的一部分，也是你爱的一部分。更何况，我在荒原上的生活，比我以后与包括国王、公侯伯爵与骑士在内的各种人打交道要奇妙得多。你会听到我讲述这些经历的，正所谓日月如梭，流年似水。

“到了翌日，我们没有马上动身，因为我们还有些食物，况且王子还没恢复过来。于是我们在那里又待了一天，然后我们才听从那老妇人的指引，往西行进；等我们走出荒原，已经过去多日了，因为我们常常要寻找食物，有时候我和我的骑士一起在马背上驰骋，有时他牵着缰绳让我一个人骑马，我几乎从没下地走过，但即使不是这样，我们前进的速度也不会慢的，因为他骑着白马前行的时候，我像现在一样身手矫健。

“至于我们走了哪条路，我现在还不能告诉你。因为如果我们都活着，你会和我一同再次踏上那条路，不过是朝着相反的方向——我曾走的是从世界尽头的水井出来的路，那是我被困的地方，要是我没有走出来，你也不会见到我。”

拉尔夫说道：“虽然我仔细读过那本书，但里面没有细说你去过那里。”“当然，”她说，“因为你说的那本书，作者并非朋友，乃是仇敌，他们想让人们以为我的长寿、永不褪色的美貌和心中永不消逝的青春脉动，都来自邪魔歪道的手段。如果你相信我的话，这绝不是真的，因为世界尽头的水井不是什么邪恶的源泉，它能抚慰伤痛，净化双眼看到的一切。所以我现在看到的你是如此美好。更何况，那本书的来历非常偶然，一半是因为阴谋诡计，一半是因为混杂着一知半解。

“现在听我说，”她说道，“我简单告诉你在我喝井水之前发生的事。在我们走过漫长荒凉的树林与石楠丛之后，又穿过了险恶丛生的土地，那些地方让人生不如死，根本见不到人影，最后我们终于遇见了一群思想单纯的人，他们对我们非常友善，当然，不仅是如此。在我看来，这些人生活得快乐富足，虽然王子认为他们生活简陋，与其他地方缺乏交流。但说实在的，我们那时还不如他们呢，我们俩又冷又饿，经历坎坷。虽然对我来说，其实，在旅途中的日子一直很快活，但王子脑中一直想着他以前的富足、他父王的领土和大军的追随，还有我们初见时他承诺要带给我的一切，所以他不如我快乐。

“我们遇到那些人时已经是初春时节，在荒野中我们足足走了半年。我后来才知道，并不是因为这条路有多长，而是因为我们在树林中走岔了路。出了树林后是一片非常难走的石头荒地，我们在这片荒地上来回了三次，因为走过这片荒地的途中，由于饥渴我们不得不再次返回林中。直到第四次，凭着我在树林里的经验，我们储存了足够的食物，才终于越过这片荒野，抵达了有人居住的国土。

“是的，春天已经降临大地，而我们，王子和我，穿过那片荒无人烟的石头荒地，又相互扶持走出了那片平地，那些人无论男女，都在自己出生、成长的屋檐下载歌载舞。他们一见到我们出现，便停下庆典向我们跑来，我们安静地前行，虽然我们不知道见到他们是不是有生命危险，但那些人围住我们，让我们少安勿躁，直到我们吃饱喝足，沐浴净身，并且按他们的风俗穿戴停当。虽然他们见到我们时，我们衣衫褴褛，身无长物，但他们认为我们是远古父神从山那边派来的神仙。他们和那时的我一样，对于教会、圣三一以及圣母一无所知，都是异教徒，就像是来自远古的荒民。即使当我们向他们介绍了我们的教义，告诉他们我们并非神灵（因为我们不忍心对这些心思简单的人撒谎），他们的友善也并没有因此减少，他们让我们留在那里，成了我们的挚友与同胞。

“说真的，我愿意在那里待到天荒地老，但王子不愿意，他认为那里的生活配不上我。虽然在我看来，他要让我受万民景仰的承诺早已实现。因为我们休养的那段时日，早已洗去了我们在旅途中的风尘仆仆，我们的外貌不仅恢复如初，甚至比往昔更胜一筹。即使圣人回归俗世，他们在大多世人处得到的待遇也不会比我们在那处得到的更好。孩童围绕在我周围，让我与他们一同嬉戏，舍不得我离开。老人见到我走近会露出欢呼雀跃的模样，至于年轻人，甚至爱惜我走过的每一寸土地，虽然我很遗憾我不能以其中一些人希望的方式让他们欢愉。所有一切都让我的心灵感到情意绵绵，幸福满溢。因为就在不久之前，我每天都要承受恶言羞辱和鞭笞，从未听过感激与赞颂之词。

“但是分别的时刻终于来临，那些和善的人们对我们的离去感到依依不舍，却什么话都没有说，只是让我们带上所有能带走的一切，然后我们便骑着牛离开了（因为他们从没见过马），另外还准备了一头牛专门驮货。他们给了一些弓箭以使我们防身，或者打猎补充食物。

“之后我们并非没有遭遇险境，但这些等迟些我再细说。我们遇到了很多人，更富裕更有势力，我也见识过城堡、寺院、教堂，以及城池，它们都让我惊叹。这些地方的人们都知道王子和他父亲的王国，他们都并非来自敌对势力（在他王国的另一边则大多是敌人），而且王子还带了证明身份的信物，所以我们处处受到尊敬与景仰。王子开始恢复他原有的身份，行动举止都像大人物。而对我来说，从深山出来时虽然身无长物，我们两人身上只有那些淳朴的人们所赠予的衣着，但却并非是件坏事。因为如果只有我穿着女巫之居的破衣烂裙和山羊皮鞋，而王子盛装打扮，铠甲铮亮，人们一定会说，王子受到一个女奴迷惑，编排各种故事和理由把我俩分开；但现在他们都相信了王子的说法，认为我出身高贵，是一位国王的女儿。确实有很多男人见到我以后，想要不择手段地占有我，也有些权势在握的男人有实力把我从王子身边掳走，但他们都害怕面对王子父亲的怒火，因为国王确实强大。

“比如，有一段时间我们在一个小镇逗留，住在城墙以外。有一个年轻人，一个无比英武而且飞扬跋扈的勇士，和他的侍从遇到我在草地上散步，就把我掳走了，还试图把我掳回他领地的城堡。但是王子带着镇上的人赶到，和他展开决斗，王子受了伤，但那名年轻人也死在他手上。虽然我很高兴能够获救，但我也觉得那名年轻人死得很可惜。

“又有一次，我们在一个大领主的家里做客，他卑鄙地在王子临睡前的水杯里下了安眠药，然后在寂静的夜里闯进来要求与我欢愉，我不答应，他就狠狠地威胁我，说我不过是王子在路上救下的被人遗弃的女奴，但我看到王子睡得不省人事后就一直紧紧抓着一把匕首以求自保，他只能悻悻离去。但第二天他就收买了两个坏人，他们闯进大厅作假证说我是一个逃跑的女奴。所以大领主有权把我扣留（这是领主的权利），王子悲愤交加但却于事无补。这时那领地有个年轻骑士挺身而出，他发誓说如果领主不放我走他就杀了领主。当时在场的其他骑士和侍从都在窃窃私语，他迫于形势只能答应。于是我们离开了那处领地，好几个骑士和他们的侍从随同我们上路，确保我们安全抵达目的地。

“这处领地其实就在王子父亲的王国附近，所以那个领主很快又与我们见面，自此以后成为我最深恶痛绝的仇敌。

“此外，那名在大厅挺身而出的年轻骑士一直到其他人都打道回府了，都还与我们同行。我很快就发现他的目光几乎无时无刻不在我身上打转，王子也注意到了，两人虽然没有真的拔剑相向，但也剑拔弩张。但那骑士并非坏人，只是真心实意对我一往情深，我真的对他感到很抱歉，因为他对我的情谊，我无法回报千分之一。

“你知道，我的朋友，这就是后来漫长岁月里那些恶意的起源，那时我的新生活就像处女地一样还没开荒，但厄运的种子已悄然埋下。

“就这样，我们很快踏上了王子的国土，那时还是一个美丽、富强且安宁的国家，远离纷争与不平。无论对种地的农民，还是对创造各种器物的工匠来说，都是一个宜居的安乐之处。国王早已获知王子回来的消息，他带着大批骑士与诸侯，排出最为尊贵的阵仗迎接王子的归来。如此浩大的声势让我手足无措，我轻声恳求王子让我先行离开，他可以稍后再与我会合。但他让我留在他的右边，因为他说我是他生命和灵魂中不可分割的另一半，对我好的人就是他的朋友，反之则是他的敌人。

“就在那一刻，我看到了有什么事情将要发生的先兆。新生活的甜蜜与纯粹的幸福蒙上了阴影，开始悄然变质，我意识到纷争的痛苦与骚乱的不幸即将降临。但我并不是温室里的花朵，我自小便在折磨与痛苦中成长，所以对此并不感到局促不安，反而静下心来安然面对一切，就连王子也打起精神来应付眼下的场面。因为，说真的，我必须承认如果对于王子来说，我是他生命的另一半，那他对我来说，几乎是我生命的全部。



“这一切似乎就发生在昨日，我的朋友，我现在还记得我俩站在马匹的旁边，四周围绕着衣着华丽、铠甲铮亮的贵族。那片没有任何大门的草地上，原来只有农夫在打理田地与作物，庄稼与牧草在卑微安静地生长，但这样的宁静在突然之间，被一支阵容庞大的仪仗队打破了。我们站在那里，我知道那些领主和骑士的目光都在我身上游移。但我还能维持镇定，是因为王子对我的爱意，以及我自知美貌惊人。然后周围的人们突然让出一条道来，国王向我们走来；他身材高大，年过半百，看起来相当健壮，而且和王子十分相像。他展开双臂搂住王子，亲吻和拥抱他，然后便拉开距离，问道：‘那么，孩子，你找到了吗？世界尽头的水井？’

“‘是的。’王子一边说，一边牵起我的手拉到唇边轻轻一吻，我看着国王，他的目光向我转来，但却似乎穿过我在打量我身后的东西。

“之后他便说道：‘很好，儿子。现在回家吧，你母后和整个家族都在等你。’然后王子向我转过身来，国王没有任何表示，周围的骑士也没有任何行动，他让我坐上马，然后转身准备上马，这时人群中走来一名盛装打扮的骑士，他在王子面前恭身致意，为他定住马镫，王子便跃身上马，拉住我的马缰让我跟着他走，如此一来，我便与他和国王并肩前行。诸侯与随从喊起口号，挥舞着佩剑长矛，从后跟随。我们的离去让草地重归安宁。我们骑马穿过主城大门，向着国王的宫殿与城堡走去，那是王室一族自古以来的栖居之地。”

Chapter 07

# 归国后的纷争烦扰

“我们抵达王宫后，王子跟着他父亲走进宫殿大厅，他母后在殿中正襟危坐，身边环绕着几个年轻的女仆。王后面容精致，看起来心怀若谷，绝非清高孤傲之人。王子带着我走到王后跟前，她立刻起身拥抱亲吻王子，然后满怀宠溺地爱抚着他。随后，她转过身来好像有话要对我说，但站在我们身后的国王对她皱了皱眉，她就没再开口。但她看我的眼神十分亲切随和，并没有半点恐惧。

“后来，金碧辉煌的宫殿里举行了一场盛大的宴会，王子让我坐在他身边，我们共享佳肴美酒，观看各种精彩演出。出于对国王的畏惧，没有人来打扰我，没人对我伸出援手或是设陷为难。然而，我却从好多双眼睛里看出他们觊觎着我的美貌。夜晚来临，王子带我到他的寝宫并将我安置在床榻上，温柔待我如他的新娘，就跟那时在荒野草地和野生蕨丛上一样。之后，他向我解释了我们目前的处境，安抚我不必恐慌，因为他有一帮全副武装的朋友正在走廊外值班站岗。次日清晨我出房门时，那些身穿锃亮盔甲的骑士们还坚守在原地，其中有位年轻的骑士曾将我从恶毒的男爵那里解救出来。他满脸忧伤地看着我，我也因他的满脸忧愁而感到难过。

“如今才知道原来那时国王想杀我，他受命要将我从王子身边带走。

“后来又平静地过了几天。在第七天夜里，我们进入了寝殿，那里真是美轮美奂，简直可跟天堂里的任何房间媲美。王子轻声细语地跟我交谈，并让我不要宽衣解带。‘因为，’他说，“今天晚上我们要逃离这个地方，否则明天我们必将被关进监狱，我父王是铁了心的。’我吻了吻他，然后紧紧地拥他入怀，他亦如是。等到夜深露重之时，我们通过窗口他备好的、垂下的长结绳逃了出去，窗口之下就是城墙。成群的骑士，包括前面提到的那位年轻骑士，从城墙后门出来带着武器骑着良驹正在候命护送我们离开。我们一路策马逃到一望无垠的野外，打算到其中一位年轻贵族的山中城堡去，好留在那儿躲避国王。但国王何其谨慎，我们又害怕被发现，所以追兵并没有比我们慢多少。国王本就是个强壮敏捷的战士，何况还带着精英部队并亲自快马加鞭来寻找我们。最终我们在庇护地不远处的树林外休憩时，还是被他们找到了。国王剑未出鞘站在一边等着看好戏，但打斗很快就结束了。虽然我们的朋友们骁勇善战，但最终寡不敌众，非死即伤，只剩寥寥几人一息尚存。那个深爱我的年轻骑士痛苦地爬到我身边，我忍不住吻了一下他的脸庞，我以为自己也命在旦夕。他的血染红了我的衣袖和手腕，但他当时并没有死去，后来还成了我的挚友。

“王子和我被带回城内，他被关押在病房，我则被关进了监狱，铁链锁足，忍饥挨饿，还被用绳索绑在柱子上。除非我死去，否则国王绝不会放我躺下，又或许我会被完全遗忘在牢房。但国王的骑士们都在议论此事，他们不会忘记我。在舆论强迫下，国王不得不命人将我带到宫殿，并以用巫术迷惑王子的罪名让我接受主教的审判。那段故事实在是说来话长，我尽量长话短说。简而言之，我以施用巫蛊之术的罪名被带到殿中，并被判决于三天后在大广场上处以火刑。

“不，我的爱人，你无须如此担忧，因为如你所见火没有将我烧到。现在这副躯体就是多年前被绑在国王城中广场立柱上的那个。

“因为王子的朋友们，尤其是年轻骑士们多半都愿意成为我的朋友。他们披上盔甲将王子从被软禁的地方救出，然后赶到我所在的大广场。那时我全身只穿了一件罩衫，几近赤身被绑在柴火堆上。只见行刑官的士兵都向后退了出去，周围响起了巨大的噪音和呐喊声。转眼之间，我周围就空出了一大片场地，马蹄飞驰的哒哒声充斥耳膜，很快那里就挤满了全副武装的战士，他们大声呼喊：‘为王妃而战！’几分钟之后，我就被松了绑，躺在了王子的怀里。他们给我牵来一匹马，我翻身上马，以防最坏情况发生时我不得不随时逃命。我眼见大批人马向我们冲来，手无寸铁的民众和围观者都作鸟兽散，我们身后有一队手拿棍棒和弓箭的战士，大声叫喊着：‘为王妃而战！’

而我们面前则是执行官的将士和一群骑士与士兵，人数跟我们不相上下。国王全副武装站在他们面前，头盔遮住了整张脸，罩在锁子甲外的华贵衣袍飘舞于坐骑之上，看起来就像是一座银塔耸立在金色繁星点缀的蓝天之下。

“此时我明白，即便我们已身陷囹圄，国王也准备联合手下捉拿我们。虽然只有一丝害怕划过我的心头，但我的心怦怦直跳，多希望一剑在手，能为生命和爱情战斗一次。可是，看呐！当国王举起了他手中的剑，乐手将黄铜小号举到唇边，突然传来了一阵歌声，原来是主教圣彼得院长和他的教徒们过来了，队伍中包括信徒、传教士和其他神职人员。主教在金色华盖之下，手中拿着圣物（现在我才知道那是什么），面对着国王，站在两支队伍中间，教徒们则在他身边大声深情地唱着歌谣。

“长矛立直停歇，刀剑入鞘，三位高级骑士从军队中走到国王面前与他交谈几句，其后国王便命他们先行回宫。三位骑士来到我们的队伍中，与军队首领而非王子进行交涉，我并没有听到他们的谈话内容。王子则好心地带我到他亲戚家里，将我安置在一间华美的卧室中，宠溺地亲吻着我。他还给我带来了一件漂亮的衣服，亲手为我穿上，驾轻就熟的样子就像是专门为我更衣的仆人。

“不久后，队伍首领们过来告知我们，这次双方达成了停火协议，但附加了些条件：凡是害怕国王责罚的人都要离开这座城，包括王子、我和骑士们在内，到离这里五十英里以外的地方去寻找未来的幸福，不过所有愿和平回家的人仍可住在这座城市，只要安分守己则无需担心国王将来因怒追责，但无论如何，女巫都必须离开。

“当天日落之前我们就骑马出了城门，那时正值仲夏，离原定处死我的正午时分只有三小时。我们的队伍由英勇的战士和骑士组成，我又想起在私奔被抓到的那天因守护我们而死的朋友们，多希望他们还能与我们一起策马扬鞭。好在至少那个年轻骑士还在队伍中，尽管他受了伤、身体虚弱，而且这两个月来也受尽了监禁和刑罚的折磨。我原本以为他已经死了，所以能再次见到他让我喜不自胜。

“亲爱的朋友，如果我说了太久故友的故事让你感到厌烦，请原谅我，但我有必要向你谈起他们，原以为你想听但现在看来好像事与愿违。当然我只愿你爱我一人，再无其他。

“我们朝王子自己管辖的一个小镇行进，一路上很多人都自发加入到我们的队伍中。镇上的人们都是王子的朋友，所以当我们到达那里时受到了热烈的欢迎，只要住在那儿就不必再害怕国王的追击。在大教堂主教的见证下，我和王子举行了正式的结婚仪式，我成了他的夫人，这个国家的王后，因为不管怎样他终归会继承王位。

“那片土地曾经是如此的祥和欢乐，但从那时起就开始战争不断。或许将来某一天我会告诉你那里发生的故事，甚至将所有故事和盘托出，但并非现在。太阳快落山了，还有些事我必须告诉你。

“我们开始了交战，在王子和国王之间，有时是这一方获胜有时是另一方。双方都以为一两场战役就可以结束这场战争，但事实并非如此，战斗持续了一年又一年，到最后战争竟成了这里的头等大事。

“我也经历了很多苦难。我曾三次和王子逃出战争区藏身于山峦中的某处要塞。一次王子外出时，我在驻扎的镇上被敌人抓住，为此许多无辜百姓遭到屠杀。我被关进监牢，身负锁链，之后还曾眼睁睁地看着我跟王子的孩子被杀害。最后，我们完全逃出了国王的城镇，在荒野山林中生活了大概两年。那期间，我们像流民野人一样靠着抢掠过活。其实在村镇上生活的那几年是我最快乐的时光，我们从不抢劫穷人和急需钱的人，而是劫富济贫，抢劫富贵豪绅以及铁石心肠的商人帮助穷人。我们从不欺负农妇，也从未烧过农屋，从未向农民征收过田地保护费，反而帮助他们抵御暴君。但在王国和城镇上，我们的名声并不好。在他们口中，我们成了和小偷、盗匪一伙的恶魔和女巫婆，因为那些富人们一旦失了钱财，必定将自己的遭遇到处渲染，弄得无人不知无人不晓。

“也就是在那个时候，我第一次遇见了枯树谷的头领们，他们成了我们在荒山野岭的伙伴和战友。那时候他们还没有建起像悬崖城那样的要塞。再过两天，我们就能到达那座城。我们的同伴和他们一起有过很多野蛮行径，但绝不是无恶不作。我们有时也会拒绝参与他们的行动，比如他们要去北边抢夺海厄姆修道院的辖地，甚至有时会骑过丘陵赶到遥远的熊堡，跟海厄姆城的首领一决高下。但我们则从来没有走出凶境密林到北面去，除了老对手——国王朋友的领地外，我们也很少上山。

“我并不是说枯树谷的人善良平和，一旦他们身处险境或者被逼到绝路，他们也不会手下留情。我只想说，跟四湾镇人的凶残比起来，他们的勇猛算得上是仁慈和怜悯，从过去到现在都是如此。一个无友可爱、无敌可谅之人，定难以善待他人，更难以善待自己，哪怕他们在世人面前表现得多么聪慧警觉，生活得多么富足高贵。”

她停了下来，面色红润、眼睛炯炯有神，咬紧了牙关。她沉浸在自己的情绪中无法自拔，直到拉尔夫亲吻了她的双脚，又爱抚安慰着她，她才继续说下去。

“亲爱的朋友，你要是知道了他们是些什么人，你就会为罗杰祈祷了，他曾在暗云涌动的夜晚带你逃出四湾镇，无论你处境如何，会有何事发生。

“我们那时在荒野林间跟结伴逃出的同伴住在一起。而那个曾爱过我的年轻骑士，后来将对我的狂热的爱慕之情转变为友情，成了我最忠实的朋友。他聪颖过人，让我和王子对他都喜爱有加。与此同时，我们的队伍不断发展壮大，很多从暴君统治的城镇或者爵士的庄园中出逃的人加入了我们。到了第三个年头，王子一心只想占领国王的高塔王国，将自己的旗帜插在那片富饶的土地之上，竖立在繁华的城市之间。

“他的父亲，高塔国的国王在那些天里竟死在了床上。自从那个早晨我被带到大广场去接受火刑起，这对父子之间就再没心平气和地说过一句表达爱意的话语。

“于是我们走出了树林，与枯树谷的首领汇合，这也加快了故事的进程。骁勇善战、老谋深算的国王死了，他的众首领们有些也丢了命，有些对战争深恶痛绝，而曾经参战的人也开始自问为何要打仗，这仗该怎么打。呵，只要细细一想就知道战争的源头不过是缘于一个女人的生死，也就是我，为什么她必须死，为什么她不能和爱她的人一起坐上王位？

“我们黎明时分从树林出发，当走到高塔王国时已经阳光普照，城内没有人阻拦我们。甚至我们乘着旗帜之风，轻而易举就打开了这个固若金汤的城门。银光闪闪的长矛将人们一同吸引到喜庆欢乐的大广场。我们的队伍胜利昂扬地迈入主城，城内的房子上挂着青绿树枝，女仆们将花朵洒在我们脚下。我被加冕为王后，坐上了高高的宝座，宝座就设在曾堆起柴火试图将我处死的地方。

“此后就开启了荒原之女的统治时代。尽管王子仍戴着王冠、在羊皮纸上加盖王印，但其实他将统治王国的实权交到了我的手上。至于枯树谷的首领，他们中的一部分人在王国定居，成了大人物，但大部分则选择回到以前的森林，依旧过着林间生活，就像我们刚认识他们时一样。但在走之前首领们走到我面前，亲吻了我的脚，眼含泪水祈祷恳求我，如果我在这儿遇到任何麻烦，请回到他们身边成为他们的女王。虽然这些荒野之民对我表以深情，我也很感激他们对我的敬爱和协助，于是随口应承下来，并在世界尽头的水井旁发誓会依照他们的请求，不过我并没有说具体哪一年会回到他们身边。

“此后，王子和我一直致力于修复这片土地上被战火洗劫的伤痕，我们勤恳努力却迟迟没有收获。在过去，男人们是动乱的来源，此刻女人却成了主因，那些失去了丈夫、情人、儿子或者兄弟的女人们将自己的悲伤全盘压在我的肩上。可事实上，国王对我的仇恨才是这一切发生的根本原因，怎能让我为此担责呢？这次王子建造了华丽的丰饶宫供我们间或去居住。先前为了躲避战争冲突，我们从那地方往回撤退了一些，之后一直住在一个小庄园中。可眼下他建造的宫殿如你所见极尽荣华，他还将我居于荒野树林时发生的种种故事描绘在挂毯上，那挂毯你也见过。随着时光飞逝，这片土地渐渐恢复了富饶，田野上硕果累累，耕地不断被开垦，城镇上精致的楼房一幢幢拔地而起。这个国度又恢复了往日的快乐。

“但是我并不开心，我真心怀念以前在绿林的日子，怀念枯树谷的同伴以及与王子私奔的时光。而且，随着时间的推移，关于我的负面谣言越来越多，对我莫须有的盲目憎恨也开始滋生。我想大概百姓们都觉得我才是握有实权的国王，而王子沦为穿着国王衣冠的傀儡。关于我的传言如雨后春笋般冒出，说我不仅是女巫而且命中注定孤苦，地狱之神派我来毁灭富饶的高塔城，让这里失去欢乐、变得荒凉。这些传言不断增长汇聚，直到现在，当我韶光渐逝后，走在街道上都能听到背后传出的犀利言辞。造谣者仍以妇女为主，大部分男人对我还是挺友好的。谋士和大臣们也常常警告我，如果想避免灾难，就必须多加小心，而且极度自律。

“夏季的某一天，我正在花园里思考这些事，来人通报说有名女子求见，于是我命人带她过来。一见到她，我就觉得非常面熟。她大概时值中年，一头深红色秀发，眼睛不大，棕褐色瞳孔。她身材算不上挺拔，但姿态婀娜，看起来似乎很讲究穿着打扮。女子开口说：‘尊敬的王后，安好。’她的声音听来有些耳熟：‘非常高兴看到你如今尽享荣华富贵。’我也向她问好，但又想起那些关于我是魔鬼派来毁灭国度的谣言，因此在与她交谈前我先打发走了其他人。然后她说：‘我也猜到你未来定有一番作为。’

“我问道，‘什么意思？难不成我以前曾见过你吗？’她笑了笑没有说话。我突然想起以前在山谷的日子，忍不住颤抖起来，浑身起鸡皮疙瘩，莫非是被我杀掉的女主人换了张新面孔？她似乎看透了我的想法，笑着说：“不，不是你想的那样。逝者已逝。不要害怕，难道你忘记了学知谷？’

“‘不’，我说，‘从未忘记。难道你就是那位耐心教导我的嬷嬷？但是，倘若死者不可复生，那人又怎可返老还童？我们相遇于山谷中还是二十年前的事，那时我对许多事物都满怀渴望。’

“女子说：‘因为死人喝不了世界尽头水井的水，但生者可以，即便年纪再大也无妨。圣水赐予了他们新的能量，改变他们的血液，饮过井水后便可以重返青春。’‘你饮过？’我说。

“‘是的，’她说，‘但我想再饮一次。’我问：‘你为什么来找我，我能给你什么？’她说：‘我现在一无所求，暂且不需要从你这儿得到任何礼物，但将来或许会请你赠予一物。我想问问你，可否陪我一同启程去那儿？’‘什么？’我说，‘让我离开爱情和王子，放弃他给我的王权？我必须告诉你，所有这一切都是我千辛万苦争取到的。’

“‘王权万岁，夫人，’那个女人微笑地说。然后她沉默地坐了一会儿，说道，‘六个月后即到春季，届时我会再来找你，看你是否改变主意，可眼下我必须离开了。’我说：“很高兴再次跟你交谈。虽然你已传授给我很多法术，但还远远不够。嗯，至少我的法力要像民众心中以为的那么高强。’‘你已然达到了。’女人说。她亲吻了一下我的手背，转身离开了。我又坐在那儿沉思许久，尽管我拥有两情相悦的爱人，也得到了一切美好之物，心里却始终被苦恼的面纱覆盖着。

“过了几个月，在寒冬来临前一个噩耗先降临了。我的王子，把我从荒野之地救出并一直深爱我的王子去世了，追随他父王驾鹤西去，留我独自一人，他在世时还没能在我的肚子里留下发芽的种子。我们的第一个孩子被那些卑鄙小人杀死了，第二个儿子死于战争和饥荒引发的瘟疫。我不会过多谈论这些伤心旧事以免让你难过，但是我当时的处境非常危险，既不能放弃王位，又难以在那里立足。只有一点可以确定，有些仇敌定会抓捕并审判我，只是因为我来历不明就不能善终。鉴于此，我开始竭力召集人马，毕竟支持我的人还不少，或因我或因王子。我仍怀着美好的希冀度日如年，希望我的生命不会过早终结。我开始渴望学知谷嬷嬷的到来，我打定了主意要跟她走，无论此去是福是祸，都要寻求世界尽头的水井。

“她在四月初终于来了，逃走的过程不必多言，毕竟她擅长隐匿术，所以让她给我换一副新面孔并非难事。我甚至可以在城中光明正大地从街头走到街尾，而无一人识破。就此我便从王位上和曾统治的王国中消失了，而女巫王后的名号也永远伴随着我，关于我的传言也在民间和各个王国间广为流传，或许你也曾有所耳闻。”

拉尔夫红着脸说：“我的心曾因那些谣言隐喻而烦躁不安，

不过现在已心定如止水。”

“但愿如此！”她说，“这些年关于我的传言越来越少。”

“我重走了一遍他们走过的路，当然嬷嬷用法术缩短了行程。关于那些行程我也没必要再叙述，因为反正你随我启程后便能亲自观察了解。你只需要知道，我再次回到了森林边境的那个小屋，那里还有庭院和羊圈，在森林之外是草地、溪流以及我曾认为会永远居住之地和相伴之物。”

拉尔夫说：“那位夫人对你说的是真话吗？是不是想引诱你去做她的奴隶？或者我在城堡里读到的那本书里，其实全是关于你的谎言？”

“她对我说的句句属实，”女士说，“我不是她的奴隶，她将我当作妹妹，或者甚至可能是女儿。在我的眼中，她永远是那个在山谷教我法术的老嬷嬷。”

“继续寻找世界尽头的水井之前我们一直住在女巫之居，一住就好几年。但随着时间的推移，我却一点儿也没有变老。不仅如此，开始有一段时间，我的身体更强壮，容貌也比在高塔城王宫里更加美丽了，仿佛那水井就在荒原中等着我们。虽然那时候我们风餐露宿，衣不蔽体，劳务繁重，但这些都像是对过去时光和行为的忏悔。除此之外，那时候我生活的重心就是跟着嬷嬷学习更强大的法术，也就是你们所称的巫术：比如，预见未来，制造梦境或幻想等。我得告诉你，在我们逃走那晚，我给太阳骑士造了一个梦境，让他昏昏欲睡，并命他帮助黑骑士怀特，因为在次日凌晨我必须带你逃走，我也确实这么做了。其实，出于对怀特安危的担忧，我并不介意依附于他，哪怕我对他的恨远远大于爱。亲爱的朋友，告诉我，我的行为是否邪恶，还是在我这个女巫面前你退却了？”

他一把将她搂在怀里，温柔地亲吻了她的嘴唇，说：“你还从来没有给我造过一个梦。”她笑着说：“什么！难道自我们在凶境密林相遇以来，你从未梦到过我？”“从来没有。”他说。她抚摸着他的脸颊，满眼深情：“亲爱的朋友，果然是年轻啊，晚上睡得真是安稳。无妨，只要你清醒时想着我就好。”随后，她又继续讲述未完的故事。

## Chapter 08

# 故事告一段落

“随后，我的朋友，我们在那里居住了很久，后来有一天我们终于决定出发去寻找世界尽头的水井。寻找水井之人每个人都戴着项链，就跟你我脖子上的那条一样，以此作为寻井人的标志。在寻井途中发生的一切我目前还是无法告诉你：因为我会亲自带你去找到那口井，虽然于我而言，或许我已不再需要那井水。”

拉尔夫说：“你非得亲自带我去吗，难道你不能在我此去途中的某个安全之所等我回来？这趟旅程必将危险重重，痛苦不堪。”“什么！”她说，“我好不容易才找到你，现在怎么能与你分离？况且，谁来给你带路，傻孩子？是找个会暴露你身份的男人，还是泄露我行踪的女人？不过，我们明天还不能启程，亲爱的，还要多等些时日，如今我们彼此间是如此情深意浓。”

“但在那个时候，我们必须在被经年累月的负担压垮前主动开启探索之旅。简而言之，我们历经千辛万苦终于发现了圣井并喝到井水，正如你想象的一般。随之，生命和灵魂重新回归到我们的本体，仿佛过去流失的时日于我们而言毫无意义，我也重返青春，如你今日所见。而我同伴则变为四十岁左右的女人，坚强美丽一如我尚在后位时她步入花园拜见我时的模样。因此，我们回到了女巫之居，并在那里休息片刻，以解旅途疲惫，平复喜悦之情。

“最后，也就是五年前，嬷嬷对我说：‘姐妹，我非常了解你，也深深为你着迷，你身上拥有强大的魔力，这个魔力会一直伴随你，正如我很久之前说过的，世上没人能在见过你之后不倾心于你。现在我不会再试图预见你未来的生活以及你最终的结局，你可以按自己的意愿来主导你的人生，而无须过问于我。既然我们道不同，并且我想你也不想过久独居，因此我们就此分离吧。我有意到世界最古老的地方去，穷极一生去寻求最深层次的法术，但若要与王公将臣、城中百姓打交道，我将一无所获，而你也无力避免这一切。所以我们就在此别过吧。’

“她的话让我泣不成声，但又无法反驳，毕竟她说的都是事实。所以我吻了吻她，就与她分道扬镳了。她穿过森林踏上了自己的旅途，我则继续住在女巫之居，等待时光的流逝。

“不过，她离开后不到一个月，某天早上当我站在羊群中时看见有人从林中策马过来。于是我留住他们，带他们到达内院门口。这一行三人各自翻身下马，他们其实都算不上年轻，其中有一位明显年长许多，灰白的发丝穿过头盔的缝隙，在风中摇晃。他们都像骑士般全副武装，但身上的锁子甲外却只套了件粗布白衫，并未披着铠甲或表征身份之物。他们穿过内庭大门，我向他们打着招呼并问他们需要什么。那位年长者单膝跪在我面前的草地上，说：‘要是我还年轻就好了，虽然我年事已高却仍被你的倾世美貌所折服。不过，我要先问你几个问题，在距森林很远之外我们曾听到，有位女士居住于荒野最深处的传闻，她曾饮过世界尽头之井的水，并且聪明绝顶。我们正在寻找那位女士，如果你就是她，我们想问几个与你智慧有关的问题。’

“我回答说，我也如他们一样听过这些传闻，并问他们想知道什么问题。

“年长者说：“‘五十年前，那时我还年少，那里有位美人，也就是高塔王国的王后，我们都非常爱她，因为她曾与我们一同藏身于荒漠中受尽苦难。我们不是她的奴隶，而是一群愿意追随她的自由人和将领组成的军团，名曰：枯木军。我们希望她有一天会回来与我们同住，成为我们的夫人和女王。而且，她似乎正身陷囹圄，所以我们要助她渡过难关，或许她会愿意成为我们的一员。当她从人群中消失时，没人知道她去了何处。因此，枯木军中的一队人共同宣誓除非找到她，否则将一生追寻她的下落，这样我们便能同生共死。在当时宣誓的二十一人中，我是最后一个出发的。其余人都或死或病，或默然离开。事实上，我是他们中最年轻的一个。这两位是我的儿子，他们就是听着这些故事，在满怀能寻得女王下落的希望中长大的，哪怕最后只是找到她的葬身之处。你聪慧过人，请问你知道她

的安息之处吗？’

“长者的一席话深深打动了我的内心，让我不知该说些什么。不过，那种长久以来的恐惧在我心中荡然无存，于是我决定说出实情。但我先说道：‘大人，但凡是我知道的，您无须恳求，我也一定知无不言，所以请你先起身吧。’他站了起来，我继续说道：‘杰弗里，旗帜留在荒林后，白鹿后来如何？’他诧异地盯着我，我猜眼泪逐渐模糊了他的双眼，我又说道：‘乔伊斯夫人的幼子后来怎样了？在我们启程去高地城堡时这个美丽的女孩正发着高烧。’他一言不发仍只是看着我，问：‘你可否再看到过，长在湖边空地上的庞大的老橡树像在去年七月的夏季风暴中被半数摧毁？’

“泪水果真从他眼中夺眶而出，他抽泣着，虽然他也是历经风霜的老人了。好不容易他才克制住情绪，说：‘你是谁？你是谁？你是夫人的女儿，就像我身边这两个是我儿子一样吗？’我说：‘现在我就回答下你的第一个问题，你要寻找的夫人还活着，她饮过世界尽头之井的圣水，重新获得生机，逃离了岁月的重负。杰弗里啊，你不认识我了吗？’我伸出手递给他，噙着泪水，因为想到了过去经历的种种。这位老人就是曾冒死帮助我和我丈夫逃离老国王掌控的人。他成为枯木军的一员，在我幸福地居住在林中时他一直伴我左右、尽心服侍。

“但此刻他单膝跪在我面前，不像臣子倒像是位求爱者，他亲吻我的脚背，一副欣喜若狂的模样。他的儿子们，都四十来岁，个头高大，看起来像是战士，他们轻吻过我的手背，向我鞠躬致敬。

“等我们缓过神来，老杰弗里满脸喜悦地说：‘在我们族人中流传着一个传闻，在我们的君主离开高塔王国时，在你登上后位之后，你曾答应我们的首领有一天会到枯树谷跟我们一起生活。你现在还会履行承诺吗？我说：‘杰弗里啊，如果你是最后一个来寻找我的人，而你我相识时你还只是个少年，如今枯树谷还能有人记得我吗？’他低着头，过了一会儿，说：‘我们都老了，但你却仍年轻貌美，必将受到年轻人的爱戴，除非我的眼睛被一些会转瞬即逝的假象所蒙蔽。’‘不，’我说，‘不是这样的。我现在的容颜在将来很长一段时间里都不会改变。’‘好，’杰弗里说，‘无论你在哪儿，都将成为女王。’

“‘我并不想再做女王。’我说。他笑道：‘我可不知道你如何才能推脱。’

“我说：‘跟我说说枯树谷的情况吧，那些首领发展如何，他们的势力是渐强还是衰弱了。’他回答道：‘他们世代都是战士和首领，因此他们的势力不会过于庞大。不过他们舍弃了森林深处的居所，在一个名为汉普顿的小镇上建造了一座宏伟的城堡。鉴于我们的城堡被建造在悬崖之上，所以那地方如今被称为悬崖下的汉普顿。我们团结一致以对抗繁荣昌盛的四湾镇，在这世上恐怕再也没有兴旺得能与四湾镇比肩之地了。’

“我说：‘那么高塔王国呢，那里的百姓是否富足？’‘没有，’他说，‘那里被愚蠢、战争和贪婪弄得四分五裂，即使在大城市也难见人影，街上杂草丛生，商人们都绕道故意不走那条路。自你决然弃他们而去后，那里便如同一潭死水，再未兴盛过。’

“‘不’，我说，‘我是为了逃避他们怨恨，以免再次被带走并施以火刑，到那时可没人能来救我。’‘真的吗？’老杰弗里说，‘如今怎么说都一样，他们日子已经到头了。’

“‘好吧，’我说，‘进来吧，且吃些东西，休息一晚，明天我再告诉你我的决定。’

“他们照我说的做了，第二天一早我就对杰弗里说：‘丰饶之地怎么样了？我夫君为我在那儿建造了宫殿，高塔之战时我们曾一直在那避难，包括在荒野中加入你们的行列之前，以及离开你们之后。’他说：‘那里仍是一派安详，未曾被任何人染指。有个单纯之人居住于附近林中空地上，他从未忘记你，不过老实说那里流传出一些关于你的奇怪传闻，老辈人并不以此为意，自从你不再到那里之后，倘若不是为了他们的主人——荆棘之神，他们甚至将打算不再供奉圣人转而供奉你。’

“我沉思片刻，然后说道：‘杰弗里，你带我到人们居住的地方去吧，途中或是我们到达城镇和国度之后，我再决定是否离开。见到你后，我非常愿意成为枯树谷的一员，但我不大可能直接过去然后定居于那里。’

“之后，这位老者似乎十分心满意足。我们的重逢确实令人心潮澎湃，他甚至仿佛重新焕发了青春，但这种喜悦很快消失，他发现自己无法再无拘无束地与我交谈，在我面前表现得谦卑羞涩，似乎我们之间因某事生了嫌隙，对彼此冷漠起来。

“那天我们离开了女巫之居，那地方我本来再也不会见到，直到今天又跟你携手来到这里，我的爱人。当我们到达居民区时，杰弗里和他的儿子们将我带到了丰饶之地，我亲眼见证了他所说的一切。然后我便在丰饶宫住了下来，非但没有轻视当地民众，反而对他们和善有加。而他们赞颂我的天赋，将我当作圣人般崇敬，他们也爱着我，虽然这份爱伴随着畏惧，因而我很少离开他们。在那儿居住时，我从一个教士手里买到了那本你曾读过的书，书中关于我的故事真假参半，总归是为了抹黑我而作。那教士当时碰巧从我们这儿路过，在他刚发现自己步入我的宫殿似乎还有些惶恐不安。至于《华盖殿的霍林舞曲》[①]，我之前告诉过你，我的王子——国王之子为了纪念与我相遇的荒野以及后来我被陷于囹圄的经历而特地编排这个曲子。我在丰饶之地过上了安静平和的日子，很久没再去枯树谷，反倒有不少枯树谷的族人到丰饶宫拜访我。唉，可悲！他们来访的目的往往都只有一个，在众多恩赐中他们独求一件事。唉！可惜我无法满足。他们想要的就是如今我给你的爱，亲爱的。噢！我真担心，我对你的爱意于你而言无足轻重，在你如我期盼一般全身心爱上我之前，希望我们能相互坦诚，宽容彼此。”



① 霍林舞曲：一种挪威民间舞曲。（译注）

## Chapter 09

# 再次启程

“好啦，”她说，“我拉着你聊太久了，眼看就快夕阳西沉，我们得赶紧启程，并非是我害怕你的那帮敌人，而是因为我要带你去荒原上一个更舒适的住处，我曾在那儿落过脚。更何况你在那里至少不会忍饥挨饿。瞧，我不是也没想过会在这儿遇见你吗？”

“是啊，不过老实说，”他说，“我知道你能预见未来。”

她大笑一声说道：“从我在丰饶宫遇见你之后所发生的这一切，我可都没预见到，对于明天我更无法预知。但我知道我必须带你到我提到的那个落脚处去，我已安排好一切。哎！奇迹被扼杀了。聪明如你，应该很少对我说的那些稀奇事感到惊讶吧。来，我们上路吧。”

他们携手离开了安乐窝，再次快步穿梭于茂密的松树林中。那地方很适合赶路，地面平坦松软，行走于上寂静无声。

片刻后，拉尔夫说："亲爱的，你告诉了我很多事，但对如何嫁给太阳骑士的事却绝口不提，也从未说过你是如何待他的。"

她红着脸说："除非你逼迫我，否则我只能告诉你，是他强迫我嫁给他的，非我所愿。等我放弃了反抗，便跟他一起回了太阳城。从丰饶宫到那儿并不远。在太阳城里我遇到了黑骑士怀特，那叛徒爱上了我还向我表白，被我拒绝后，又当着我丈夫的面，以所有神灵的名义发誓称我勾引他，还污蔑我如何告诉并教会他巫术以成全我们之间的爱情，告诉太阳骑士说他是在为别人养妻子。太阳骑士早就听说了许多关于我的传言，半信半疑。尽管他对我爱得难以自拔，却一直信任这位忠诚的朋友，哪怕事到如今也仍然完全相信他。获悉丑闻后短短几天，他对我的爱便转变为仇恨。随之而来的就是对我的羞辱和驱赶。关于这件事我只能告诉你，在我被赶出来后，我丈夫的兄弟，就是你见过的那位高个首领，立马找到我，正好那时候他来城里会见太阳骑士。他深爱着我，但表达爱意的方式却跟他兄弟截然不同，待我十分温柔体贴。我随他一起回了汉普顿和枯树谷，我的到来让那里的民众十分开心，他们还记得曾恳求我做他们的女王，所以自那以后我就在汉普顿和丰饶宫之间的地方住下了，而那个高大的首领如兄长般对我疼爱有加。"

拉尔夫说："你是他们的女王吗？""是的，"她说，"在某种程度上。但他们还有另一个比我更强大的女王，她甚至敢把我吊挂在悬崖城垛上。她性格火暴、手腕强硬，不过早已年老色衰。"

"难道说，"拉尔夫说，"谣传中你的那些恶行其实都是她干的？"

"差不多吧，"她说，"有时我无法公开违背她的旨令时，就会用法术将那些倒霉蛋从她的愤恨中解救出来。最典型的是我最后一次救人，正好就在你逃出城堡后我们分别的那个晚上。"

"你用了什么法术？"拉尔夫说。她答道："那天我幸运地被你救下之后，便骑着马离开，内心无比高兴，因为你不仅给了我新生命，还带给我一份爱情。我在心里暗暗发誓，一定要救下我遇见的第一个俘虏或不幸者，以庆祝我的幸运和快乐。我快马加鞭赶到悬崖下的汉普顿，那里离密林的大路不算太远。在城内，我听说有四个百姓已经被四湾镇的人带走，便暗下决心要竭尽全力营救他们。不过一想到我曾差点死于此地，如今却能在敌人的街道上安全穿行我就兴奋不已。你应该知道我骑马速度多快，但当我回到子民身边时，你却已经和罗杰骑马逃出城外。我得到消息，监狱里关了个新来的俘虏，据称是个女人。她已经被拖到我们的老女王面前审判，被按间谍罪判了刑，大概一两天内就会被处死。我暗自想到，发下的誓言还没有兑现，毕竟被四湾镇掳走的四人是我的朋友，无论在什么情况下我都会尽力救出他们。所以，我认为誓言在要求我去救那个女人。等到夜深人静时，我直奔监狱带她逃了出来，领着她避开门卫，穿过所有大门，这些障眼法对我而言简直易如反掌。我带她一直逃到汉普顿某村庄和树林之间的田野上，那时已过黎明，趁着晨曦我清楚地看到了她的样子，但我们都不发一言。好一会儿，她对我说：‘我是要在这儿被处决，还是要被带到更残酷的监狱？’我说：‘都不是。瞧，我已经让你自由了，保证没人来追你，你有充足的时间逃跑。’可是她却说：‘我要怎么感谢你呢？你为什么这么做？’我说：‘这是因为我曾被上天眷顾，赐予无上喜悦。’她说，‘多希望我也能得到快乐！’我问她，都已经重归自由了为何还不快乐。她说：‘我失去过一个我爱的人，后来好容易找到另一位爱人，却再次失去。’我说：‘你没去找失去的东西吗？’她说：‘他就在这林中，可即便找到了我也无法拥有。’‘你在寻找的是真爱吧，’我说，‘他长什么样？’

“我的朋友，你猜到了吗？她立即用语言描述出你的样子。据她的描述，我便知道她一定见过你，很可能就在我离开你之后，一想到这儿我的心不禁痛了起来。实话实说，她年纪轻轻，相貌不凡，仿佛是芸芸众生中一颗宝贵的珍珠，柔情甜蜜得如同玫瑰花一样。我真担心她以后会在这荒野森林中再次遇见你。于是我问她有什么打算，她说她有意寻找‘世界尽头的水井’，以洗净一切烦苦悲伤。原本听到这话我很高兴，心想这样她就会离你很远，却怎么也没想到你我如今也要去寻找那口井。所以我将女巫夫人从已逝女人身上拿走的那串项链赠予她，同她一起走进森林，还教给她寻路的法术，告诉她要如何找寻。我不得不再次向你坦白，她是那么甜美，灵与肉都让人怜悯，而且聪慧文静，以至于让我有些危机感，虽然我很喜欢她，但我觉得她比我优秀，或许比我更适合你，更应该与你相爱。——你认识她吗？”

“认识，”拉尔夫说，“她确实美丽可爱，但是你并不需要担忧。我确实是在你离开之后才遇见她，与她交谈过几句。那天在我救下你之后，她约莫黄昏时分来到凶境密林的大路上。当时她告诉我，她要么选择死亡，要么去寻找水井的圣水以洗刷内心的痛苦。”

随后，他笑着说：“至于你说她比你更适合我，我可不同意。亲爱的，她来过，路过，然后就离开了，而你却一直都在。”

听了他的话，她停下脚步，转过身面对着他。爱情曾让她疲惫不堪，让她对海誓山盟早已无动于衷。可是如今，她炙热的爱情之火吞没了一切担忧，只留下无尽的欢乐和惬意。而当她因喜悦和爱情落下眼泪，拉尔夫再也无心想其他人，在这旷野里只感觉到她的亲吻和拥抱。

Chapter 10

# 荒野爱巢终成爱家

好一会儿，两人才从如烈酒般的爱情中清醒过来，继续赶路。夕阳在他们身后洒下余晖，投射出两个长长的身影。很快他们便走出了茂密的树林，来到位于陡峭小峡谷中的荒村，这里野草遍地，布满高树和灌木。峡谷之上是一座座砂岩山丘，山丘裂成悬崖峭壁，从绿树环绕的谷底拔地而起。他们看见不少鹿群，有的健壮高大，有的年幼弱小，这些荒原野鹿看到他们似乎略微有些胆怯。在拉尔夫眼中，这里是个无比美丽的国度，而且这里的美景让他的内心非常快乐。但夫人此刻却有些忧郁，终于她开口说道："你觉得这里景色宜人，确实如此，但此处却也是荒原中最偏僻之处。这里曾是世间最美的国度之一，随处可见城堡、房屋和农庄，人们正直友好，生活忙碌而充实。但现在这些都消失了，这里没有人烟居住的痕迹，极目之处只有些土丘，再往远处望去，顶多能看到过去房屋的断壁残垣，逐渐隐没在山谷之中。如今，即使是猎人和旅行者都很少经过这里。”

拉尔夫说：“如你所言，似乎这片美丽的荒野上曾经上演了许多传奇故事：可否告诉我，这些故事跟罗杰和我那天骑马去丰饶宫的路上经过的那条河是否有关联？因为他曾告诉我一些有关那条河兴衰荣辱的故事。”“是啊，”她说，“确实有关，那边悬崖下奔流的小溪流，也正奔向我们提到的那条大河的怀抱，也就是漫天河。无可否认，关于让这片土地沦为荒野的战争与苦难有许多传说和故事，听起来真实可信，或许它们就是事实。但是这些传说后来却跟之前提过的高塔王国的战争混为一谈，虽然从地域上而言这里确实属于高塔王国，但早在我还在王后之位时这里就一直是荒野孤凉之处。所以你可以想见，那些说我是造成这里生灵涂炭的罪魁祸首之人（或许罗杰就是其中之一）其实根本不知道事实的真相。”

“正如我所料，”拉尔夫说，“明天你和我就要渡过那条大河。在那儿是否有渡船或者浅滩让我们过河，或者我们要怎样才能过去呢？”

她心情渐渐愉快了些，听了这话笑出了声，说：“哦，英俊的王子！渡河是在明天而非今日，船到桥头自然直。今天已经非常美好了，但是如果你能饱餐一顿，然后安稳平静地陪我坐到天明，那今天还会更加完美。所以再加快脚步赶一会儿路，我们很快就能看到之前提到的小溪流和丛林了。”

于是，他们开始继续赶路，直到后来拉尔夫开口道：“你的脚永远不会疲倦吗，亲爱的？”“噢，孩子，”她说，“你听过我的故事，应该知道我的双脚曾经经历过比今天多得多的路程。不过，它们马上就能休息了。你看！那边那座房子就是我们今晚和明早的居所，只供我和你使用，不用与任何人分享。”说话间，她指向不远处，在那儿小溪流入了一连串的水池和急流水域之中，五十步开外有个陡峭的悬崖，而在小溪和悬崖之间则是一片平坦的绿地草原，三株美丽的荆棘丛生其中。草原大致比小溪高出十英尺，其尽头是一片坡地，逐渐降到河口高度，被一座完全浸没在水中的小副崖所截断。拉尔夫看着高悬崖上的洞口，感觉其深不可测。

“来吧，”夫人说道，“不要逗留了，我知道你现在饥肠辘辘，瞧，太阳都快看不见了！” 她拉着拉尔夫的手跑到了小溪边，溪水在远处山坡的尽头变得又宽又浅，然后汇入了长满桤木和荆棘的深水池。夫人迈着优雅的步伐，跳过一个个立于潺潺浅溪中的大石块上，然后站在中间最大的一个石头上，提起裙摆，面带笑意看着小溪，然后回过头对拉尔夫说：“今年的这几个季节都待我不薄：在我去往丰饶宫的路上途经此处时，发现只有几块石头被冲走，我能闯过这条小溪而几乎不弄湿鞋子；不过我此刻站立的这块石头是我从悬崖下亲自搬回此处并放在最中间的。我曾经说过，如果有一天我带你来到这里，当我立于清透的溪水之上，我会站在此处跟你说话，正如现在所做的一样。”

拉尔夫望着她想回答她，但话到嘴边又咽了回去，因为他心中所期待的事情太过宏大。她疼惜地看了看拉尔夫，然后弯下腰看着自己脚边泛起的层层涟漪，还时不时去触碰一下。然后她开口说：“看我的双脚是多么渴望水呀，它们曾受缚于那毫无用处的敝屣，深知能在水上行走四处蹚水是多么幸福，不过还得再忍耐一下才能足履实地呢，等待我们的还有一两件事情。来吧，爱人！”她背对着拉尔夫朝他伸出手，并没有回头，在感觉到双手相碰后，她轻盈地跳到其他石头上，和拉尔夫一起来到草地上，领着他安静地爬上山坡，山坡一直向上延伸到山洞之前的一个绿地平台上。当他们抵达平坦的草地后，夫人亲吻了拉尔夫，然后转身面对山谷，语气庄严地说：“愿一切福泽降临荒野城和夏潮门厅，以及此处的爱巢。”

随后，她默不作声，拉尔夫也没有打破沉默。然后她微笑着转向他，愉快地说：“看！这可怜小伙子多渴望吃点肉食，也难怪，今天赶了太久的路。啊，亲爱的，你再耐心一点点。似乎我们的仆人还没有听闻我们的婚礼，所以我们必须互相为对方准备食物。有没有问题？”

他疼爱地对她笑了笑，伸手牵起她的手腕。但夫人却一把推开他的手，径直走进山洞，很快她便走了出来，手里拿着一个铁把铜茶壶和一袋干粮，放在他脚前；又走进洞穴，出来时带了一瓶酒和一个宽口酒杯。随后，夫人端起一口锻造精良、轻薄均匀的锅，跑到小溪边。很快从溪边回来时，她头上顶着满满一锅的水。她的步履笔直端庄，宛如比武时在骑士手中的长矛，在藏匿骑士的各种盾牌间灵活移动。她走向拉尔夫将水壶放在他面前，然后手搭在他肩膀上，亲吻了他的脸颊，退后一步双手合十，说：“嗯，这下就好了！但在我们休息之前还有很多事情要做。要打扫房间，收集生火的木材，要搭配食材、揉面烘烤蛋糕，不过这都是我的工作。你的任务是打到猎物，来做烤肉。”

她跑到洞里拿出一只弓和一筒箭，问：“你是弓箭手吗？”他说：“我箭无虚发。”她说：“我箭术也不错，飞禽走兽都是手到擒来。但今晚我必须相信你的箭术能让我饱餐一顿。请速去速回。脱下锁子甲，在山谷中的矮丛林里给我打一些小野禽，比如狍子或野兔。然后在垫脚石下的水池里洗个澡，等你出发后我也会沐浴一下，等你回来时，除了野味要烤外，其他的应该都准备好了。”

于是他脱下铠甲，不过还逗留了片刻，看着她。她说：“还有什么事吗，怎么还不出发？去打猎呀。”他说：“我想先去看看我们今晚的住处岩石大厅，你不带我去看看么？”“不，”她说，“我现在还有很多事情要做，不过如果你想去的话可以自己先去看看。”

于是他起身弯腰进入了山洞，他发现山洞里面又高又宽敞，不仅打扫整洁而且气味清新，地板都是用精细的白砂铺就的，没有一处污渍。

他跪下亲吻着地面，然后大声说道：“诸神保佑岩石大厅的地板，今晚我的挚爱将栖身于此！”然后他站起来，走出了山谷，看见夫人正站在洞口处看他要做些什么，脸上写满了疼爱和焦虑，不过倒是一脸喜悦，他一把将她拦腰抱住然后将她贴近自己的胸膛。随后，拉尔夫背起弓箭，下了山坡，趟过小溪，向山谷的深处走去。

拉尔夫走到之前从未搜寻过的地方，在那里发现了理想的猎物，他很快射中了一头牝鹿，将它杀死，并将鹿肉砍成几段，适当处理下后，就按原路返回了。当他走到小溪时，他抬头看了看远方，发现山洞不远处有火光，但却没有清楚看到夫人的身影，不过他感觉在荆棘丛中看到了她的裙摆。然后，他宽衣解带，跳入溪水中，愉快地在她方才沐浴过的地方洗了个澡。他注意到，浅滩上的石头上还是湿的，料想是夫人上岸时留下的湿脚印。

不过此刻，当他在被阳光晒得温热的水池中尽情游泳享受时，似乎听到了马嘶鸣的声音，但也不太确定，所以他停下来屏息凝听，却再没有听到马鸣。随即他大笑一声，想到了自己的坐骑猎鹰，然后猛地潜入水中，但等他浮上水面仍笑着喘息时，忽然听到嘚嘚的马蹄声，似乎有人策马从远处杂草丛生的平地疾驰而来，他们驾马过去时，拉尔夫注意到那个地方石块很多。

突然一阵恐慌袭击了他的内心，他想到自己的挚爱正独自一人。所以他立即上岸将上衣套在头上，但胳膊却被衣服袖子缠住，他听到一阵响亮而粗犷的男人的咆哮声，但却听不清具体说的是什么词句。此时，他胳膊也从袖子中解放出来，他拿起弓箭，准备拉弓射箭，随即他听到一声女人的哭泣声，她大叫着："救命，噢，救命，亲爱的神之子啊！"

虽然他的心已经如死灰一般，但箭在弦上不得不发。不然一个手无寸铁、衣不蔽体的男人能有什么用？拉尔夫在趟过小溪、爬上山坡时，拉满了弓，将箭放在弓弦上。

当他回到爱巢时，一瞬间就看到了全部的情形。银鬃站在洞口，夫人倒在离马不远的地上，在他们之间太阳骑士一动不动地站着，头上的头盔闪闪发光，夕阳最后一道余晖洒在他头盔的武器绣图上。

他转向拉尔夫，挥舞起长剑（剑上沾着鲜血），然后他歇斯底里地大叫着：“这女巫已经死掉了，这娼妓已经死了！你，这个强盗，把她从我身边偷走，还在这荒野中与她同枕共眠，今天就是你的死期，你死定了！”

在拉尔夫拉满弓射出箭时，他再没有说一句话。他们之间不过二十步的距离，箭杆很快飞离了弓弦，狠狠刺中了彪形大汉的眼睛，穿透了他的大脑，很快他轰地一声倒地了，再没有开口说一个字就死掉了。

但拉尔夫痛苦地放声哀号，奔向夫人身边，单膝跪下。夫人面朝下蜷缩在草地上，拉尔夫将她抱起，然后轻轻地翻过她的身体，让她仰面平躺着。鲜血从她胸口不断流出，拉尔夫撕下上衣的一块布条，试图为她止血，但她却丝毫不知道他的到来。在被他碰触到之前，夫人就呼出了最后一口气。但拉尔夫依然跪在夫人身边，凝视着她，仿佛不知道自己将面对什么。

夫人已梳妆打扮好，来迎接他打猎归来，她红发上还戴着绣线菊编织的花环，腰间系着玫瑰花腰带，从小溪中出来后就一直赤着脚，将戒指的切面转到外面以显示与爱人相见的喜悦。

不一会儿他起身，一边痛苦地放声大哭，一边奔跑到绿草斜坡，翻过溪水，在丛林中如疯子一般横冲直撞，直到他筋疲力尽，虚脱到无法再行走甚至站立。其后他趴在地上匍匐着爬行，回到爱巢，坐在他的手下败将身边，想起过去这一天里已显多余的话，此刻是仲夏之夜，如此恬静芬芳。可他内心的哀号悲泣却久久无法消散，他伸出手触碰着她，她的身躯一动不动，指尖触碰，他感觉她的身体如同大理石一般冰冷。拉尔夫在无尽的夜色和荒野中放声大哭，但他的声音却无人能听闻。他起身离开了夫人，经过就站在附近的银鬃，这匹骏马伸长了头，时不时地嘶叫一声。他坐在绿野平地的边缘，思绪回到了在爱普觅斯的大好河山中度过的欢乐时光，想到了王宫的晚祷之歌，想到了他的臣子和心爱之人。他心潮澎湃，神色不定，随后他大哭了很久，似乎没打算停下来。但他实在太累了，终于还是就地睡着了，等到第二天太阳当空高照时才醒过来。但即使醒来，他还是昏昏沉沉，并没有第一时间意识到发生了什么。有一瞬间他感到十分开心，下一秒又感觉自己再也不会快乐了，虽然他也不知为何。他转过身看到银鬃正在附近啃食青草，夫人躺在那儿就像是一幅不会移动的画，即便她身边整个世界都已苏醒。然后他想起来了（虽然只是略有意识），疯狂的希望席卷了他的心；他跪着面向夫人，反应过来自己再也无法让她活过来，他又止不住抽泣悲恸起来。他是如此年轻而坚强，但苦痛仍将他重重击倒。

眼下，他终于站起身，开始四处走动，来到已经熄灭的煤炭炊火边。他看见夫人为他做的蛋糕就在旁，此刻他已经饥肠辘辘，于是他拿起一块狼吞虎咽地吃完，眼泪顺着他的脸颊，混进食物中被他吞入肚里。饱餐一顿后，他恢复了些体力，但人生对他而言却更加悲伤。当想着自己该做什么时，有一件事情让他最为苦恼。

他想走下山坡去饮水，经过太阳骑士的尸体时，心中对他的愤怒之情无以复加，正是他让自己的幸福顷刻崩塌。但当他喝过水，清洗好双手和脸庞再次返回时，更加坚定了内心要去实施那件事的想法。他抱起夫人的遗体，满心悲伤却无法诉说。他将她带进了山洞，将砍下的树枝铺满她的脸庞和身体，然后从小平原的另一边尽头带回一些大石头，并将石头堆在夫人身上，直到她完全被藏匿其中。之后，他又走到绿地上，看到了他死敌的尸体，自言自语道，一切必须准备得妥妥当当、井井有条，因为这儿埋葬着他的挚爱。拉尔夫站在那人的尸体旁，说："我如今也没什么好恨他的了；如果他恨过我，那也不过是短短一瞬，毕竟他对我一无所知。所以还是将他的尸骨安葬，躲开飞禽走兽。不过可不能让他葬在我的爱人身边。我要在那片大平原上，就在他毁坏一切欢愉的地方，给他立个墓碑。"于是他立即行动起来，站直了身躯，并拢四肢，然后闭上眼睛，两只胳膊在胸前交叉。其后，他在死敌身上堆上石头，一直到石堆形成后，还不断朝上扔石头。

拉尔夫从小溪边拿回衣服，他戴上头盔，穿上锁子甲，将佩剑放于身侧。此刻，他打算离开这个伤心地，拉尔夫看了看并未离开小平原的银鬃，并向它走去。拉尔夫卸下银鬃的马鞍和缰绳，将其安置在洞中，驾起骏马任其向心想之地驰去。然而马儿还在此地徘徊，他环顾四周，却发现这儿一无是处；他对未来没有丝毫打算，也无任何传说可供他追寻。或许在他心里尚有两个念头存在，虽然无一能化解他内心的悲伤，但此时却没有像其他念头一样让他望而生却：其中一个是在爱普觅斯的家，那是他无比熟悉的地方；另一个则是世界尽头的水井，这于他而言不过是一些字眼。

## Chapter 11

# 拉尔夫走出荒野

他在那儿呆站了很久，好让思绪在他的脑海中随意飘荡。眼下，上午的时光已过去大半，他终于动身慢慢走下绿坡，穿过小溪流，再走进灌木丛生的山谷时，他又想到自己的伤心事，再也抑制不住，潸然泪下。在山谷里他驻足片刻，自言自语道：“我该去何处呢？”他想到丰饶宫，想到枯树谷和海厄姆城的那些首领，想到受雇于主教大人的贵族勇士，还想到爱普觅斯和自己的国民。但这些对他而言似乎都毫无意义。他想：“我怎能就这么回去，承受大家好奇的目光，追问我的旅程，拿各种不同事情来询问我。”同时，他又想起在伯顿乡旅店里遇见的那位美丽的少女和她甜蜜的双唇，一想到爱情和它如今的结局他就连连叹息，暗自思忖：“如今她跟我一样，不过是大千世界中一个小小的流浪者。”他想起她在寻找的目的地，想起教母凯瑟琳夫人赠予他的那串正戴在脖颈上的项链。拉尔夫暗下决心，或许已经别无他选，只能去探寻注定该去寻找之物，这也是眼下他唯一能做的事。虽然寻找圣井于他而言只剩下疲倦和悲伤，但也能帮助他走出悲思，开始投入手边之事。他很清楚，当下的首要任务是走出这片荒野，这样或许能听到人们关于世界尽头的水井的传言，不过他也曾怀疑到达居民区后可能再也听不到关于圣井的只言片语。

无论是否出于他的意愿，现在他都不由自主地沿着溪流朝有人烟之地走去，夫人曾说过这条小溪最终会流入漫天河。“要是，”他想，“到达那附近，应该能很快找到城堡或繁华城镇，不过他们或许还会强迫我做什么。也好，至少不会比让我随自己意愿更令人烦恼。”

他一路前行，直到走到森林原野的尽头，丘陵地势渐缓，绵延不断，矮草漫山遍野。河口处正是绵羊觅食的绝佳地带，他也的确远远地眺望到了一些绵羊和一两个牧羊人。后来，他不再沿着小溪，担心继续前行会太偏北，于是他踏上正对着河口的那条大路，认定这条路一定可以带他走到漫天河。顺着大路走了不一会儿，他就遇到了当地人。最先碰到的是两个怀揣兵刃的男人，肩上都背着长剑。拉尔夫一见到他们就马上停步，冷冷地盯着他们的脸，却并不回应他们的问话。那两人看他人高马大，装备齐全，英姿飒爽，便打消了招惹他的念头，继续赶路了。

其后，他又遇见两名妇女，她们牵着一头驴，驴背上左右两边各驮着一个竹篓，篓子里装满了乡野俗物。她们一老一少，正坐在路边休息。拉尔夫并没有因为她们而有所停留，虽然也朝她们所在的方向看了一眼，却如同看路边的树一般，并未过多留意。那位少女气色红润，衣着不俗，见拉尔夫向自己靠近，便连忙站了起来，优雅地理了理礼服的裙摆；很快，又只得叹了口气，目送他从身边经过，似乎已然对他一见倾心。

不久后，拉尔夫又遇见两个衣着华丽的商人骑在马背上，带着三个仆人模样的人骑马跟在身后，五个人随身都带着武器。拉尔夫一开始并未太在意他们，对方亦如是。但在商队走后，拉尔夫在原地停下，心中自说自话道："或许我最好跟着他们，这样定能去往某个居民聚居地。"

但随即他就听到身后传来急切的马蹄声，商队中的一人正骑马朝他的方向飞奔而来。他身穿铠甲头戴轻盔，手里还拿着长矛，马鞍上驮着一个包袱，看上去像是为骑士传消息的侍从。拉尔夫向他打了声招呼，他也朝拉尔夫点了点头。看到商队和他们的行事作风，拉尔夫有了些动摇，不过他此时并未调转马头，仍照着原定的方向前去。

这条路一直延伸到了一座山上，这座山比他之前翻越过的任何一座都更加巍峨挺拔。快到山顶时，他低头一看，只见漫天河就流淌在山脚下，河水横穿而过的大山谷正是他那天与罗杰相遇的地方。随后，他坐在大路旁的绿草河畔，心情仍异常沉重，眼前所看到的一切都无法带给他丝毫喜悦，整个世界对他而言毫无意义。片刻之后，他突然回过神来，俯视着那条河流，看到大路与漫天河的重合处。漫天河的河面很宽，但水并不深，虽然此时无风但河面上仍欢愉地泛起层层波浪，在午后阳光的照耀下波光粼粼。一条路线从水面露出，白色的路面让他清楚地看到那是与大路相连的浅滩。山谷中一派生机勃勃，漫天河的另一边是一个小村落，处处散布着马车和棚屋，牛羊悠闲地在草地上觅食。一言以蔽之，那是一个与荒原截然不同的世界。

## Chapter 12

# 重遇故人

拉尔夫望向浅滩，看到有人骑马穿过之前的荆棘丛走向河边，他们成群结队地前往打水，看起来起码有二十多人，他们带在身上的武器反射着阳光。

他想等他们过来后看看能不能加入他们的队伍，因为如果过了河他就得往回去迎他们。就在这时，队伍的首领已经走上这座山丘，队伍从拉尔夫面前经过，他们看到了他在打量他们，但没有多加理会。拉尔夫看得出这支队伍虽然人人都带了武器，却并非所有人都是行家里手，不，队伍里的高手不超过五人，但护卫这支队伍却已经绰绰有余。至于其他人，大约有六人可以从衣着看出是商人，其余都是他们的随从，另外他们还带了很多运货的马匹和驴。他们没有向拉尔夫开口问好，拉尔夫也没有，他一直没有仔细分辨这些人，直到队伍最后的三人从他面前经过。这时他跳到路中间大喊了一声，因为他认出了长兄布勒斯，以及红脸理查德，两人看起来都过得不错。布勒斯穿着一件滚着金边的黑色大麾，骑着一匹灰色的骏马，理查德同样一身武装，威风凛凛。

他们马上认出了他，拉住缰绳，布勒斯还跳下马用双手紧紧抱住拉尔夫，说道：“这真是让人高兴的一天！来自爱普觅斯的两兄弟竟然在异国他乡重逢。但你怎么会在这里呢，拉尔夫？你难道不是应该待在爱普觅斯，在父王母后膝下承欢吗？”

拉尔夫边说边笑了起来，他一看到自己的兄弟几乎心都要跳出来了：“不，难道我不像你们那样渴望出外历险吗？所以我偷偷从父母身边溜走了。”“太不像话了，你小子！”布勒斯边说，边用双手搓着拉尔夫的脸颊。

这时理查德也走上前来，如果说布勒斯是高兴的话，那理查德就是双倍的高兴，他说道：“我是不是说过，布勒斯殿下，这小家伙是你们当中最野性难驯、最难困在笼子里的？欢迎上路，拉尔夫殿下！但你的马哪里去了？它被丢在了什么地方？你是被什么人劫持了然后又被释放了吗？”

拉尔夫觉得这个问题实在是无从回答，悲伤再一次紧紧地将他裹挟。于是他说道：“是的，理查德，我在之前的冒险中，失去的比得到的更多，但至少现在我又重获自由身，损失的也不过是一些身外之物。”

“那就好，”理查德说道，“但你从哪来的盘缠呢？”拉尔夫笑了笑，却有些伤感，因为他想起了出发时的踌躇满志，还有他的朋友凯瑟琳夫人那温柔的脸庞。他说道：“商人克莱门特认为我出门在外不该凭着运气孤注一掷，所以我启程时并非身无分文。”

“那好，”布勒斯说道，“如果你没有大事赶着去做，你可以跟我们一起上路，弟弟，我出来以后运气不错，虽然我做的事情既不高贵也不威武，做的都是些买卖。但有什么关系呢？几乎没有人知道爱普觅斯，也没人能责备我玷污自己高贵的名字。理查德，去为拉尔夫殿下牵匹马来，我们不能继续在这耽搁了。”于是理查德一路小跑，两人在原地等他，拉尔夫问起其他兄弟的去向，布勒斯说他还没见过和听说过他们。然后拉尔夫问起他的目的地，布勒斯说他们将前去微特城，那里有很多来自各地的商人，是一个出名的交易之地。

理查德很快牵着一匹骏马回来了，拉尔夫一直沉浸在自己的思绪中，他想到了那个城镇或许可以打听到关于世界尽头的水井的消息。

拉尔夫上马以后，三个人一起骑马前行。在路上，一半出于关心兄长，一半出于避免被问及之前的经历，拉尔夫向布勒斯打听他做什么买卖。布勒斯告诉他，自从离开爱普觅斯以后，他和理查德就一直在到处转，直到来到一个富裕的城镇，城镇刚遭到盗贼洗劫，那帮盗贼急于寻找商人帮他们处理战利品，而他是第一个，或者说是第一批到达那座城镇愿意出资接收的。那些盗贼急着离开，于是把战利品贱价易手，他把从爱普觅斯带出来的所有身家都投了进去。然后他带着这批货到了另一个富裕的城镇，那里正是销售这批新进货物的最佳市场，他看这事可行，于是又在那座城镇收购货物，然后带到另一个城镇出售，就这样在城镇之间转手倒卖，他越做越大，财富也累积得越来越多，后来他听说微特城比他之前去过的所有地方都适合交易，于是他和其他商人一起带上武器装备，雇佣了武士护送，然后冒险穿过森林，一路安然来到此处。

最后，拉尔夫终于被问到他之前的经历，他不得不开口，尽可能把能说的都说出来，但一点都没有提到丰饶夫人和她不幸的结局。

他们就这么互相交换了故事，拉尔夫尽可能让自己显得若无其事，或许这样能够在心底默默地平复伤痛，让它尽可能地远离任何人。

他们一直前行，直至夜色四合才勒马停步，赶在闭城之前抵达了微特城。二人骑着马行走在大街上，繁华宏大的城景尽收眼底。这是一座防御完备的城市，四面新砌了高大的城墙，全副武装的士兵在墙头站着岗。

拉尔夫与哥哥一路骑到了商客旅店，在那儿安顿了下来。

## Chapter 13

# 圣井和云梦乡

次日一早，布勒斯便出门去做买卖，然后到大厅与港市的生意人会面。他曾邀请拉尔夫陪他一同去，但被婉拒了。拉尔夫一直待在旅店的大堂内，满怀忧伤地陷入沉思。店内人来来往往，但他却未听到任何有关世界尽头的水井的消息。日子一天天过去，大堂内只有理查德时不时还跟拉尔夫聊上一阵。不过这种闲聊也不过是理查德说，拉尔夫假装听听。

正如之前提到过的，理查德年纪虽大但仍聪敏睿智，而且对拉尔夫比对他的主人布勒斯更加上心，加之他对生意场上的事既没兴趣也不擅长，因此一心留意着拉尔夫，并看出拉尔夫黯然伤心、身心俱疲。在微特城逗留的第六天清晨，商人们都照常出门去谈生意，只有他和拉尔夫留在大厅，他对拉尔夫说:“这里不是监狱，殿下。”“话虽如此。”拉尔夫说。“不，如果你对此有所怀疑，”理查德说，“不如我们走到大门口，看他们有没有用钥匙锁上门，将我们关在里面。”拉尔夫勉强一笑，站了起来说：“如果你想试试，我可以作陪。”理查德问道：“那你昨天的状态比今天好吗，殿下，前天呢？”“没有。”拉尔夫说。“那明天会好一点吗？”理查德追问。拉尔夫摇了摇头。理查德说：“好吧，你明天一定会好些，不然就当我是傻子。”“你真是善解人意，理查德，”拉尔夫说，“我会陪你前去，听你的安排。可我不得不说，我心事太重。”“可不是嘛，”理查德说，“亲爱的年轻人，就算你不说，但凡能动弹的人都看出来了。我们出发吧。”

他们走上街头，理查德把拉尔夫带到集市，指给他看布勒斯的商铺（他的生意可谓欣欣向荣），但拉尔夫并没有走过去，以免皇兄缠着他聊天。随后，他们来到恢宏别致的商会大厅，里面散发着阵阵橡树原木的清香（因为屋顶还没刷油漆），这勾起了拉尔夫对童年的回忆，想起在爱普觅斯河边镇上的新房子里玩耍的快乐时光。之后，他们又去到大教堂，在圣尼古拉斯——拉尔夫的良师益友的圣坛参加了一场弥撒。这个教会不仅教义严谨，而且富丽气派，但看得出建成不久，毕竟微特城也是近几年才兴盛起来的。除了海厄姆城的圣坛外，这座教堂的圣坛是拉尔夫见过最匠心独运的。

走出教堂后，拉尔夫满脸苍白疲惫地看着理查德，好像在问：“现在该做什么呢？”他看起来悲痛至极，理查德虽也为他感到悲伤烦恼，但还是禁不住笑出声来。他说：“嗯，孩子（我一直对你视如己出），既然这城镇无法取悦你，不如我们到更远的野外去吧。”

他领着拉尔夫离开集市，从镇上东面的彼得大门出去，穿过城墙外的草场。那儿溪流繁多，等走到横跨其中一条小溪的桥上时，他们找了个小角落坐下歇脚，理查德对拉尔夫说：

“拉尔夫殿下，如果爱普觅斯家族毁于一旦或是势力渐微，那该是多么不幸啊。如今，我的主人布勒斯，请宽恕我，他的确是个了不起的商人，但绝不是个优秀的骑士。虽然他自称等到腰缠万贯时就会抛下所有生意，但实际上这是绝无可能的。至于你的其他皇兄，格雷戈里殿下也好不到哪儿去，甚至比布勒斯更糟糕，他不仅挥金如土，而且毫无主见；而修殿下则很可能丧命于无谓的争吵，除非他快马加鞭回到爱普觅斯。”

“好了，好了，”拉尔夫说，“那又怎样呢？我不是来这儿听你奚落母后的儿子们的。”但理查德接着说：“至于你，拉尔夫殿下，我在你身上发现一样不同寻常之物。但我现在还不能告诉你，你现在似乎已然心灰意冷。小心啊，殿下，以免身心俱殆。”“顺其自然吧！”拉尔夫说。

理查德说：“我现在虽已老态龙钟，但我也曾年轻过，自从到爱普觅斯以后也经历了不少风风雨雨。虽然我上了年纪，无法像年轻人一样感知希望和痛苦，但我对他们的情感也非常熟悉，未曾忘记。所以我知道，亲爱的朋友，你的心事必然跟女人有关。是吗？”“没错。”拉尔夫回道。理查德道：“不妨告诉我你的心结，这样会好受些。”“我不会告诉你，”拉尔夫说，“或者应该说，我不能告诉你。”“好吧，”理查德说，“要我倾诉我的伤心事倒是容易，不过我猜你未必愿意听。或许，你能告诉我，你此刻最想做的一件事。”拉尔夫回道：“我想死。”话音刚落，眼泪便从他的脸颊划过。理查德和蔼地冲他微笑着说：“这个礼拜内的任何一天你都可以踏上那条路，为什么你没行动呢？”见拉尔夫默不作声，理查德继续说，“难道不是因为你心中还有希望？若非今日便是明日，或是后天，大后天？”拉尔夫仍一言不发，只是轻轻抽泣。理查德说：“虽然你可能觉得我是信口开河，但没准我可以帮你实现梦想。在我出生长大的那片土地、那座村庄里，一直有人在谈论要找到那个可治愈伤痛，令人返老还童、永葆青春的宝物。”“是吗，”拉尔夫说，眼噙泪水抬头望着他，“那是什么？为什么之前从未听你提过？”“是啊，”理查德答道，“我为什么要向爱普觅斯的一个无忧无虑的小男孩儿提这个呢？如今你已成长为真正的男子汉，也见过悲伤的真面目，是时候让你知道世界尽头的水井了。”

一听这话，拉尔夫“咻”地一声站起身，急切地大声说道：“老朋友，你是在哪儿出生长大的呢？”理查德笑着说：“瞧，你和死亡之间还隔着不少任务和时日呢！你转个身，看看在那边草地和一排排柳树的边上你看到了什么？”拉尔夫说：“一片广阔无垠的肥美平原，草原上还有一条小河在潺潺流淌，小河彼岸有几座丘陵，丘陵之外则是青蓝色的大山，虽已时值七月初，但山顶上仍有积雪。”“不错，”理查德说，“你第一眼看到在河彼岸的丘陵时，可否看到在丘陵之上有一座灰色的高塔？”“看到了，”拉尔夫说，“我看到了高塔，四周散落着些矮小的房屋，好在我视力不错才能看得清。”“没错，”理查德说，“那座塔就是云梦乡教堂，由以弗所长眠七圣[1]庇护，零星的房屋就是小镇居民的住所。你可能会问，这跟我有什么关系呢？说了这么多是因为，云梦乡就是生养我的地方。事实上，是我将布勒斯殿下引到微特城来的，我告诉他这里是个做生意的好地方，其实是我自己想再次见见这座小城和那灰塔。其实我也没有撒谎，你皇兄在这里乐不思蜀，忙不迭地为他的金山银山添砖加瓦。亲爱的殿下，你真该去他的商铺瞧瞧，真是一派欣欣向荣的景象。”

但是，拉尔夫只是匆匆忙忙来回走动着，然后转向理查德说：“没错，没错！可你为何不多跟我说说世界尽头的水井呢？”

理查德说：“我正打算告诉你一些有价值的事儿呢，不过或许也没什么意义，姑且听着吧！我住在云梦乡时年仅十八（而如今已六十有八了），镇上的两名小伙子和一位小姑娘正在附近寻找那口井。他们从同族一位老人家那儿学到了许多寻井的技巧，我从未见过那位老人，他住在偏远的山上。寻井的那几个人都比我年长五岁，所以他们成年时我不过是个孩子，对这样的事情自然不太在意，只知道玩耍嬉戏，而我最喜欢的便是看打斗和战争的戏码。天知道，我后来真是受够了这些！不过我还是注意到那三位动身启程了。他们带着一头驮货的驴作为在荒芜之地的营生，不过他们头戴鲜花徒步而行，前面还有乐师吹着笛子敲着小鼓，不少人在给他们开路。我向圣·克里斯

① 以弗所长眠七圣：传说约公元250年，在古希腊的以弗所城有七位基督教徒为躲避古罗马帝国皇帝德西乌斯的宗教迫害而躲于林中山洞中，并长眠于此，直到180多年后才醒来，发现周遭环境已发生翻天覆地的变化，最后他们在为上帝祷告中逝去。（译注）

托弗[1]发誓！对此我记忆犹新，如昨天发生的一般，因为当时我为那位参与探险的姑娘难过不已。年少时我曾爱慕过她，她也亲吻过我，与我风花雪月。当然这种悲伤的感觉并没有持续多久。回想起来，他们还曾向我们的牧师先生塞浦路斯祷告，祈求他祝福此次的行程，但遭到拒绝，牧师认为这种探险无疑是魔鬼的主意，而且是在膜拜古异教的习俗。但是我对这些丝毫不在意，只是难过于那位肤白丰盈、柔声细语的朋友将离我而去步入极乐世界了。”

“后来呢？”拉尔夫说，“他们回来了吗？有任何一个回来吗？”“我不知道，”理查德说，“此事之后，我厌倦了云梦乡的生活，便拿着佩剑背着长矛启程去了六十英里外的边野城堡。那里的男爵收留我，任命我作为他的侍从。在那儿我几乎毫无成就，就好比假设我告诉你我在那里的经历一样没有任何意义可言。不过从边野城堡之后一直到现在，我才再次见到云梦乡的灰塔。”

拉尔夫说：“我得马上去云梦乡。你愿意跟我一起吗？似乎还有四英里的路程。”

理查德沉默着皱了皱眉，好像在思考这个问题，拉尔夫耐心地等他开口。过了很久，他才终于说道：“孩子，请允许我这么叫你，你也知道内陆居民的习惯，要从他们身上打听消息就得让他们自己不知不觉说出来，不必我们过分挖掘，也就是

① 圣·克里斯托弗：基督教中旅行者的守护神，传说他曾背耶稣过河。（译注）

说，不能当面询问。所以我想最好是让我单独前往云梦乡，而且受邀前去比主动前往效果更佳。明天是星期六，在微特城有热闹的集市。我还没到半截入土的年龄，应该还有些在当地颇有些声望的朋友健在。若是真能有那么几位，那么他们中至少有一位定会去参加明天的集市。届时待我找找他，如果他不愿带我这位深受爱戴的宾客回云梦乡的话，事情恐怕会有些棘手。我会向他们讲讲自己的经历，也会伺机询问打探，倘若他们肚子里有跟世界尽头的水井相关的消息，我就会像助产士一般让这些消息重见天日。哈，这样可以吗？”

“很好，”拉尔夫说，“但你要去多久？”理查德说：“如果他们肚子里没货我会很快回来；如果听到些风声，我会尽力得到个结果，所以你要耐心点。”“那我现在要做什么？”拉尔夫说。“消磨时间呗，”理查德说，“你先跟我一起回到城内，去你皇兄在集市的商铺看看。他的商铺位于一所精致住所的一楼，他似乎有意就在此定居，未来很可能会在微特城娶妻置宅，事业有成。大家都将他视为城市自由的象征、商旅护卫队的兄弟，当然他不仅是个忙碌的商人，还拥有高贵的皇室血统，毕竟他并未隐瞒自己爱普觅斯国贵族的身份。”

## Chapter 14

# 偶遇另一位故人

拉尔夫沉默不语地跟随着理查德，两人很快到达集市，径直走向布勒斯的商铺和宅邸。他的住所丝毫不逊色于市中最奢华之所，建筑上部由画师漆工倾力打造，以火红、靛蓝、湖绿、赤金四色相间，缀以其他绚丽的颜色，绚烂夺目，巧夺天工。房屋外湖边一棵硕果累累的树上，早已悬挂出了商铺的旗号。布勒斯的商铺里面摆放着琳琅满目的商品：有各式各样的陶器，有从远处带来的舶来品，还有昂贵的奢侈品；数匹印绣着城内最精致图案的高档布料倾泻下来，还有巴比伦的丝绸，炙热群岛的香料，出自金银匠手中的鬼斧神工之作，锻造精良的武器和世间最坚固的铠甲，以及富贾们必将竞相购买的一切物品。布勒斯就立于这些货物之中，他身穿精心缝制的高级黑缎上衣，脖子上带着一条金链，正跟三位港市的达官显贵交谈，他们三人都以溢美之词奉承着布勒斯并请求他予以帮助。布勒斯看到拉尔夫和理查德走进店门之后，朝他们点了点头，似乎视他们为疼惜之人，但身份远不及于他，然后他转身离去不再继续与那些富豪交谈。理查德嗤笑一声，拉尔夫在心里也不禁一笑，他想：“这就是爱普觅斯家族的生存手段之一，如此一来他很快就能买下两块如爱普觅斯一般大的土地，然后宣布那是他的领地。”

拉尔夫环顾四周，只见一位男子从商铺最深处朝他走来，噢！看！是商人克莱门特。一看到他，拉尔夫就不禁热血沸腾，对至亲教母的思念让他难以抑制眼眶的泪水。克莱门特走到他面前，紧紧拥抱着他，亲吻他的脸颊，然后说：“请原谅我，殿下，这个吻是你的教母嘱咐我在见到你时一定要给你的。如今可算重逢了，感谢圣灵！但遗憾的是这次不能跟你好好叙旧，明天一早我就必须去跟队伍会合，一起到向南五十英里开外的另一个热闹城镇上。不过，如果你在这儿待上个八天，或许我还能再见到你，因为此后我会向东踏上一段艰苦卓绝、漫长无比的旅程，途中危机四伏。你觉得怎么样？”

“我不知道。”拉尔夫看着理查德说。理查德接过话：“你或许不了解，克莱门特大人，我的主人正沉醉在民众的赞誉之中，而且他也不可能一直停留在一个纯粹的商贸小镇中直到后背长霉。”“好吧，好吧，”克莱门特说，“不管怎样，我已经跟这位布料大亨布勒斯做完了买卖，他也把我的弗罗林[1]都

① 弗罗林：货币。（译注）

赚到了他自己的口袋。那，你愿意跟我一起去小酌一杯，直到他跟那些富商们交谈完毕吗？”

拉尔夫对此并无不愿，一方面他本就敬爱克莱门特大人，有他相伴似乎能感受到些微家乡的气息，另一方面他也希望能打听到世界尽头的水井的消息。

于是，他和理查德就跟随克莱门特大人去了位于大教堂对面的克里斯托弗啤酒馆。这家酒馆就位于大教堂对面，他们坐在店内等待着美酒。拉尔夫问了克莱门特许多关于教母凯瑟琳的事情，克莱门特都一一相告，比如，她身体健康，还曾去过爱普觅斯拜会他的父王和母后，并宽慰他母后要多想想拉尔夫未来的锦绣前程以此缓解爱子离家出走的悲痛。拉尔夫一面高兴地听着这些消息，一面也为自己感到些许羞愧，于是他沉默地坐着，仍思绪飘扬。理查德接过话头问：“你是从哪条路到的坞镇，克莱门特大人？”“最近的那条，”克莱门特说，“穿过了凶境密林。”理查德继续问：“那是枯树谷的地盘，你遇见他们了么？”“对，没错，”克莱门特说，“我被他们的侍卫长抓住，交了一笔过路费才让我们穿过树林。他也听说过我，所以我们还一起天南地北聊了片刻。”“那他是否有提到他们的佣军？”理查德问。克莱门特说：“倒是有个大传言，据说他们年轻貌美的女王不见踪影，如果情况属实这件事会让他们心力交瘁，毕竟他们是如此深爱着女王。他们也会因此更凶狠恶毒，直到血洗敌人以解心头之恨。老女王在位越久，就越能感觉到这一点。”

拉尔夫侧耳倾听，但听到其他男人这样谈论自己的挚爱让他心如刀割。但他又听理查德问：“你有听说过这群佣军取名为枯木勇士的原因吗？”“为什么这么问，如果连你，云梦乡的理查德都不知道，那还有谁能知道？”理查德说：“是不是以世界之壁附近的那棵枯木为象征？”理查德点了点头，但拉尔夫大声问道：“噢，克莱门特大人，你亲眼见过那世界之壁吗？”“是啊，远远地看过，年轻人，”他说，“若非不然则是我同伴如此告知我的，至于枯木，我在坞镇时就告诉过你我从未见过，不过我认识号称见过它的人。”“所以找到世界尽头的水井者必须先经过枯木？”“是啊，这是当然。”克莱门特说。理查德道：“寻井者们曾听说过此事，并且曾听说过汉普顿的佣兵，他们去那儿之后被枯木二字所欺骗，于是有的被佣兵杀死，其他的则加入了佣兵团体中。”“是啊，”克莱门特说，“也就是说他们一开始就犯了个错导致他们最终的搜寻中断。不过现在，拉尔夫殿下，我要告诉你一件事情，你要知道，我在历经八天艰辛回到这里后，本应向东走，正如我之前说的一样，这就意味着我不会去往世界之壁，我要去的地方在你从此处见到的那些山脉之外，甚至在那些山脉以外的群山之外。我恳请你跟随我们，我将一路为你保驾护航，让你免遭半点伤害。不过等你到了那里，也见过了三座美丽的城市，以及小镇、城堡、村庄、陌生人和商贾，但愿你不要再继续前进，以你年轻的生命去博九霄之乐。届时你应跟我踏上归程，我会带你穿过那条凶险之路到达坞镇，最终抵达爱普觅斯，让你回到爱你的人身边。”

理查德听了这席话一言不发，而拉尔夫说道：“谢谢你，克莱门特大人，谢谢你对我的关心和帮助，我至少答应你会在此停留八日直到你回来，在此期间，我会好好考虑你的提议。”

## Chapter 15

# 梦游幻境

他们又针对一些细节商讨了片刻，之后便分头行动。拉尔夫一心只想消磨时间，而理查德则再次向他确认，明天要去市场上找在云梦乡的老朋友。自从在荒野经历了那段黑暗时期后，直到此时拉尔夫才终于恢复了些许生机，但与此同时他也越来越真切地意识到再也无法见到自己的爱人了。

这位年轻人虽然经历种种不幸，但睡眠一向踏实，很少做梦，顶多做做不足为外人道或是空虚缥缈的梦，偶尔在早上洗漱更衣后若还能记住，他也往往对此一笑了之。但那天晚上，他似乎感觉到自己在微特城的房间内醒来，躺在自己的床上，而且这种感觉特别真实。突然房门被打开，荒野上的夫人静悄悄地走了进来，身上的装扮跟她死在荒野篝火旁的草地上时一模一样。她赤着脚，头上的花环低至眉间，腰上也束着鲜花腰带。此刻的她如同被利剑刺杀前一样美艳鲜活。拉尔夫以为自己能再次与夫人相见自己应该很高兴，但内心竟并没有报以太大希望，既没有情不自禁让泪水模糊双眼，也没有伸出手去触摸她，因为他清楚地记得夫人已经死了。可是，拉尔夫发觉夫人似乎在对自己说话：“我知道你在等我开口，我是来跟你告别的，在荒野上还没来得及正式告别。我知道你将要踏上一场漫长而艰难的冒险之旅。我多希望能亲亲你、拥抱你，可我不能，因为你现在看到的是我在你心中的影像。此外，我想告诉你我对你是一见钟情，我爱你的青春洋溢、英俊善良，更爱你的英勇果敢。所以，我也乐于看到这些美好品质都将在你身上永存，一定会的。”

随后她的声音戛然而止，但美丽的身形还在他面前停留了片刻，拉尔夫不知道她是否还会再次开口，告诉他任何去往世界尽头的水井的路径。过了一会儿，她果真再次说道：“不。”她说，“我不能，因为我们不可能一起携手踏上那条路，这也是我们永久的遗憾吧。哦！这确实难上加难。”她的脸上浮现出悲伤和痛苦的表情，于是她转过身去，如来时一般静静地离开了。

拉尔夫不知道自己是从梦中醒来还是换了个梦境，房间四周突然变得漆黑一片，他躺在床上想着夫人。到天快亮时，听到外面似乎有动静，新鲜的空气吹开了窗扉。门又打开了，似乎有另一个人悄无声息地走了进来，同样是位美人，一身绿装，赤着双脚。拉尔夫很快就意识到来者并非他逝去的挚爱，而是上次在前往凶境密林途中结识的那位伯顿乡旅店的少女。拉尔夫见她美若天仙，比印象中更加俏丽动人。她说：“我是你曾深爱过的那位夫人的使者，若不是她派我来，我是不应出现在这里的。”拉尔夫直愣愣地注视着她，想着她是否也是在寻找世界尽头的水井过程中死去时，对方的话音蓦然停止。拉尔夫突然想到自己连她的名字都不知道。她又继续说道：“我并没有死，而是好端端活在世上，不过并不在此地。幸好你并非独自一人去寻找世界尽头的水井。寻井者或许会发现我，不过也该让你知道我的名字，我叫多萝西娅。”

少女不再开口，但她的倩影与夫人一样停留了片刻，随后也同样转身离开了。房间内再次一片漆黑，拉尔夫看不见窗口在何处，随后很快便失去了意识沉沉睡去，直到次日清晨才清醒过来。街上热闹喧嚣，行人熙熙攘攘，空气中弥漫着新鲜青草混合麦芽和水果的香味。今天是赶集日，这里的人们早早就从四面八方赶过来，好在集市上及时摆放好自己的货物。

Chapter 16

# 四处打探圣井

老理查德所言非虚，果然他在周六的市集里找到了云梦乡的旧识，拉尔夫再见到他已经是半个礼拜以后的事了。理查德来找他的时候，他正坐在旅店房间里。其实布勒斯曾让他住进自己那座豪宅里，但拉尔夫不愿意，觉得他出外打探消息不方便，出入也不那么自由，尤其是与热衷于跟富商巨贾打交道的布勒斯居住。

理查德进门的时候，拉尔夫正在读一本书，但他马上站起来向理查德问好。理查德笑着说：“你在书里找到什么了，殿下？”拉尔夫说道:“这本书讲的是勇士亚历山大的生平。”“里面有提到世界尽头的水井吗？”理查德问道。“我还没看到，”拉尔夫说道，“但书里有提到枯树谷，还有附近山脉里那些坐在王座上的国君。”

“那好吧，”理查德说道，“那你也许会觉得我接下来讲的故事更有意思。”“那快告诉我吧。”拉尔夫应道。于是他们走到窗边坐下，理查德开始讲述：

“我跟着两个从年轻时就认识的老家伙到了云梦乡，那些人对我青睐有加，将我奉为上宾，如何款待我就不细说了。总而言之，我把话题引向我们想打探的消息，讲到了来自枯树谷的那些家伙。于是一个老人，就像克莱门特大人那天一样，开始说起那些强人使用这个名字只不过是借用了枯树谷的徽标，是勇士亚历山大在徒步跋涉的路上看到了这个纹章。他说，有群山叫世界之壁，那棵树就长在群山的这一边。但克莱门特只去过世界上最偏远的城镇，但过了那儿就没有大道通往世界之壁了，克莱门特告诉过我那座城镇的名字，我记得，叫金阁城。然后有另一个老人，我记得离开云梦乡之前，他还是一个壮实的小伙，他接过话头说道，那个说法不对，那棵树是长在世界之壁的那一边。要是有谁能把手放到树干上，他就能喝到世界尽头水井里的水。他还说到汉普顿的强人为什么开始用枯树作为徽标，他提到了一个传言，是一个女人把消息带给了这些勇士，然后把这个名字给了他们，虽然没人知道传言的真假。然后又有人加入了谈话。

“那天角落里还坐了一个女人，那女人认识我，我也认识她。其实以前，在我蠢蠢欲动想要离开去冒险的时候，她就差点把我留在云梦乡了，因为她是我爱过的情人之一：一句话和一个吻就能把我留下，甚至不用说话，一个吻也可以。但如果我有听她说的话，就不会跟她吻别了。总之，谈话继续，她转向我对我说道：

“‘现在这对话的方向有点奇怪，竟然绕着寻找那些不可能找到的东西打转。其实就在你上一次离开云梦乡的一个月前，沃特·米勒和西蒙·鲍野就出发去找世界尽头的水井了，他们还带上了来自女皇海岬的爱丽丝，西蒙对她情有独钟，沃特也对她一往情深。你还记得他们吧，不止我一个活人记得他们吧？’

“‘是的，’我说道，‘我还记得很清楚。’

“‘我说真的，你这家伙，我跟你说过这三个人，虽然我没有提他们的名字。’

“‘好吧，’我说道，‘那他们成功了吗？他们回来了吗？他们当中有人回来吗？’‘没有，’她说道，‘之后再没人见过他们。’我说道：‘你还知道有其他人踏上同一征途吗？’

“‘再仔细听我说，第二年有个骑士来到云梦乡，投宿到同一座房子，就坐在那个黄毛小伙现在的位子上。我们之间的谈话就像今晚一样展开，我告诉了他我知道的一切，知无不言，就和现在一样，他问了很多问题，大多是关于那位带着项链的夫人。次日一早他就走了，从此我们也再没见过他。’

“然后她没再说话，但她刚才所指的那个年轻人憋红了脸，吃惊地盯着她，但也没作声。于是我说道：‘好吧，女士，那没有其他人之后离开云梦乡吗？他们都发生了什么事？’

“她说道：‘听我往下说，二十年前，一场严重的瘟疫降临到云梦乡和微特城每个人身上，危在旦夕的关头，有五名年轻人想起了关于世界尽头的水井的那些传说，于是出发去寻找这口井，他们还发誓不找到水井绝不回来，除非他们找到那口水井，把井水带回来给云梦乡的父老乡亲。我想他们确实信守承诺，因为自此以后我们既没见过井水，也没再见过他们。好吧，关于这件事我已经把我知道的都告诉你了，理查德，现在该轮到你说说自己的经历了吧。’

“于是关于世界尽头的水井的话题就此打住了，拉尔夫殿下，之后话题都没再转回去。但我在城里又待了几天。昨天当我站在石桥上，看着底下的河水时，有一个黄头发的高个男人，就是吃饭时被我认识的女人指出来的那个小伙子，走过来跟我说：‘理查德大人，为了对你的年纪、你的尊严以及你的声望表示我的敬意，我想把礼拜日晚上那位夫人还没说完的故事结尾告诉你。’‘哦，真的吗？’我说道，‘你想要些什么呢？’他说道：“你的腰带上佩着一把好刀，把它给我，我就会告诉你。’‘好吧，’我说道，‘如果我认为你的故事真值得我用刀交换。’

“接着，他告诉了我故事的后续：他也在一个月黑风高的夜晚沿着大道骑马出行，路经一个骑者身边，就在那儿一个他曾风闻过的女子现身了。一开始他以为那骑手是一个身材瘦小苗条的男子或者年轻小伙，但当他走近才发现那是一名女子，她脖子上戴着宝石项链，不费吹灰之力就可夺取，于是他问她从何处来，要往何处去，她回答道：

“‘从驿动中来，到世界尽头的水井去。’

“就在他要向她出手时，他瞄到她手上的双刃短剑反射的微光，于是他忍住了。这件事就发生在五天之前。

“所以我把佩刀给了那小伙，因为我觉得在云梦乡不会再听到关于这件事的其他消息了，至少直到我今天早上离开时都没有听到更多消息。我已经为你把这件事打听了个底朝天。但我还有话要说，我之前见过你脖子上也戴着一条非常精美的珠链，能告诉我从哪得来的吗？”

“来自我的老朋友，凯瑟琳夫人，”拉尔夫说道，“虽然我之前戴着这条项链是因为上面寄托着一份心意，但我现在回想，她一定看出了这条项链来历不凡。在海厄姆就有一个修道士，千方百计试图从我身上夺走它。”“好吧，”理查德说道，“很可能这条项链传到你手上，就是为了把你带到世界尽头的水井。但我刚才告诉你那些从云梦乡打探到的消息，你怎么想呢？”拉尔夫说道：“这些消息除了说明那边的人相信世界上真有这么一口水井，还能说明什么呢？无论如何，我都已经下定决心要像我对此深信不疑那样行动。所以我对这口井的了解并不比之前多。现在我们只要静候克莱门特大人来带我们上路。等他把我们带到金阁城，就能亲眼看清楚之后的征途有多难走了。”他说得如此兴高采烈，理查德不解地看着他，心底暗忖他之前究竟发生了何事，他的这番话又有什么暗含的深意。

而拉尔夫此时在心里却一直想着最后那个消息提到的、那名年轻人不久前遇到的女子。他觉得他之前到微特城的时候她也一定在那里。他现在还弄不清楚与她擦身而过是不是该感到可惜。他心中陈杂着的感情似乎多过伤感悲痛，不，除了那个原该把他带到水井那里的“她”之外，让任何其他人把他带到前往世界尽头的水井，都是不道德的、都是罪恶的；但他心底还是在盼望的，或者说他以为自己想与她互诉衷情，重拾那份来得轻易却又转眼成空的少女情怀。因为他深信故事里提到的那名女子就是他在伯顿乡偶遇的少女，她的化身在他梦里自称多萝西娅。

## Chapter 17

# 无不散筵席

自他俩上次交谈后，已经过去了整整三天。第四天一早，理查德找到拉尔夫，说："义子，很遗憾我有个坏消息不得不告诉你。商人克莱门特今天一大早进了城，他的同伴们急着赶路，今天中午就要离开此地，只留给我们四小时告别。我们以后或许难再重逢，愿你今后遇事均能逢凶化吉。所以，如果你有什么话要告诉我，请务必直言。此刻我最大的愿望莫过于跟随你，但事与愿违，我受命要护送布勒斯。对了，很快微特城将动荡不安，因为有个名为黑骑士怀特的伯爵，虽外表俊朗但心肠歹毒，是个十足的暴君，他时常针对微特城挑起事端。本来半个多月前他就该派先驱部队来港市滋事的，不过听说那时他在某次争斗中身负重伤，直到现在都还不能骑马作战。知情者都说他有仇必报，一旦等他痊愈，就准得在微特城门口恭迎他的大驾。布勒斯知道我敏捷善战，所以在这种非常时期他是不会将我让给你的。不仅如此，你或许也会被留下来防卫外敌，甚至布勒斯都有此打算。所以为了不让你参战，我欺骗了他，还要求克莱门特也撒谎（老实说他做得比我好，因为他也不清楚你的真实想法），我说你会跟着克莱门特出去但最远只到集坪山城，也就是前面山脉的那一边，而且半个多月以后就会回来。所以关于战争之事，我得先借机提醒你。”



拉尔夫为理查德的这些话深深打动，说：“说真的，老朋友，一想到要离开你我就非常难过。虽然我要独自身处异乡了，但这也让我内心的英雄气概再次澎湃不已。因此，我乐于重新踏上旅途，这也标志着我比从前更加完整、更加成熟。如果你愿意听，我现在就告诉你连日来我闭口不谈的伤心事。”

“愿洗耳恭听。”理查德说。于是，他们在旅店房间内靠窗坐下，拉尔夫用尽量平淡的语气言简意赅地将所经历的事和盘托出。等他说完后，理查德感叹：

“你竟在这么短的时间内经历了那么多险境，殿下，如果你可以放下过去，放眼未来，你将成为一位赫赫有名的骑士，一个充满幸福的人。”拉尔夫说：“是吗，怎么说？”

理查德说：“我认为，被杀害的那位夫人或许不全是亚当的后代，至少她身上应该流有精灵的血脉。你怎么看？”

“毫无头绪，”拉尔夫悲伤地回应道，“对我而言她就是位女士，但无论容貌还是智慧都超凡脱俗。”理查德说：“嗯，如果我没记错的话，故事中还有另外一位超凡脱俗的美人？”

“我想那应该是她妹妹！”拉尔夫说。“是啊，”理查德说，“你记住她的样貌了吗？我是说她的体貌特征。”“当然，非常清楚。”拉尔夫肯定道。

理查德又接着说：“你觉得那位枯树谷女子是否暗示过你会遇见这位美人呢？她为她指引去往世界尽头的路，又给了她那串珠子，是否在暗示你也要去那儿？你说她曾称赞过她的美貌与智慧。当时是怎么称赞的，是以一种怎样的语气？是温柔甜蜜的吗？”

“如蜂蜜般甜美，如玫瑰般温柔。”拉尔夫说。“好吧，”理查德说，“她许是用苦如胆汁、酸如陈醋的语气去赞美她的。鉴于我们即将分离，或许你不认同我的想法，甚至会因此降罪于我，但我不吐不快。随着岁月交替，就算夫人还活着，你对她的爱意也会日渐消退。如若她不是妖女，只是比一般妇女更聪明、更有远见，她也会知道这一事实。”拉尔夫立即打断他：“不，不，不，不是这样的！”“你且听着，年轻人！”理查德说，“我认为就是如此。她是那么爱你，所以希望在你们分开后你仍然能过得快乐幸福。因此她有意为你安排一位女子，一个能与你真心相爱之人。”

“噢，不，不！”拉尔夫说，“这些猜测都是无稽之谈，但是她纯真善良不假。正如天堂也会善待不幸去世的殉道士，他们历经多少磨难才最终进入极乐世界。”

一想到夫人的温柔善良他不禁又泪眼朦胧。其实，在这个年轻人心中，她要比自己优秀尊贵得多。

理查德凝神注视他好一会儿才开口：“我请求你不要因我的猜想而动怒。不过，我还有一个好消息要告诉你，你一定喜欢。这周三从云梦乡回来时，我曾坚信世界尽头的水井只不过

是个传说，如天边彩霞般虚无，抑或它确实存于世上但你永远都找不到它。可你的故事改变了我的想法，我现在不仅相信那水井是真实存在的，而且坚信你一定能找到它。那位聪慧的美人非常珍视你的青春年华和俊朗外表，因为她知道上天赐予你的这份礼物虽更胜他人，但却也如大多数人一样转瞬即逝。对此事我将不再多言，或许现在你觉得我的话毫无意义，但将来当你回想起时必将助你一臂之力，这也是为何我坚持对你提起。话说回来，我找到一匹好马和其他行装，或许你路上用得着。克莱门特的商队在教堂附近的圣彼得门[①]等你。我愿担当侍从亲自护送你到那里，直到你出城再回去。我想你可能还想跟布勒斯告个别，不过你得记得他以为这次只是个短暂的分别，毕竟他沉迷于弗罗林金币和琳琅器皿中不能自拔，一心以为你很快就会回城。”

“尽管如此，”拉尔夫说，“我必须在离开前给皇兄一个拥抱。总共留给我的只有四小时，我们的谈话已持续一个多小时，事不宜迟，我们赶紧出发吧。”

① 传说圣彼得负责看守天堂大门，此处圣彼得门是紧靠教堂的一处城门。（译注）

## Chapter 18

# 离开微特城

随后，他们一起去往布勒斯的宅邸，布勒斯一见到他们就说：“好啦，拉尔夫，所以你在做正事之前必须去放松些时日。老实说，等你回来说不定我们已经为你准备好绝佳的工作，只等你走马上任。这座城里集结了不少勇士，到时候一旦遇到危险，我们就等着你大展身手。不过先进来看看我的房子，多么气派啊，你一见到就会明白这绝对值得你为此拼搏，事实上我也正在亲身践行。”

随后他带领大家跨了一级台阶，进入一间宽敞的寝殿，屋内装饰一新，墙壁上挂着绣有大力神赫尔克里斯传说的花毯，橱柜中放满了上好的银质器皿，其中还有些是纯金打造的，橱柜共有五格，专供王子殿下使用。拉尔夫对此赞美一番，但其实一心只想离开，他的内心无比痛苦，不停责怪自己不得不对皇兄说谎。

布勒斯又带着一行人去往楼上的卧房，向他们展示用珍贵布料制成的床上被褥、挂于床头的纱帐等，都是极尽奢华。布勒斯命人拿来美酒与众人畅饮，他还赠予拉尔夫一袋金币、一柄锻造精良的双刃短剑，然后将他带出门外，拉尔夫张开双臂拥抱皇兄，亲吻他的双颊，然后用力将他贴近自己的胸膛。布勒斯感到些许感伤，说："怎么啦，年轻人，不过分开几日你为何如此难舍？难道你这次要去很长时间？不过话说回来，你本就是个多愁善感的少年，我们两兄弟也算独在异乡。坦白说，我知道你会被爱普觅斯的亲人疼爱着，父王、母后，所有人都在你身边打转，多好啊。好啦，上帝和诸神将与你同在，别忘了这个热情好客的小镇，也别忘记这冉冉升起的旗帜，这一别不会太久的。一路顺风，爱弟。"

他们就此别过，拉尔夫回到旅店中收拾行李，安放于驮马两侧，带好武器，便去往圣彼得门与大家会合。在那里他看到了五个商人，以及他们的护卫队员，二十位全副武装的勇士，他们与克莱门特在一起。克莱门特看起来不像商人，倒像位武士，他穿着护甲外套，头上的头盔闪闪发光。

他们互相打着招呼，拉尔夫问："哎，克莱门特大人，我们是准备骑马去打仗吗？""或许，"克莱门特说，"不过此去前路漫漫，我们的货物价值不菲，途中还要经历几处凶险之地，你如果不喜欢这趟旅途，可以待在这里等待黑水河突击。"

说完他放声大笑，拉尔夫也听懂了克莱门特在开自己玩笑，笑道："好吧，克莱门特大人，但是请告诉我，我们会遇到些什么人。""好，我会把关于他们的消息原原本本告诉你，"

克莱门特说，“不过要等我们出了城门才行。我现在事儿不少，除了本身职责外，还要准备启程了。你可以与爱普觅斯的随从告别，并让他为你备好马匹。”

拉尔夫拥抱过理查德，亲吻他，然后说：“这也意味着在与我出生和长大的皇宫告别。”话从口出，他的思绪忽又回到了王宫的花园——爱普觅斯那片美好的土地，心口泛起酸楚的甜蜜，混杂着痛苦，让他几乎忍不住落泪。但理查德却一直不发一言，他也为此次的分离而无比难过。

拉尔夫骑上马，随之整个商队颇有气势地驾马出了城门。克莱门特大人则指挥着整个队伍前进的方向，驾着马儿在坡道上来回奔走。

拉尔夫随后与商人勇士们攀谈起来，大家都对拉尔夫格外殷勤。他们因为有拉尔夫作伴而欣喜不已，尤其是对路途中的危机感到几分胆怯的商人们。

Chapter 19

# 商队的未来旅程

他们从微特城出发走了一二英里，一路上十分顺利。克莱门特骑马从左侧追上拉尔夫，跟他搭话："殿下，我想跟你谈谈我们这次的旅程以及路途中可能遇到的人和各种困难险境。之前我对此只字未提，因为我知道你一心想去东边历险，无论我说什么也无法阻拦你的步伐。"

"是啊，"拉尔夫说，"我那时没有如此优秀的同伴，只能独自上路或者带上任何愿为我卖命的人一起。"

克莱门特笑了笑说道："殿下，之所以很难雇到愿随你去东方冒险的人，是因为二十人不到的队伍要穿越重重山脉到集坪山城去将很有可能被半路杀害或囚禁。哎，即使是身无分文的穷人独自到那儿，都很可能被盗贼将他的肉体和骨头偷去，因为没有更好的东西可偷。"

听了这话，拉尔夫想到将面临的战斗和冲突，不禁热血沸腾。他猛地拽紧缰绳，马儿的前蹄一下跃起，说：“这倒很合我的胃口，亲爱的朋友，跟着你上路我并非一无所得，至少每天能吃上口面包填饱肚子。”

“那倒是，”克莱门特和蔼地看着他，说，“你们兄弟几个中，就你最像爱普觅斯国开国君主——红骑士罗伯特。我得告诉你，身后的微特城将是我们遇到的最后一个民风淳朴的地方，也是最后一个由明理的庄园主，尚法的伯爵、国王或是皇室家族统治的地方，更是最后一个有行会领导帮扶民众的地方。虽然我们即将遇到的那群人名义上自称基督徒，其中还不乏供职于教堂者，但他们的言行举止都十分粗野，不少人还遵从着异教的习俗。他们经常干出在恶魔的祭坛上宣誓、在满潮时分吃马肉以及滥用符咒这样的事，用男人、女人，甚至婴儿的血染红审判石阵，而神父根本阻止不了他们这种行为。至于即将抵达的那些城镇，我们在当地不仅能找到勇者，甚至还能遇到些知名人物，但他们却很少反对暴君的统治。那位独断精明的统治者出身并不高贵，血统也未必比其他人纯正，仅靠着狡黠和铁腕便大肆掠夺土地。你看，乡村周边散落着结实的城堡和精致的房屋，住在里面的大人物们却并非天性和善的勋爵，他们掌管着这片进贡伯爵、公爵和国王的土地，并凌驾于臣民、佃农和庄园主之上。受雇于他们的农民和牧羊人虽然可以像牛马一样被放到市场出售，但他们并非奴隶。其实他们中大部分是被雇来的自由人，只知执行主人的所有命令，却从不过问命令是否公正。这很可能是因为作为自由人，他们必须效忠于某位君主才能保住房子和性命，否则就会早早丧命。”

“是的，克莱门特大人，”拉尔夫说，“我们将去一些动荡不安、不宜久留之地。”

“富贵险中求，”克莱门特说，“那地方盛产美酒、香油、小麦和牛羊，在山里都能挖出矿石和宝藏。可是他们缺乏手艺，所以才急着跟我们这些商人打交道。显然很多当地人都愿获取所缺之物，要么以金钱支付，要么以货易货，在某种程度上后者更合算。呵，那里是商人的天堂。”

“但我不是商人。”拉尔夫说。

“没错，”克莱门特说，“可你也有渴求之物。无论我们去哪儿你都能打听到些消息，或可为你所用，或是随我心意。实话说，我们俩想听到的消息许是正好相反，我不愿你获取太多信息，以免你贸然前去冒险。相反，我希望你能跟我回去，不要白白牺牲了年轻的性命。隐约中我感觉你在寻找什么，但依我看这无疑是在与死神和魔鬼为伴。”

拉尔夫沉默不语。克莱门特继续说道，声音中透着愉悦：“不过，这一路上总能看到些新奇漂亮的东西。据我所知，那里的男人体格健壮无比，女人们的身体线条完美无瑕。”

拉尔夫叹了口气，没有马上回话，过了会儿才说：“克莱门特大人，能告诉我接下来几天的行程吗？”“当然，”克莱门特回道，“接下来三天我们将前往山脉入口。之后两天则要风餐露宿，直到抵达位于半山腰上的一处房屋。那是间旅店，由附近的居民搭建和管理，其中就包括集坪山的人。休战前那里是个神圣的地方，没人敢在旅店里争吵打闹。我们经常在那里遇到山贼大盗，与他们如老友般纵情饮酒，寻欢作乐。但若是有死对头进来，里面的人就得马上离开，让他们的敌人享受一小时的快乐。这是那家旅店的惯例，从未有人打破过。离开旅店之后，我们要赶上一整天的路，露宿于山间。若当天夜里或次日清晨没有被包围或突袭，我们便能平安无事地到达集坪山了。你对行程满意吗？”“满意，大人。”拉尔夫说。

至此他们的谈话暂时告一段落。但那天克莱门特跟拉尔夫天南海北聊了很久，对他添了几分敬佩，其他同伴亦如是。

## Chapter 20

# 山林客舍

当天晚上，他们在水边一座小村庄的田地里扎营安歇，他们有吃有喝，什么都不缺。次日他们也按同样的方式过夜，但第三天晚上，他们把营扎在路旁的小山坡上，那条路直通关隘，深入山间，在巍峨的山石间蜿蜒。因为山势就在此处开始从平原升起。所以他们时刻戒备，以防万一。

隔天早上他们便进入关隘，穿过山路来到荒原之中，沿着荒芜的石道骑行了一天，最终走到一片野草蔓生的平坦谷地，谷地中还有小溪灌溉，于是他们在此驻扎，防守戒备，但依然没有受到任何滋扰。

早上一行人启程时，拉尔夫问克莱门特伏击者会不会发动袭击。克莱门特说："很有可能，殿下，因为我们作为猎物甚是诱人，而且平时很少有人走这条路。虽然这些野蛮人不知道我们哪一天会经过他们的地盘，但只要我们经过，他们一天之内就会收到消息。因为我们的行踪不可能避开所有人的耳目，只要有人听到风声，消息很快便会传开。你一直在想这件事吗，年轻人？”“是的，”拉尔夫说道，“因为我已经迫不及待想会会这帮恶棍。”

“看来你很快就能见到他们了，”克莱门特说道，“但如果我们在山中客舍没有见到他们，那就是他们要伏击我们的迹象了。因为他们不想有人大意走漏消息。”拉尔夫一边想着这场伏击要怎么应付，结果又会怎么样，一边骑马前行，心中思绪万千。

那天的路很难走，大多时候他们的速度并不比走路快。一整天的时间，他们都在不停上坡，虽然还是夏天，但随着太阳渐渐西沉，天气也越来越冷。最终在一座延绵千里的山脉脚下，他们翻上了一道长长的石岭。在白雪皑皑的山顶，拉尔夫见到一座房子，低矮深长，屋檐墙壁皆以巨石砌成。见到房子，同行的其他人都起劲欢呼，加速前进，克莱门特更是铆足力气骑马冲上石坡。但拉尔夫还是慢吞吞地跟在后头，因为他除了自己，没别的东西需要看顾，于是他独自一人落在队伍后面。他左右四顾，发现一块大石头下面有一个亮眼的物件，落日的余晖勾勒出它的轮廓。于是他往那边走去，因为他以为那是队伍里的人落下的东西，可能是钱包或布片，又或是别的什么东西，所以急匆匆地上前查看。他下马把东西捡起来，当他拿到手上的时候才发现，这是一块巴掌大的绿布，还绣着花边。他拿在手里，回想着在什么地方见过类似的物件，突然他的心像被人重击了一拳，因为他想起来在伯顿乡的那座餐馆小厅里，在那橡木椅边，在那铺满灯心草的地板上，在那美丽姑娘的赤足边飞舞的正是绣着这样花边的绿裙子，她动作轻巧，忙前忙后为他准备餐点。但他的思绪并未久留，很快就转到那段为爱痴狂的时光，他费尽心思赢得美人归，但爱人转眼却香消玉殒。就在他伫立沉思之际，他听到克莱门特在客舍大院的门外呼唤他。于是他跃上马背，跑过石坡直入大院，克莱门特一边帮他下马，一边开始数落他在外面耽搁太久，说道："独自一人在大院外游荡很危险，那些劫道的经常埋伏在四周寻找容易下手的目标，他们身手敏捷，出手很快。你在外面寻思些什么呢？"拉尔夫说道："我在外面看到一种花，让我想起了爱普觅斯。"

"好了，年轻人，好了，"克莱门特说道，"你真有那么多愁善感吗？先进屋吧，就像我之前说的，这里除了守屋人和他的老伴，没别的人了。正如你一心盼望的那样，米克·亨曼的人在后面的路上等着我们。"

于是他俩和大家一起，带上所需物品进了客舍。守屋人是个满头花白的老人，岁月的无情也同样在他老伴身上留下了痕迹。晚饭过后，众人谈天说地，大部分话题，不出所料，都围着那些劫道的打转，克莱门特向守屋人打听近来有没有见过那些人。

老人家回答道："还没见过，克莱门特大人，他们来这都是有套路的：他们会把几头牛犊子赶到院子里来，其中一两头还会被带进大厅；还有那么一两个家伙两手空空来到这里，只是为了补个好觉或者填饱肚子，然后就把俘虏带到市场上去。其实他们上次来已经是好几天前了，三个人带着一个我见到的最美的女人。她就坐在那边的长椅上，似乎根本不在乎自己成了俘虏，她的脚踝照惯例上了镣铐，但两只手倒没绑住，以便她就餐。其中一个匪徒告诉我，她是在离此不远的地方被掳的，当时她挥剑反抗跟他们纠缠了好一阵，才被他们拿下，可一被俘，她就没再挣扎了。”

“他会伤害她吗？”拉尔夫说道。“当然不会，”守屋人说道，“一个人要带一匹布料到市场上卖，他会把它弄破吗？当然不会，他尽力以礼相待，还吩咐我们尽量服侍好她。”

“她长得什么样？”拉尔夫问。老人家回答道：“她长得还挺高，如果我没记错的话，她有一双灰色的眼睛和一头栗色的头发，又浓又密。她的双唇绛红，脸颊染上了阳光的气息，但太阳留下的色彩也掩盖不住她白里透红的脸色，所以她看起来就像丰收时万亩田野里最饱满的麦穗一样甜美。她的双手不像那些待字闺中的少女那样白皙，倒像是常年在阳光下挥舞镰刀一样晒成了蜜色。可一旦她往外伸手，她的手腕从衣袖里露出来，就像牛乳一样白嫩。”

“好么，老头子，”守屋人的老伴发话了，“你这穷酸的老头记得的东西可真不少。你怎么不跟这骑士小伙说说她穿了什么衣服？除了穿着打扮，她们这年纪的姑娘不都长得差不多吗？”

“不，不是你说的这样，”守屋人说道，“她比我形容的还要漂亮，所以像她那样的姑娘真没有几个。”

那妇人说道：“其实，她的衣服也没什么可说的，她穿了件绿色的长袍，衣料精美，但不是新的，上面的针线活非常精细，裙边绣了一圈花边，但后裙摆有一块被撕掉了，我琢磨，定是她反抗纠缠的时候，那块布被什么勾掉了，还有——”

她说话的时候目不转睛地盯着拉尔夫，但她突然住嘴了，然后又继续盯着他说道：“唉呀，这太奇怪了！”“什么奇怪？”克莱门特问道。“噢，不，没什么，”老妇人说道，“就是奇怪那些家伙竟然没注意到这件事，这山中客舍这么多人人来人往都没人留意到那布片勾到什么地方。”

但拉尔夫注意到，在她打住这个话题后，目光依然在他身上打转。

夜色渐深，大伙纷纷离席就寝，大厅里的人眼见稀少。那老妇人便走到拉尔夫身边把他拽到一个角落，说道：“骑士小伙，现在告诉你为什么我之前说奇怪；你知道吗？那个被掳的少女脖子上带着一串项链，跟你脖子上的那串几乎像是一个模子里出来的；但我想你可能不想我在众目睽睽下多嘴，所以我就住口了。”

“嬷嬷，”他说道，“太感谢你了，其实我正担心这姑娘是我的妹妹，因为我们向来都戴着一样的项链。我就是来这里找她的，若她果真被俘虏了就棘手了，我得想办法把她赎回来。”

然后他给了她一枚爱普觅斯的金币。

“是啊，”她说，“可怜的年轻人，你说的肯定是真话，因为你俩长得真像，只不过你更好看。我也为你难过，但我不知道你该怎么办，事到如今，她一定被卖出去了，指不定被囚在哪位领主的堡垒当中；有些霸主不要赎金，但也绝不会对禁脔放手。喏，拿回你的金币吧，你之后很可能还要用到它。只要让我剪下一绺你的金发，便足以酬谢我为你爱人保持缄默。因为在我看来，她一定不是你的妹妹，否则你定会留在家中，与神父在圣坛前为她诵经祈祷，而不是这么焦急地追寻她。”

拉尔夫脸红着默认了，老妇人用剪刀从他的绺绺金发中，剪下一缕留作纪念。然后他便上床躺下，继续苦苦思索，他暗自思忖只要依照姑娘的方法，便能找到世界尽头的水井。但他对自己说，不论这方法行不行得通，他都要去寻找她的下落，把她解救出来，因为他吻过她，那样一个甜蜜温馨的吻，让他想成为兄长保护她，也算不辜负她一片柔情蜜意，虽然他后来已经在另一段甜如蜜又痛入心的恋情中得到报应。于是他从口袋中掏出她留下的那块布片，珍而重之地端详着。然而这又让他苦恼地想起他曾让她经受了怎样的煎熬痛苦，他希望能让她从这份感情中解脱出来，这份希望又让他心中泛起暖意。带着繁杂的思绪，他终于坠入梦乡。

## Chapter 21

# 山中鏖战

晨曦初露他们便早早起身，随便吃了口干粮，克莱门特还代表同伴们给守卫长及其同事送了份早餐。随后，他们给自己的老马安上马鞍，整理好行李就再次启程了。虽然前方路途险恶但都是下坡的路，所有河流都向东流去。

骑行了一整天，在太阳还未落山时他们就已经准备好扎营，营地选在位于水美草肥的山谷中的一个圆形山丘脚下。从那里可以俯视到丰盈的平原，集坪山城就位于平原之上，放眼望去一片蔚蓝。

这里本是个可以让他们放松身心的好地方，若是他们不用时刻警戒、心怀焦虑的话，因为克莱门特认为当天夜里野蛮人一定会来偷袭。

可是这一夜竟异常平静，次日一早他们便穿戴好盔甲，绷紧弓弦，立即启程了。三位骑士在前方领头探路。

仅动身两小时，先遣队伍便回来禀报，下一站就将到达那个江洋大盗横行的龙潭虎穴。

拉尔夫一行陷入两难。他们正位于荒芜的高山脊上，如果就待在原地则相对强盗而言占有地理优势；如果继续前进，他们就必须沿着下坡路走到被野蛮人包围的山谷。全队六十二人都对这一情况了然于心，但除去拉尔夫其中仅有二十名骑士，必要时克莱门特或许也能上阵杀敌。至于其他人，就只剩下一帮黄毛小子、三位老商人，以及几个畏畏缩缩的匹夫。不过大家都持有武器，还带着不少弓箭，商人的侍者中也有几个弓箭好手。

商队中有些人认为待在原地会更为妥当，以便能利用地理优势。但是克莱门特和其他一些年纪稍长的骑士们却并不认同，虽然待在原地可以清楚俯视到下面的乡村，但是也难以获得任何援助。克莱门特对大家说，黑夜终究会降临，商队在此地停留的时间越久，那些强盗们就越有可能聚集力量发动攻击。所以综合考虑，马上赶到山谷中主动攻击敌人放手一搏才是最佳方案。斡旋一番之后，大家终于都一致认可了这个方案，除了少部分人，那些人太珍惜自己的生命以至于智商都云游四海去了。

胆小鬼们被安排去看管驮货的牲口和商队行李，这小撮人立即服从了命令。而勇士以及弓箭手们则立即启程，拉尔夫就御马骑行在克莱门特和护卫队首领之间。

离这条路所指向的山谷越来越近，他们踏上了一条黏土草地，道路两边的山体越来越陡峭，好在没有巨石滚落，再者这条路算不上漫长。因此，六人一组并肩下山的商队很快就穿过了沿谷道路。在行进的路上，拉尔夫看到路的尽头宽广了不少，而几个强盗就等在那里。他们立即朝克莱门特放了几箭，但并未射中，而是打在了几位同伴的盔甲上。一发现那些强盗，听到他们的叫喊声，克莱门特就立即举起一柄大斧头，一边挥舞一边呼喊着："圣·艾格尼丝佑我商队。"然后猛地踢了一脚坐骑。商队其他人也同样如此，前赴后继势如破竹，沿陡峭的道路向下冲去，径直到达了山谷中。原先那些胆小鼠辈也紧随大部队其后，唯恐自己被落下。

这些野蛮人多数身着兽皮，手中除了拿着厚重宽大的盾牌外，几乎没什么像样的武器，他们暂时放弃了抵抗，作鸟兽状朝山谷陡坡奔去。很快他们又返回，开始用弓箭射击。商队这边不敢穷追急赶，唯恐在人数众多的敌人围攻之下被打乱阵脚，于是他们决定暂留在山谷南面，并将主路把守住，所以第一次交手没有任何流血牺牲。虽然强盗们仍然不断朝南面用他们软弱无力的弓箭射击，却并没有射中任何人。很快，商队的弓箭手们也准备予以还击。与此同时，骑士们则下马，让坐骑歇口气。而驮包袱的牲畜们都聚在一起躲在队伍最后。他们并不介意在这里停留久些，身后是险峻的页岩绝壁，那里灌木丛生，穿插着坚韧的藤蔓，要上山只能手脚并用往上攀爬，但这并不容易。

商队这边的弓箭手进攻持续了好一会儿，不少强盗中箭倒下。这场与野蛮人的战斗让勇士们都热血沸腾起来。忽然拉尔夫看到在陡坡上有敌人身影，于是大声叫道："克莱门特大人，守护队首领，让那些人安然无恙地埋伏在身边肯定不是个好主意，他们会跟在我们后面追杀我们的勇士和良驹。”

“尽管如此，”首领说道，他平日是个沉默寡言的人，“还是赶紧出发吧。不过你和克莱门特，还有年轻人和弓箭手们留下，守住货物。”

随后，他又大声呼喊：“圣·克里斯托弗保佑。”然后猛地拽紧缰绳。所有穿着盔甲，骑上战马的人都跟随着他去正面迎击强盗。但那些人看到恶徒们发动进攻时，只是稍微往山岩边后退几步，然后停步继续放箭，部分暴徒的马被他们的箭头所伤。所以首领赶紧勒绳下马，克莱门特让弓箭手们靠得更近些，他们的布局精妙，使强盗们不能趁机围攻，射人下马。所以商队步步为营，逐步向前推进，直攻野蛮人的腹地，进行艰苦卓绝的战斗。打斗异常激烈，这些敌人拿着斧子、大木槌和长矛，而且毫无惧色，因为他们占领了优势地带，且他们虽然个子不高，但轻盈敏捷、身体强壮。

拉尔夫英勇地战斗着，他的膝盖上方被长矛所伤，所幸并无大碍。他也没在意这小伤，依然挥舞着爱普觅斯剑将身边的敌人一网打尽。野蛮人杀回来时，拉尔夫面前还有一个敌人向他挥舞着长柄斧头，他俯下身子巧妙地躲过斧头的攻击，然后猛地抓住那人的领子，将他拖出人群。在勇士们的攻击下，野蛮人溃不成军，向山丘四处逃奔散去，勇士们仅追了几步，碍于铠甲沉重、行动不便只得作罢，杀敌若干之后就没再继续追剿。等他们回来后，众人聚在拉尔夫身边打趣他抓到的那个俘虏，这场战役取得了最终胜利，让大家都备受鼓舞。至于克莱门特，他在商队与敌人鏖战时离开了弓箭手们，此刻又出现在人群中。

拉尔夫对他说：“你看我是不是做了笔好买卖，平白无故得了个奴隶。”“是啊，”克莱门特说，“如果你把臭鼬当猎犬的话。”首领说道：“用你的剑杀了他吧，骑士。”另一个人说：“让他跑向山坡，我们的弓箭手会一箭射中他。”

“不”，拉尔夫说，“那些弓箭手已经作战太久，让他们歇歇吧。至于要我用剑刺死他，首领，这事我以前也做过，也有打算将他就地正法。但我至少得先问一下他是否愿意真心做我的仆人，毕竟他看起来身强体壮、身手敏捷。小子，我对你还算公正吧？”“是啊，”那人答道，“你这个小伙子身手不凡。”

他面不改色，似乎并不惧血光之灾，仔细看看他，五官端正，长相并不狰狞，不像野人，倒像是个全副武装的勇士。这人中等身材，肌肉结实，顶着一头如野兽鬃毛般浓密的乱发，拥有一双宝蓝色的眼睛；身上则穿着灰色土布短外套，外披用带子束紧的高领无袖牛皮短铠甲。他既没有戴头盔，也没有戴帽子，脚上只穿着一双用绳子绑在腿上的羊毛碎布短袜。他那块用木头和牛皮制成的盾牌掉落在几米开外，旁边还有一柄斧头，这是他被拉尔夫制服时掉下来的，但在他身上还藏着一把邪恶的匕首。

拉尔夫对他说：“你是愿意做我的仆人，还是宁愿被杀掉？”这人露齿一笑，狡黠地说道：“我愿服侍你。”“你是真心实意要做我的仆人吗？”拉尔夫问。“为什么不呢？”他说，“但是我要警告你，如果你虐待我，只要我一息尚存就会找机会将这刀子捅向你。”

“噢”，有人说道，“拉尔夫殿下，赶紧刺死他吧！”“不，我不会的，”拉尔夫说，“他既然预先提醒了我，说不定是真心想跟随我。克莱门特大人，你是否愿意借一匹马给我的仆人？”“好的，”克莱门特说，“看来我对你的新仆人有点误会。”然后他转身对勇士们说道：“不要再逗留了，诸位。在敌人们回来之前，赶紧上马离开吧。”

商队即刻启程，沿着山谷中的那条道路离开。拉尔夫让他的仆人骑行在他身边，但一跨上马那人就对拉尔夫说：“你记着，我是不会与我的族人为敌的。”“没有人会命令你这么做，”拉尔夫说，“但你也记得如果你敢与我们为敌，那我就毫不犹豫地杀掉你。”那人答道：“这很公平。”“好，”拉尔夫说，“将你的匕首交由我保管，以防你被它诱惑，要知道冰冷白刃如同少女的身体一样充满魅惑。”

“不，殿下，”他说，“把匕首留给我，你是个善良的人。两小时后我们就远离了我族人，一旦到了山下我就会听你的命令，你让我杀多少人我都会照做，因为他们跟我无亲无故。再说那里的人都是恶霸土匪，绝非善类。”

“那好吧，小子，”拉尔夫笑着说，“暂且让你留着匕首，但要时刻谨记我的话。除非你杀了我，否则你若是伤了我任何一个同伴，我不会马上了结你，而是会活活剥了你的皮。”他回应道：“这是笔合理的买卖，我当然赞同。”拉尔夫说：“很好，那告诉我你的名字吧！”“牛蓬头。”他说。

下坡时的山路比之前好走很多，队伍在快速行进中，所以他们再难找机会聊天。无论处在队头还是队尾，大家都小心谨慎地注意四周，虽然时不时会发现山丘边上有些人群，但那些人并没有再贸然发动进攻。

队伍一刻不停地赶了很久的路，终于在晌午之后抵达山脚下的坡地，那里绿荫丛生，鲜见石砾。举目望去可见不少牲畜以及牧人们，四周散落着农舍的院子，外面还圈着田地。

眼下商队已经到达了人群聚居地，他们打出各自的旗号：艾格尼丝、白帆布、克里斯托弗、航船，以及尼古拉斯号，最后一个旗号来自微特城的商旅护卫队。拉尔夫自愿跟随在圣·尼古拉斯的旗帜下，那是他的老朋友，而且他认定这会给自己带来好运。之所以立即打出旗号是因为他们深知居民们一般不会鲁莽到攻击商队，居民们还等着在商队里交易到所需或者喜欢之物。

商队一行终于不必再忧心安危，于是停下脚步坐在一条小溪边歇息，吃喝了些随身带的干粮和饮品。拉尔夫将自己的那份食物给了他的仆人，他的仆人早就饿坏了，狼吞虎咽地大吃起来。克莱门特见了打趣地说："殿下，就算你贵为王子也未免把仆人养得太好了。你是不是打算把他喂胖了再吃了他？"其他人听了也开起了玩笑，他们戏谑地说少吃点肉，这样就不会长胖，也能多活几天了。听了这些玩笑话，牛蓬头紧缩了眉头愤怒地朝他们一个接一个瞪去。拉尔夫一面大声笑着，一面对他摇摇手指头制止他。他也就作罢，转而干笑几声，然后将食物扫荡一空，酒足饭饱之后还心满意足地叹了口气。

## Chapter 22

# 牛蓬头长谈

等两人重新上马，拉尔夫与牛蓬头并肩前行，牛蓬头吃饱喝足，很是心满意足，他马上说道：“那么你便是国王的儿子了，大人？我一见你就知道你身世不凡。像商人这种庸俗之流，或是只会舞剑的粗人，他们都不知道母系家传何方，更不知晓自己的族谱源自何处，他们的举止动静就显露了他们没有家族传承。”

“那么你的所作所为就值得夸奖了？”拉尔夫道。“他们不都是坏人吗？”牛蓬头反问，“只要他们成为你的敌人。”拉尔夫又道：“那只要进入这座山岭就都是你的敌人了？”“都是，”牛蓬头说道，“但对于他们的亲朋好友来说自然不是。”

“所以说，牛蓬头，”拉尔夫说道，“我一点都不喜欢你的所作所为，你强行掳掠过往行人，夺走他们的平静生活，将他们明码出售，让他们沦为皮鞭下永无出头之日的苦工。”

牛蓬头说道：“这跟商人对债务人，以及庄园领主对佃农做的不是一回事吗？”拉尔夫说：“那可差远了，但凡你明白这一点，你这糊涂的家伙！”牛蓬头回答道：“但我从来都不晓得，也没机会明白。真的，直到你跟我说，我才知道这不是一回事。不过在大人你的手下当奴隶也不一定是一件不堪忍受的苦差事。在我看来他们大多过得挺滋润舒心的，还能用鞭子使唤其他奴隶呢。”



拉尔夫大笑：“那我该让你当哪种奴隶呢，蓬头小可怜？该让你使唤人还是被人使唤？”牛蓬头脸红了，但没再吱声。拉尔夫说道：“又或者我该把你卖到什么地方去，卖个好价钱，才算不枉我这番好运气和英勇作战？”牛蓬头听了马上垂头丧气地说：“别这样。”他的口气软了下来，“你不会把我卖给别人的，是不是？我一直觉得你是一个好主人。”他突然凶狠起来，“况且，要是我沦落到下一任主人手里，我一定会在成交前把他干掉。”

拉尔夫又大笑起来，说道：“看来你也晓得你们的手段多么恶毒，所以你才认为，要是不能跟定一个好主人，与其被卖给别人，还不如被百般折磨（如果你杀了买主肯定会受尽折磨）后来个痛快的了结。”

牛蓬头冷静下来，说道：“哼，别管我们的手段是好是坏，至少我们收获丰厚；要是有什么好的货色，只要让我经手，以我来说是绝对不会卖出去的。”“是吗，你说的是女人？”拉尔夫说道。“就是说嘛，”牛蓬头说道，“我有一族亲叫大鼻子，不久前他才抢了一个到手，但他转手就把她带到集坪山城了。要是让我有机会软玉在怀，我才不会这样做。她不但貌美如花，而且身姿矫健，几乎和一个壮汉一样耐劳；听大鼻子说，她被俘以后，既不哭也没叫，非常安静忍耐，求生意志相当顽强……主人，我能问个问题吗？”“问吧。”拉尔夫说道。牛蓬头便问道：“你脖子上戴着的珠串，是从哪来的？”“这是我一个好友送的礼物。”拉尔夫说道。“一个女人？”牛蓬头说道。“是的。”拉尔夫回答。

“那就有点奇怪了，”牛蓬头说道，“我不知道这珠串代表什么，但那个女人脖子上也戴着一串跟你的珠串类似的珠串，几乎一模一样。你的珠串难道是那个女人给你的？老实告诉你吧，主人，你们两人长得真像，只不过你是男儿身，她是女儿身。”

拉尔夫叹了口气，因为关于这个女人和这珠串的说法又让他想起了之前的经历，往事历历在目。

他大声说：“不，这珠串并不是你说的那个女人给我的，但我现在很想找到你见过的这个女人。因为她很有可能是我的朋友。告诉我，你觉得我有可能从你的族人手上买下她吗？”

牛蓬头摇摇头，说道：“说不准，可能他已经把她卖给一个不那么看重皮囊的人，要知道美貌是她最为过人之处。不过，大人，我一定尽力帮你找到她，因为我认为你是一个王子，绝不是什么坏人。”

“就这么办，”拉尔夫说道，“作为回报我也会尽力满足你其他要求，除了还你自由。”说完他便策马前行，让牛蓬头再也不能搭话，因为他实在太能唠叨了。没过多久拉尔夫便听到身后传来欢声笑语，看来那家伙已经开始跟那些商人插科打诨了。

## Chapter 23

# 集坪山城上的镇子

此刻夜幕已经降临，商队在一片被高大榆树环绕起的空地上搭好了帐篷，将一面面旗帜悬挂在帐篷外以向过路人表明身份。次日，商人及随行人员便早早起床整装货物以便带到市场上出售，一直忙到日上三竿才启程出发。一路上，拉尔夫跟牛蓬头又聊了起来，牛蓬头说："殿下，我劝你到集坪山城的集市后让克莱门特带你去见奴隶贩子，相信我，如果他在近三个月内见过我们说的那位美人他一定有印象，这样或许你能打听到些许她的近况。"

拉尔夫觉得这是个好主意，于是骑马来到克莱门特身边，问了不少关于集坪山城的情况，最后才拐弯抹角问到集市上的奴隶市场。克莱门特说尽管自己并不经手这种买卖，却也常见奴隶们被卖来卖去，并且他认识那里的奴隶贩子。拉尔夫问到那人是否愿意回答买卖男女奴隶的问题时，克莱门特莞尔一笑，说：“当然，他一定会回答的。毕竟他就以此为生，每场奴隶交易他都能从中获利，奴隶们易主越频繁他就赚得越多，你要是向他询问你要找的那位姑娘，他会将其视为一笔新买卖。等我带你去见他，让你好好打听消息，不过或许在推杯换盏间他更容易吐露实情。”

听了这话拉尔夫喜上眉梢，更加迫切想赶到镇上去。

他们沿途经过了比先前所见美丽得多的村庄，等到达城门时夕阳已经快西下。但城墙附近几乎没有茂密大树和灌木丛，克莱门特解释道，那些树木都被故意砍掉以防强盗和敌人以此为掩护偷袭内城。城墙高大敦实，一座巨大的城堡矗立在高岗之上，小镇就建在城堡附近。因此如果小镇被占领，那么城堡里的另一个小镇也会被占领。但除了那座城堡装修得富丽堂皇之外，城堡内的集镇是拉尔夫见过建得最寒酸的，尽管其中也有不少房屋林立。

他们进城时，很多人都聚在门口观望着高举旗帜的商队。拉尔夫看到个别民众样貌不凡，衣着体面，但大部分人都衣不蔽体，看起来贫困潦倒，面黄肌瘦。此外人群中还有不少士兵，他们的袖子大都印有一枚徽章，是一把被血染红的剑。“这是当年占领城堡的那位暴君的象征徽章。他拥有一大批任他调遣的士兵，在他统治下无一人可谓绝对安全，如果哪天他觉得烧杀抢掠比起国泰民安对己更有利，只怕人人都会遭殃。但对于我们商人，”克莱门特轻声对拉尔夫耳语，“他绝不会打扰，否则这地方就别想有生意了，经济总归是好的。”

他们穿过街道抵达集市，这里的集市地域广阔，一派欣欣向荣，城里最精致的房子都集中于此，商队最后抵达一家名为弗里斯的商客旅店，其建筑高大宏伟、装饰不凡。

次日早晨，克莱门特和其他商人带着一些商品作为礼物进入城堡内献给城主。克莱门特吩咐拉尔夫在屋中等他回来，尤其注意要把战俘牛蓬头锁在家免得被人抓走。尽管牛蓬头不情愿，拉尔夫还是照克莱门特的意思让他换上商人学徒的衣服，并剪短了头发。

约莫中午时分，商人们都兴高采烈地回来了。克莱门特递给拉尔夫从城主那儿得来的羊皮纸，上面文函命令所有将领必须协助爱普觅斯的拉尔夫，允许他自由出入。上面还写道，他可以到镇上任何想去之地，但夜幕降临时必须回到弗里斯旅店。

于是拉尔夫在几位军士和其他人的陪同下到镇上随意闲逛，果然无人阻拦，除了守卫禁止他们穿过城堡的外栅。其实，他们也并不想过去，在城堡所在的山坡上他们亲眼看到那位君主残暴独裁的证据，不少男人、女人乃至孩童被锋利的木桩无情地刺穿身体并被悬挂于绞刑架上。可当他们询问当地人为何受刑者会有此遭遇时，那些人只是惊讶地看了他们一眼就缄口离开了。

从那儿出发，他们很快找到了主教堂，这教堂在他们眼里既算不上公正也并不宏伟，虽然外观奇特，但并不耐看。

后来，他们又到达镇上的大花园，那里景色秀丽，里面种植着许多拉尔夫从未见过的花果树木，如柠檬、橙子和石榴，一条方石河道穿行其中，流水潺潺。此时天朗气清，略微有些炎热，他们便在园中休息，直到傍晚才回到弗里斯旅店接受热情款待。

## Chapter 24

# 得知少女下落

第二天，在商人们忙于讨价还价的时候，大多数武装随从，包括拉尔夫，都在花园春色中流连。一些人确实在这里结识了当地的美女；异乡人在这里这么做，不像在其他城镇那么危险，比如在集坪山城；这些女人若不是早已经奉律成婚，又或者处于亲族看护之中，又或者是为人婢妾的女奴，她们都不敢与男人明目张胆地眉来眼去。

到了第三天，拉尔夫觉得日子越来越难熬，商队的人在这里风流快活，他却更希望能尽快找到少女的下落。

但就在一天后，克莱门特过来说要带他去见之前提到的奴隶贩子，他们来到市场的一个角落，那里有很多人在围观奴隶交易。他们穿过人群，在一座能轻易跃上去的石台边上看见了一名高个子男人。他相貌堂堂，蓄着黑色胡须，身穿红衣——正是他们要找的奴隶贩子。他身边还有两名男仆和几个带着武器的护卫为交易坐镇，其中一些人的打扮和山中劫匪极其相似。待价而沽的奴隶一共有十三人，他们在石台上一个挨着一个站起来，以便买家观察。拍卖的过程很漫长，那些竞价的人会仔细检查相中的奴隶，就像买马一样，因此大多数人在出高价竞拍之前，都会到奴隶贩子的货亭里把那些奴隶脱光验货，以防买到的奴隶肢体有残缺或瑕疵——特别是女奴，因为男奴已经几乎全裸了。女奴中有四人比较年轻貌美，于是拉尔夫仔细地打量她们，但她们一点都不像他在找的那个姑娘。

可以想象，这样的交易让拉尔夫恼怒心酸，正如前述，他本人来自一个没有奴隶的国度，那里只有封臣或是自由民；但他还是耐心等到交易结束。等新主人付过定金把奴隶领走后，克莱门特才把拉尔夫带到贩子面前，向他致意问好，说道："大人，这便是我之前提过的骑士小伙，他说有一名女子是他的友人，被带到了这个市场出售，如果可以的话，他想出钱把她赎回。"

贩子客气地招呼拉尔夫，并邀请他和克莱门特去他的小亭子里，以便更私密地交谈。于是他们便去了，贩子对二人盛情款待，案上尽设各色酒水小吃，然后让拉尔夫形容那女子的外貌长相，拉尔夫便像是画画那样细细描摹，而且还拿出他在山中客舍捡到的那片从她裙子上撕下的布料。

等他说完，向来冷静、说话缓慢有力的奴隶贩子开口说道："阁下，我确实见过这位姑娘，但她现在不在我手上，她也不是在我手上转卖出去的。就在几天前，她被一个山里人带到我这里出售，那人叫牛鼻子，也可能叫什么蛮牛族的大鼻子，反正他们那一族很麻烦，都是这么起名的。而我没有接手的原因，是因为她太高傲，脾性太烈，男人都害怕她，不知道把她带走她会干出什么事情。有人让她脱光检查，她一口拒绝，说谁要敢动她她就让谁吃苦头。所以我就跟她的主人说，让他先把人关上一段日子磨磨她的性子，等她变温顺了再把她带回市场来。但他根本没把我说的话听进去，把她带走了，而且是那姑娘骑马，他自己跟着在旁边走，因为这些山里人根本不会骑马。”

拉尔夫说道：“那你知道他会带她去哪吗？”贩子回答道：“我觉得，他应该会先去白城，你的商队伙伴们很快也会动身前往；因为他想要到那里找向来贪图美色的尤特堡城主，他可能会把姑娘作为礼物进贡，当然城主也会回以厚礼，要是他有胆量跟城主讨价还价，也可能会直接把姑娘卖给城主。如果他有脑子的话就该这样做。不过要是她落到城主手里，你再想把她救出来就难上加难了，除非城主厌倦了她，无论是金山银山还是稀世奇珍都不能改变他的心意。唯一可以让你稍感安慰的是，以她的美貌，城主一定会满意的。我敢打包票，她在城主面前绝不敢像在其他人面前那样放肆。”

“那么，”拉尔夫说道，“这位尤特堡城主有什么过人之处，让所有人，无论男女，都闻风丧胆呢？”贩子回答：“尊敬的阁下，请恕我不能再透露更多城主的消息。恐怕你迟早也会遇上他，真有那么一天的话，在他面前切记小心说话。”

拉尔夫向贩子表示感谢，便和克莱门特离开了。一出门他就向克莱门特打听尤特堡城主的底细。克莱门特说道：“愿主保佑不会遇上他，除非敌弱我强。我从没见过他，但所有人都知道他是这片土地上割据统治的几大势力中最可怕的一个，而且，可能也是最强大的一个。”

拉尔夫听了为姑娘感到心酸。他又和牛蓬头提起她，牛蓬头也认为他的亲戚有意将姑娘转手卖给尤特堡城主。虽然拉尔夫已经知道前途多难，但他相信只要知道她的下落，无论是智取还是力夺，他都一定能把她救出来。

## Chapter 25

# 一行人到达白城

短短两天商人们就结束了在集坪山城的生意，他们还要留点货物到其他地方，尤其是去金阁城做买卖。整理一番后，约莫早上十点他们便高举旗帜从大门出发了。

此去白城有五十多英里地，这条大路绵延于山脚之下，是附近过路人去往白城的必经之道。路途两边的耕田和牧场一派欣欣向荣的景象，饲养着不少牲畜。处处可见在地里忙活的男女老少，而仆人的小屋或者农民的木棚却难觅踪迹。时不时地，他们还能看见一幢幢恢宏城堡或华美大屋，以及长排的简陋栅舍，或是些造型古怪，并不美观的长条形宽大房屋。拉尔夫从未见过类似的屋子，于是便询问克莱门特那些怪异房屋的用途，他回答说：“正如我曾提到过的，在地里劳作的并不是自由人，或者说，甚至算不上仆人。他们要么就是跟我们在集坪山城的集市上看到的站在石头上的那些人一样是可以被买卖的奴隶，要么就是那些奴隶的后代，每个人都有可能被带到市场再次出售，而他们往往都是在鞭笞下工作。至于那些栅舍和长条形的肮脏陋舍，就是这些奴隶的避风港。”

拉尔夫的心头一沉，问道：“克莱门特大人，恳求你告诉我，我在寻找的那位姑娘路经此地时是否也会沦落到这般田地？”“不会的，”克莱门特回道，“这不太可能，像她这么标致的货品一定会留给官绅富豪家装点门庭。当然有时候家仆也可能被罚到田里劳作，但绝不会是像她这样的，除非那主人厌倦了她，或者被愤怒冲昏了头脑，因为将她留在家中对主人而言才更合算。所以你可以放心，或许我们到了白城可以打听到些许风声。”

拉尔夫心中的焦虑这才缓解不少，其实他心里一直想着那位姑娘，猜测她会到哪儿去。

直到第三天黄昏时分商队才抵达白城。旅途的最后一天他们见到了卧于大山前的迷宫山丘，小山重重叠叠互为屏障，间或遮挡了行路人的视线。每次从重山缺口处望去，那些山丘就显得无比庞大可怕，黑沉荒凉，石砾遍地。克莱门特说，无论远望还是近观这些山丘都无法让人赏心悦目。其实老早他们就看到了白城，它矗立在山谷尽头的漫漫山脊上，冗长的山脊背后没有一丝绿色，只有绵延巍峨的荒山。夕阳的余晖洒在城墙和房屋上，在悬崖峭壁的映衬下，房屋显得分外亮白。不过克莱门特说，从这到白城还有好一段距离。商队在山谷尽头行进了好一会儿，离白城愈来愈近，拉尔夫望见那里的城墙和城垛并不高，看上去也不算坚实，不过建在如此陡峭的山坡上，想必也不需要固若金汤的围墙。在白城并没有见到像集坪山城里那般恢宏的城堡，整座城池本就不大，只是沿着长长的山脊发展开来。集坪山城的房子全是石头砌成的，而这里则是木屋居多，屋外刷了一层白石膏。不过，这里的气氛倒是比集坪山城活跃得多，在城门口迎接商队的百姓不仅面容没有那么憔悴，而且衣着十分体面。

克莱门特说，白城城主每年都会向集坪山城城主进贡，与其说是出于对他的畏惧，倒不如说是出于对和平的热爱。他是个明君，在他的统治下自由民众都得以安居乐业。

随后，商队在集市上安顿下来，两天之内拉尔夫就跟城内商贸行会会长搭上话，从他口中拉尔夫得知两件事：其一，尤特堡城主近六个月没到过白城；其二，野蛮人确实将那位姑娘带到了集市上，但在带她去那块石头之前就突然消失了，极有可能是他只想将那姑娘卖给尤特堡的城主，他料定尤特堡城主定能让那姑娘轻易就范，也能出个好价钱。“最后，”会长说，“野蛮人带着她向金阁城那边去了，只有他们两人。那姑娘并没有被束缚，而是骑着一匹小马上路的。”对拉尔夫而言这是个十足的好消息，至少找寻她的线索没有中断。但一想到她有可能落在尤特堡城主手上时，他又有些忧心忡忡。

Chapter 26

# 穿过山脉前往金阁城

众人在白色高地等了五日，离开时克莱门特除了安排手下仆从戒备山中猛兽，还雇了一支城主的武装侍卫。待众人各司其职，这支统共有九十人的商队便开始穿过群山关隘。

拉尔夫向牛蓬头打听，若在附近山中遇上匪寇是否皆属其族亲。牛蓬头答说：并不尽然，只有一两人如牛鼻子会偶尔为琐事在此处出没。拉尔夫闻言便备好利剑坚盾，另有精铁头盔，牛蓬头却不愿佩戴，声称利剑与坚盾若不能护己周全，被人砍头也是活该。

一行人在山中走了七天，一路困顿，几经周折，因为此处的岩石仿佛巨石迷阵，荒无人烟，寸草不生，石堆中不时出现的只有矮柳。若非赶路劳累，他们几乎无所畏惧，因为蛮牛族人甚少光顾此处，也没什么野路子敢招惹这支人强马壮的队伍。

赶路第七天接近傍晚时，拉尔夫独自骑马走到牛蓬头前面，他想快点见到这让人气馁的荒野尽头，因为克莱门特说过，只要开始下坡，见到水往东流，那就意味着快要走出石阵。于是众人一直前行，此时已近日暮，他们还能见到前面悬崖下有块巨石，旁边隐约有埋伏。他们再走近，才发现是一名汉子向后倒伏，似乎早已身亡。于是牛蓬头驭马向前走去，到了那汉子身边停住才纵身下马。不曾想他弯腰细细端详之后，竟高举双手，长声哀号，一阵紧接一阵，惊得其余旅伴都策马前来一窥究竟。拉尔夫跃下马，冲到牛蓬头身边问："你怎么哭起来了？这是何人？"可牛蓬头转过身来对着他失神摇头，说道："这是我族人，就是他带走了你那至亲好友，定是她出手杀人，只不知道她为何失去踪影，哎呀！哎呀呀！"霎时间，另一桩在荒野中的杀戮窜上了拉尔夫心头，使他如火灼般激荡，他绞着双手，大喊道："啊，她在何处，她在何方？上天竟忍心再夺我心上人？实在叫人神伤！"

然后他便拔剑狂奔，在石堆与灌木丛中寻找她的尸体。

这时克莱门特还有其他旅伴，都走上前来，震惊不已地看着牛蓬头跪在一具尸体旁号啕大哭，拉尔夫在四周奔走，失魂落魄，大喊道："啊！我要找到她。也许她还在世，就在这附近某处，身陷在这凄凉荒野的某处石缝中。噢，我的爱人，你既然把她托付于我，又怎么忍心只让我见到尸体？若她果真香消玉殒，且让我自戮，纵然英年早逝，我也要离开人间与你们同在，既然你们都已离开人世。"

克莱门特走近拉尔夫，想让他把事情原原本本细说一遍，以防另有隐情。但拉尔夫只是状若癫狂地盯着他，一言不发。

而牛蓬头双膝跪地，大吼道："他在找那个女人，我巴不得他马上找到她，就让我在族人坟前血债血偿。是她杀了他，一定是她出手杀了他！"

拉尔夫闻言，马上手持利剑往牛蓬头飞奔而去。但克莱门特伸出脚把他绊倒，他手里的剑顺势飞了出去。然后克莱门特和另外两人便用缰绳将他双手束缚，以便详询来龙去脉。他们都以为拉尔夫被恶鬼附体，唯恐他出手伤己或是伤人。

商队其余的人都赶了过来，他们把拉尔夫和牛蓬头，还有死尸，围成了一个圈。那人已死去多时，起码数日，但暴露在寒冷空气之中，他的遗骸，任冷风呼啸穿梭，并没有腐烂，只是干枯。他脸上那硕大的鹰钩鼻和一头乌黑长发清晰可辨，只不过大好头颅被人开了瓢。

牛蓬头哀悼族人的哭嚎已告一段落，他似乎刚从梦中苏醒，看着围成一圈的商队众人道："死者为大，大人们！现在要如何处置我呢？诸位听说过，又或者照你们的风俗是如此行事吗？一个人见到他一母所出的兄弟遗体，像对一条狗的尸体那样，抓住脚把他翻过身去，便上路离开？我恳求诸位，虽然我是一名战俘，请允许我把兄弟好生安葬，在山野间为他造坟安身。"

众人皆嗫嚅称是，除了拉尔夫跌倒在地刚清醒过来。如今他起身站在克莱门特和商队队长中间，队长见其他人都已赶到，便帮他将双手松绑。拉尔夫垂着头，似乎在为自己的失态而惭愧。可当牛蓬头一开口，其余人等应声附和，他却余怒未消、强自镇定地对牛蓬头说道："你方才为何说要让她血溅当场？”“你找到她了？”牛蓬头问道。“没有。”拉尔夫闷闷不乐地说。“那好，”牛蓬头说道，“等你找到她的人，我们再说。”拉尔夫说道：“你凭什么说是她杀了你族人？”“我一见他死了就头脑发昏，”牛蓬头说道，“但我现在只是说可能是她杀的。”

“也可能不是，”克莱门特说道，“他头上的这道裂口是直接击穿头盔造成的，这头盔估摸是在集坪山镇买的，因为我在那里的武器商铺见过一样的，只有孔武有力的汉子才有如此力气。”

“不错，”商队队长接话，“而且用的是一把巨剑，你可以看到这大力士挥剑的划痕。”

牛蓬头说道：“如此说来，我的主人是要让我放弃为兄弟之死复仇吗？又或者我该在权势面前忍气吞声？若是这样，请主人现在便将我手刃，因为我不过是名奴隶。”拉尔夫说道：“你想如何便如何，我也会随心行事。假若她真的杀了他，也不过是因为他先出手劫掳了她。”“这话倒是不错，”队长说道，“但拉尔夫先生，请你听听一个老武将的忠言，铁定不是那姑娘杀的人；不是那位姑娘，任何女人都不可能。”

克莱门特说道：“这话先就此打住。告诉我，拉尔夫殿下，你如今既已恢复神智，打算怎么办呢？”拉尔夫说道：“我要在这附近的荒野中寻觅，说不定姑娘被人推到岩石缝隙或是山洞之中，生死未明。”

“那好，”克莱门特说道，“我建议这样，既然牛蓬头要安葬他的兄弟，拉尔夫殿下也要寻人，此处离水源不远，太阳也快下山了，我们就在此处安营休息到明日，且看凉夜是否能为我们带来良策。诸位意下如何？”

无人反对，众人便开始安置营地，点燃灶火，牛蓬头马上着手为族亲挖坟，而拉尔夫与队长及另外四人则在四周散开，仔细搜索每处岩石缝隙，但都没有找到姑娘踪影，又或是她留下的任何痕迹。他们锲而不舍地搜寻，等他们回到营地，早已入夜，明月高悬，牛蓬头站在他兄弟牛鼻子的坟前，坟头就高耸在他们原来找到尸体的地方。

牛蓬头见到他，转身向他说道：“王子殿下，我眼下心事已了。现在，你要为我犯的错杀了我，还是让我依然在你手下为你效忠，直到血仇再现？”拉尔夫说道：“你要为我效忠，帮我找到杀害你兄弟的凶手，解救姑娘；事已至此，我们在此地未能发现姑娘的生死行踪。等到了明日，我们再上马往远处寻觅。”“遵命，”牛蓬头说道，“明日我也加入搜索。”

于是众人各自前去就寝，只有拉尔夫久久不能入眠，思绪万千。直到他向自己保证，这位自称多萝西娅的女子，肯定尚在人世，一定知道他在苦苦追寻她。他的目光穿过漫漫夜幕，来到少女身边，她就如初次见面时那样，穿着那件宝绿色的绣花裙，在一间用大理石建造的金碧辉煌的宽敞房间里来回踱步，为自己沦为阶下囚悲叹泪流，焦灼地等待着信使的到来。又或许，他睡着了，脑中浮现的只是一场幻影，而非确凿发生过的记忆影像。总之，看见她的身影，他的灵魂如沐甘露。

## Chapter 27

# 金阁城的故事

天一亮，他就早早起来叫醒了牛蓬头和队长到昨天入夜前未去过的几个地方去找那被掳走少女的尸体，连昨天来时的那条路也折返回去搜寻很久，但仍然一无所获。拉尔夫自言自语道，这只不过是昨晚幻梦之后他的一丝期望。

结伴回去的路途上，他有些难为情，毕竟被人瞧见了自己谵妄失措的模样，但现在他的心情较之前要愉悦一些。拉尔夫与克莱门特并肩骑着马，迅速奔下山坡，而后周围更加荒芜，处处可见野草遍地，灌木丛生。湍急的溪流在岩石中劈开一条小径，如今溪水更加丰沛。午后他们沿着小径爬上了横亘大路上的陡峭山脉，从山顶向下便可再次俯视空旷的村野。不过这跟他们从集坪山上的山眉处眺望不同：他们刚走过的白城外的山脉此刻看起来就像是这片旷野的城墙；但从这儿向下看，脚下的土地看起来似乎只是广阔无垠的平原，没有起伏的山丘，除了在远处有个地方与众不同，其中某处似乎比其他地方明亮得多。克莱门特告诉拉尔夫那便是金阁城，位于群山之间，城虽不大，但建在平原中陡峭的山坡上。至于那个平原，克莱门特说，就算从这儿俯视也可以看出它并非完全平坦，偶尔可见丘陵和矮山。他接着说，金阁城是个美丽的城市，创始君主将山中杰出的泥瓦匠、木匠和巧匠召集起来，让他们将这里打造得极尽华美，让这里没有辛劳和痛苦。其实，创始君主认为自己能找到世界尽头的水井，饮下井水后便可长生不老、永葆青春，因此他才建了这座城，供自己度过幸福快乐而漫长的一生。有人称他已经找到了那口井并喝过了井水，但也有人称这消息是子虚乌有。不过，所有人都知道在他死于混战之前金阁城并未竣工，原本打算为这座造型独特的城镇铺上鹅卵石的计划也并未实现。

克莱门特称，在这位幸福的君主去世后事情并没有他之前期望的那么好。原本按他的意愿，金阁城的居民无论服务或者被服务者皆应安居乐业。但事实远非如此，这里穷人远比富人多得多。

他继续说道，虽然金阁城的劳动者跟山外的人不同，他们大多都不是奴隶，但正因为如此他们的日子过得同样艰难。因为虽然他们不属于某位主人，但是如果他们有主人的话至少会让他们填饱肚子。他们也不属于庄园，而是通过为庄园主耕地或是饲养牲畜而谋生。他们也无须与压迫者或是暴君抗争，因此他们辛苦劳作直至死去都无人知晓，除非他们手中有些好营生。他们甚至认为犁地的牲畜都比自己重要，至少得用钱换牲畜，还得喂饱它们的肚子。而这些可怜人是没有价值的，他们人数太多，如果其中一个死去，另外一个就会接过他的活儿，这样或许能暂时免于饿死。

## Chapter 28

# 抵达金阁城

晚上他们露宿于群山之中，更准确地说，他们是在山脚下最近的丘陵区入眠。次日一早，他们就启程下山，向低地前进，但在那附近丝毫寻不到金阁城的踪迹。前路漫漫，他们接连赶了四天的路，沿途都是精耕细作的农田，但大部分房屋却显得有些寒酸。村野里布满小山丘、盆地及高地，再次见到金阁城之时，骄阳早已升起。这座城一部分建造在一条绵延山脊及其向河流方向凸出的三座小丘上，一部分建在河流一侧平坦的浅滩上，河流的两侧分别面向山脉和平原。不过一堵高大的白色城墙将其包围起来，城墙向右延伸，横跨河面成了一座桥，而在平原那面的城垛则被筑得非常高，仿佛可与群山屏障比肩。他们到达此处后，发现高高的城墙将城内遮得严严实实，因而几乎无法窥见城内之景，唯一可见的就只剩几个塔尖或者高塔之顶。

他们靠近城门后便展开自己的商队旗子，然后便径直进了城。城中百姓蜂拥而至，挤在城门口看着这支骑行商队。他们一个个通过了城门旁的小门，而城门本身极高，以巨型砖石建造而成。进入城内，便是一条高大深幽的门厅，门厅顶部呈完美的拱形；走到门厅中部时他们右转穿过了一座宏伟的拱门，映入眼帘的是一条无比深长的厅廊，但比前面那条略低一些，在面向城内的墙壁上装点着许多玻璃窗；透过窗户他们看到下方奔腾的河流，除此外只能看到城里低矮的桥梁；之后他们还看到在这座长桥的拱顶上一座城堡拔地而起，楼宇一层叠着一层，直到其城垛与山顶城墙内最高的塔一般高。

随后他们穿过桥梁，向左转走到桥尽头，然后进入沃特街，此地河流两侧皆为宽阔的码头，河水流淌于房屋之间。至于房屋这边，在其下方则有一条类似大修道院回廊的拱形过道，沿着这条街道建造的房屋都豪华精致堪比宫殿。这些宅邸皆以白、红、灰三色砖石打造，回廊上耸立着匀称美观的石柱，柱子上雕刻着富有意象的图案并以花簇装点，窗棂内均镶嵌着华彩琉璃，精美非凡。在河面上停泊着高大的驳船，以及一些不适于远洋航海的船只，这些内河船舶可穿越桥洞，船上桅杆可放下吊装货物。

不少人聚集此处围观商人入城，但对于这座繁华的城镇而言，来的人并不算多，其中大部分城民穿着素朴，面容枯槁，大声叫嚷着祈求商人的施舍。不过也有一些人衣着华丽，其雍容华贵的程度与拉尔夫自离开爱普觅斯后所见的任何富贵人家相差无几。富人中不少都是妇女，她们的穿着和装扮让拉尔夫想起了早在四湾镇所见的戴穗族的女人，不过她们都衣着轻薄，略显轻浮。而那些穷困者，虽非奴隶，但也有不少人背负着沉重劳役。克莱门特告诉拉尔夫，虽耕种者、牧民、伐木工和汲水者都并非奴隶，但富人会为自己的宅邸购买些男男女女，用于供自己享乐或者其他目的。

他们骑着马继续向位于市场内的旅店走去，该旅店位于河流后面，山脊和某个桥墩的交汇处。市场里随处可见美轮美奂的居所，与先前所见的宅邸一样宏伟。但是在山脉那侧，除了那座城堡和女王宫殿（统治金阁城的女王住在那里）外，其他房屋低矮残破，以木桩和泥土粗糙搭建而成，屋顶上则覆盖着稻草、芦苇或木瓦。大教堂只位于市场的一侧，虽然这里的民众有些粗鄙，并且对基督徒的信仰一无所知，不过大教堂还是精致而考究，其塔尖和钟楼高耸入云，其建筑可谓匠心独运，极其奢华。

他们终于到达下榻的旅店，拉尔夫从未见过类似的地方，其庭院不仅宽广，而且还种满了鲜花和果树，在庭院正中间是一个以形状美观、色彩多样的大理石打造而成的活水喷泉。庭院四周的走廊皆以拱门和石柱组成，其华美程度不亚于主教大教堂内的回廊，而贵宾大厅也采用相似样式，顶部是气势恢宏的拱顶，四周环绕着一排排立柱。

大家都满心欢喜地住了进来，而拉尔夫还注意到，虽然房间建造得华丽精致，但其门帘床榻、矮凳高椅和其他屋内陈设却并不比其他富足城镇上的旅店华贵或精致。

大家纷纷回房入睡，拉尔夫如往常一样，睡得非常踏实，一夜无梦。

## Chapter 29

# 金阁城王后

次日清晨，拉尔夫和克莱门特在大厅交谈。克莱门特说："拉尔夫殿下，正如我在微特城告诉你的，这里就是我们商队旅途的终点，大概二十天后我们就会返程。但我猜你定想继续寻找那位姑娘，并追寻梦寐以求之物。我们在金阁城时你大可四处打探消息，但务必及时回来与我们告别。此外，若有需要可挑几位勇士任你差遣，他们都愿追随你。但这些天你若竭力找寻还是一无所获，我建议并恳请你随我们返程，一起回到爰普觅斯，在那儿你不仅能衣食无忧，且更利于巩固你父王的江山社稷。我想这比冒着生命危险寻找一个姑娘要好得多，毕竟你找到她后或许会发现她对你毫无意义。这也远比寻找什么海市蜃楼务实得多，纵然踏遍天涯海角你或许也永远搜寻不到。我知道你想找到世界尽头的水井，可谁知道它是不是真正存在呢？跟我们回去吧，你还是那位英俊年轻的王子，如果你想要财富，我会尽力辅助你，让你生活富足。想想看，孩子，在爱普觅斯还有深爱你的人，你的教母，我的妻子凯瑟琳。”

拉尔夫说：“克莱门特大人，谢谢你为我所说所做的一切，衷心感谢你的建议。固然你的理由十分充分，无论从哪个方面看我似乎都不得不听从，但是如果在你回去前我还没找到那位姑娘，我会留在此地继续寻找她。如果我辜负了你和教母的期望，希望你们能谅解。当然，也请爱普觅斯原谅我。但我不能辜负奥斯蒙德公爵在爱普觅斯的圣劳伦斯大教堂为我授予骑士勋位时我所作出的誓言，我必须坚持寻找。”

克莱门特说：“在我看来原因不止于此，你如此年轻，爱情和渴望早已超过了骑士誓言对你的约束。好吧，看来你是非找到她不可，想必她是这世上你唯一的爱人吧。”

“不，并不是这样的，克莱门特大人，”拉尔夫说，“看来我只得将心里话告诉你，你才会相信我所言非虚。自离开爱普觅斯后，我就饱受爱情的折磨，我深深爱上了一个女人。我曾经得到过她的爱，可惜死亡将她从我身边夺走。你相信我的话吗？”

“当然相信，”克莱门特说，“以你的年纪，只要爱情之树不曾被连根拔起，那总有一天会重新发芽。”拉尔夫有些悲伤，说：“请您回家后务必告诉我教母这件事。”克莱门特点点头答应了，片刻后拉尔夫继续说：“我得开始在金阁城继续打听消息了，还得拜托你带我去见见商贩们或是任何可能听过、见过那位姑娘的人。”

说这番话时他焦虑地看着克莱门特，克莱门特不禁浅笑，心中暗自感叹，要看透拉尔夫的心事简直就跟从敞开的窗户瞧窗内的房间一样简单，不过他还是回答道：“别担心，我会安排的，我是你的朋友，不是师长。”

随后他与拉尔夫暂时分开，而后三天他带着拉尔夫见了不少可能知道消息之人。但所有人都说他们并未见过那个姑娘，至于尤特堡城主，近三个月他也没来过金阁城。其中一个商人说：“克莱门特大人，如果这个年轻人执意要去尤特堡，他就是在亲自葬送自己的生命，你对此再了解不过。我建议你带他先去见我们的女王，女王心地善良，仁慈友爱，即使不能帮他找到人，也至少会为他给尤特堡城主写封信，保全他的性命。毕竟没人敢违背女王的意思，否则早晚会为此付出代价。”克莱门特回道：“您真是深谋远虑，就按您说的办。”

这样又过去了四天，其间拉尔夫四处向过往的行人打听那位姑娘和尤特堡城主的消息，其中不乏新入城者，从山野丛林来的猎人、远航归来的水手等。牛蓬头也同样四处打探，不过与拉尔夫直接询问消息不同，牛蓬头十分警觉，他更愿意让人们主动谈起他想知道的事情，避免开口询问从而暴露了自己的想法。但是结果都一样，两人均一无所获。尤特堡城主的名号（牛蓬头甚至都没有提及）就足以封住大家的口舌，一旦被提及就引得众人避而远之。

等到第五天，克莱门特找到拉尔夫说：“现在可否允许我带你去见见女王，她年轻貌美又才智出众，虽然我不敢打包票，但你很可能一见到她就不会再继续搜寻之旅了。要我说，你在这里待上一辈子也比终生周旋于粗野村民中历经磨难好得多。

当然了，以你的堂堂相貌，出众才智，伶俐口齿，与高贵血统，一定能打动她。”

这些话让拉尔夫不觉红了脸，但没有回话。随后二人一道去了女王的宫殿，这座宫殿就像是一座充满魅力的天堂王国，殿内的大理石柱均镀着金箔，耀眼夺目，柱身上精心雕刻着花纹。墙上并没有挂太多装饰，因为墙面本身就被精心雕刻并喷绘着精妙绝伦的画作。此外，地板也极其考究，似乎是专为美人的玉足而制。这宫殿竟然建在花园之中，这样的布局他们从未见过。

他们没有过多停留，径直步入宫殿内，并在侍从的带领下来到女王最里间的寝殿。如果说宫殿的其他房间都美轮美奂，那这间房可谓鬼斧神工、匠心独运，整个房间好似并非出自泥瓦匠和雕刻家之手，而是由金匠和宝石匠精心打造的。但克莱门特听闻，女王才是这里最美的风景。

女王开口对克莱门特说：“你好，商人。这就是你提到的那位年轻骑士吗，听说他要找寻落入坏人之手的爱人？”

“可以这么说。”克莱门特说道。但拉尔夫解释道：“不，女王，我在寻找的那位姑娘只是我的朋友并不是我的爱人。我的爱人已经去世了。”

女王看着他脸上带着和善的微笑，但又稍显为难。她说：“商人先生，你没必要特意留下，感谢你带着这位朋友来见我们，你已被获准离开。但这位年轻人并无急事，如果他愿意跟我们相处些时日，将是我们的荣幸。”

于是，克莱门特在向女王致敬后就转身离去。女王示意拉尔夫坐在她面前，听他吐露心中苦闷之事。她温柔友好的目光好似要将拉尔夫的心融化，可奔涌而出的泪水让他难以开口。而后拉尔夫竟当着女王的面放声痛哭起来。女王只是静静地凝视着他，脸上不时泛起红晕，双唇微颤，只任他哭泣。拉尔夫当时丝毫没有顾虑到她，也没有思及自己，更没有注意到她鲜少显露的亲和温柔。过了好一会儿，他终于稳定了情绪，开始倾诉自己所经历的一切苦痛，而且打开了话匣子就根本停不下来。对拉尔夫而言，能在她面前倾吐自己的痛苦和希冀是多么美妙啊。女王从未打断他，只是时而听听，时而不听，但眼神从未离开过他身上，偶尔斜着眼瞄着他，面露羞涩。至于拉尔夫，他当然注意到了女王俏丽的脸庞和温良的性情，也真心感受到她的亲切可人，但心里却只将她当作壁画上的某位美人一般，并没有动心动情。

等他说完之后，女王沉默了片刻才开口说道："你母亲一定很难过，因为你不能在宫中陪伴她，而那里的一切都对你无比友善而熟悉。你正在寻找的或许是一个根本不存在的东西，或许就算你找到了也毫无意义，即使有也不过是对你忠诚和勇敢的奖励。但在家里你就能轻而易举获得你想要的一切。"

顿了顿，她继续说道："其实我真心希望你的家就在金阁城。"

他苦笑着看了看女王，脸上并未露出丝毫惊讶之色，因为他心中从未在意过她，只是回复道："尊贵的女王陛下，你对我的好让我无以言表。可是你看，我拥有过一个家，而后远走他方，后来又失去了另一个曾竭力追求的家，如今的我已是无家可归。也许在不久的将来我会回到最初的家乡，偶尔也会想想它将如何看待我。只道是物是人非，那片土地依旧祥和而亲切，而我却是满心伤痕。”

“不必过分担忧，”她说，“还是那句话，在家乡你将如从前一般备受疼爱。”

说完她便陷入沉默，而拉尔夫也无心多言。片刻过去，女王叹了口气说：“殿下，你在这里能来去自如，但是我不能，黎民百姓等着朝见我，诸事朝政待我处理，所以恳请你三天后再来，其间我将帮你打探消息，或许能让你尽快去极厄高地，那儿靠近尤特堡，也是最后一个我们有所耳闻的城镇了。我会为你给尤特堡城主写封信，如果我在他心中还有分量，无论视我为敌人还是朋友，这封信都足以让他重视。请三天后再来取吧。”

她起身，牵起拉尔夫的手，亲自将他送到了宫殿大门处。离开前拉尔夫谢过女王的恩典，并且对她刚才说的那番殷勤而温柔的话语深感讶异。

接下来的三天，拉尔夫一直四处奔走打探消息，他的声名很快传到方圆百里，街头巷尾都议论纷纷。到了约定的时间，他再次来到女王的宫殿，并且如同从前一样直接被带到了寝宫，那里只有她独自一人。女王非常热情地对他的到来表示欢迎，始终面带微笑，但拉尔夫还是察觉了她脸上藏不住的失落和憔悴。女王让拉尔夫靠近自己坐下来，然后问：“你有没有打听到关于那位姑娘的消息？”“没有，”他说，“所以我现在打算出城去继续寻找。有几位要好的伙伴也会陪我一段路程。请问你呢？女王，你是否打听到些许线索？”

“关于那位姑娘我没有打听到任何消息，”她说，“我倒是知道些别的事。克莱门特曾提过你在寻找世界尽头的水井，而尤特堡是寻找此井的必经之路。希望你能找到，也希望它给你带来比给我那位长辈更多的福祉。他原先成长于金阁城荒野中，直到死于某场战役前，那水井带给他的只有僵硬和迷惘罢了。寻井人，一旦失败便冥殇于此，就算赢了也不过是收获羞愧和苦痛而已。”

她含情脉脉地看着他说：“但你跟他不同。若你饮过那井水请务必回到爱普觅斯，回到父母身边，回归你的子民和家乡。现在请拿上这封信，谨记要亲自交给尤特堡城主，或许他并不像传说中所说的那么邪恶。”

女王将信交给拉尔夫，继续说：“还有一事，若你在这附近遇到麻烦欢迎随时来找我。无论你遇到什么困境或犯了什么事，这里的大门永远向你敞开，永远欢迎你这位朋友。”

她说这番话时声音有些颤抖，随后又静默片刻，稍微稳定了自己的感情，再接着说道：“我不想对你撒谎，我最后还有几句心里话。你曾说那位失踪的姑娘是你的朋友而非爱人，噢，原本我也可以成为你的朋友。但我越来越清晰地认识到这并不现实，你一心只想完成自己的使命，或许会有人伴你同行但绝不可能是我。亲爱的朋友，你突然闯入我的生活让我深深爱上了你，可短短几天后又要与你告别。这听起来多不可思议啊，连我自己也不敢相信。再见，再见。”

随后她起身，再次牵起了拉尔夫的手，与他并肩走到门口。

拉尔夫内心感到无比悲伤和讶异，他从来没有思考过她的感情，否则一定能察觉到她的爱意。拉尔夫原以为她是个幸福快乐而位高权重者，只将自己当成无助的漂泊者来同情。他被这番话弄得手足无措，无地自容。自己给她带来这么大的痛苦，却不知该如何安慰。他不敢看她，更不知道自己该做什么、该说什么。

拉尔夫只能独自离开女王的寝宫，脚下的路似乎变得越来越炙热。

## Chapter 30

# 找到圣井消息

拉尔夫朝克莱门特走去，告诉他自己没必要留在金阁城等着与大家分别，他想去外面继续开始找寻，因为毫无疑问在金阁城里打听不到更多的消息。克莱门特笑着说："别急，拉尔夫大人，你或许还可以探得些许信息。""什么！"拉尔夫说，"难道你打听到新消息了？"克莱门特说："这里有个人一直在打听你，他说自己认识位智者，他能告诉你很多世界尽头的水井的情况。我问他是否知道那位小姐和尤特堡城主的消息时，他表示肯定，但只愿意私下告诉你一人。所以我让他先回去了，等你在的时候再过来。我想他也不会待太久。"

此时，他们二人正坐在旅店大厅外的长椅上，与大门之间隔着庭院，拉尔夫说："告诉我，你觉得他这个人是好是坏？"克莱门特答道："有些难以捉摸，不过他至少看起来并非凶猛残暴之徒，也没有半点虚伪狡猾的迹象，不过我觉得他可能被阉割过。看，他穿过院子走来了。”

拉尔夫望去，只见附近果然有个人，他直接朝他们走过来，并鞠了一躬，然后站在一边等待二位吩咐。此人身材矮胖，面色苍白，两颊泛红，一头金黄的长卷发，下巴上的红色胡须略显稀薄，拥有一双蓝色的眼睛。总体而言，他的样貌并不像这里的本地人。他穿着花哨，一袭橘色与褐色相间的镶银边大衣，缀以多彩刺绣。

克莱门特对着那人说道：“这就是我跟你提过的想去东边探险的年轻骑士，他想去看看那里是否有他曾听说过的世界尽头的水井。”

来访者再次朝他们鞠了一躬，以非常轻的声音说话，似乎是个羞涩的人，而且内心有些畏惧：“大人们，我知道很多关于那水井和寻井者的传说。第一件我必须告诉你的事情就是途中必经过极厄高地，我可以指出那条路，也可以给任何一个想去探寻的优秀骑士带路，而且，我还认识一位智者就住在那附近，他如果愿意的话，可以让寻井者踏上正确的道路。”

他斜着眼望向拉尔夫，这番话让拉尔夫面色绯红，眼睛炯炯发亮。克莱门特却说：“没错，看着确实不错，不过听着，前去的道路难道不是危机四伏吗？”此人说道：“如果没能像我一样从尤特堡主那获取到通行证，你或许甚至可以将其称之为死路一条。但如果有了这张羊皮纸通行证，哪怕是小儿妇孺也可毫发无损地通过那条路。”“从哪儿可以得到你说的那张通行证？”克莱门特问。“这儿就有。”来访者一边说着一边从自己的衣袋中掏出一张羊皮卷纸，在他们面前打开，然后他们一起阅览上面的文字。毫无疑问它可以让任何人通行无阻，吟游诗人莫芬（对他来说这种称谓倒更加亲切）也曾拜它所赐，承受着惹怒尤特堡城主的痛苦。这张通行证颁发的日期是三个月前。

克莱门特说：“很好，这张通行证。你看，拉尔夫，这上面的尤特堡印章，是一头熊靠在城墙上。没人敢仿造这个印章，除非是活腻了想受尽折磨。”

拉尔夫微笑着说：“你瞧，克莱门特大人，我们必须在此别过了，此人的到来更加速了我们的分别。不过不管他在不在，离别之日终会来临。你是不是不愿看到可以取悦我或协助我的人，而更期望在你们离开后将我留在金阁城？如果这样，那我的探险之旅将一无所获，只能拖着无所事事的身体在大街上游荡，最后，或许没有向导也没有通行证就独自踏上凶险之旅。”

“是啊，年轻人，”克莱门特大人说，“我清楚你一定会选择你想要走的路，但是我挺乐意，这也曾是我的梦想。”他沉默了片刻，然后说，“我想你可以带着你的仆人牛蓬头，他是个壮实的武士，虽然他是个野蛮人但我觉得他很可靠。但是要以一人之力保护独自踏上险途的旅人，力量还是太单薄，如果你愿意，我可以让商队里的十多位将士追随你而去，当然你也知道，我也可以轻易雇佣到其他人。或者你还可以问问金阁城女王是否可以给你二十位武士，就我那天观察而言，她似乎很少会拒绝你的请求。”

拉尔夫羞红了脸，说：“不，我不会去请求她的帮助。”然后他默不作声，来访者看看这边又看看那边，也没有说话。

最终，拉尔夫开口说道：“看看你，克莱门特，我的朋友，我知道你衷心希望我能一路平安，甚至不惜让自己蒙受损失，我真心感谢。但是我想最好的方式还是将我交到这个人手里，毕竟他是手中握有尤特堡通行证的人。而且，我有所耳闻，无论是十个还是二十个武士，或者哪怕有一百个武士都不可能在尤特堡杀开一条血路。树大招风，人数过多容易引来民众注目，而如果只是两个人同行，哪怕位高权重的这位没有通行证也不会遭到挑衅。”克莱门特叹了口气，咕哝几句，然后说：“好的，殿下，或许你说的是对的。”

“没错，”领路人说道，“他说的没错，我本来以为你不信任我，所以有些话没说。告诉你们，从来没有哪个无名军团在尤特堡城主的领土获胜过，甚至在尤特堡和其他地方之间的争议地区也没有。”

他说这话的时候，拉尔夫朝他友善地点点头，而克莱门特则一脸严肃地注视着他。

拉尔夫说：“至于牛蓬头，我会尽快去见他。但我不会带他一起，因为我怕万一他的豪情壮志与日俱增，将我带入重重险境中难以逃出。”

“好吧，”克莱门特说，“那你什么时候出发？”“明天，”拉尔夫说，“如果我的同伴届时为我准备妥当。”“我时刻准备着，”那人说，“如果你明天正午两小时前出发，我希望你能骑一匹快马，带上我们旅途中所需之物。那么，现在我请求先行离开。”“你可以走了。”克莱门特说。

那人离开后，克莱门特说：“好吧，我从没想过事情会是这样。我担心你的教母可能不会对我满意了，前面这条路实在凶险。”“是啊，”拉尔夫说，“但回报也同样可观。”克莱门特笑了笑，叹了口气，说：“好的，年轻人，在你之前也有不少人这么想过，他们或聪慧或愚笨。”拉尔夫看着他，面色绯红，然后与他稍微拉开点距离，在回廊上来回踱步，思考这些事情。无论他会怎么做，他的眼前始终挥之不去的是一个纤瘦的身影，他曾满心欢喜地在伯顿乡见过的那个身影。他内心大声地对自己说：“她一定需要我，无论我愿意与否，她都将我慢慢地拽向她。”这样，一天又过去了。

Chapter 31

# 启程去尤特堡

次日清晨，拉尔夫起身并叫醒了牛蓬头。对他说：“牛蓬头，你是我的战俘。”牛蓬头点点头，但是却皱起了眉头。拉尔夫说：“如果我有充分的理由让你做一件事，你就一定会去做是吗？”“当然。”牛蓬头肯定道。“很好，”拉尔夫说，“我打算继续向东探险，而你不能再跟着我。所以我命令你拿着这块金币带着我的祝愿去享受自由吧。”牛蓬头的脸上闪过一丝喜色，眼睛炯炯发亮，不过他说：“遵命，王子，可是为什么不带着我一起呢？”拉尔夫说：“前方路途险恶，你跟着我只会平添风险，也会加重我的负担。你也知道我还有任务在身，但那是我的私事。”

牛蓬头思忖片刻说：“殿下，一开始我还以为我们能一起完成任务，看起来也不无可能。但你说得没错，如果在此刻分离，旅途的风险会小得多。我想告诉你的是，假如你遇到了我的族人，请放心，你不会有任何危险，他们反而会尽力帮助你。”

话音刚落，牛蓬头握住拉尔夫的手，亲吻他，然后从衣服里掏出一个小小的兽皮钱包。这个钱包由小块的兽皮拼接而成，上面还绣着一对公牛角。随后他弯腰在脚下的草地上扯了一条坚韧的纤长藤蔓（他们正位于旅店的花园中），然后迅速折出一个造型怪异、交织重叠的藤蔓结。他将兽皮钱包打开，把藤蔓结放于其中，然后对拉尔夫说：“王子，此信物为本族象征，我族人一看到它就知道你是我的兄弟。要是你被大火包围或是被刀架了脖子，只要大声喊出‘我是蛮牛族的兄弟’，那么在附近的我的同族人都会赶过来帮你，视你如挚友。我得跟你告别了，或许在遥远的东方你能再次听到我的消息。”两人分别后，拉尔夫随克莱门特一道去了金阁城的城门口，并在那儿与他道别。分别时刻，克莱门特说：“我现在与我妻子凯瑟琳一样似乎也有些预感，我们应该会在坞镇和爱普觅斯再见，到那时你肯定已名扬四海。这就是我最后想对你说的。”话毕，商队便驾马离开。拉尔夫也骑上马开启了他新的旅程。

拉尔夫跟着领路人从城门出发，在走出弓箭的射程范围之后，两人相互朝对方致敬。这位领路人的穿着与昨日无异，他骑着一匹健壮的黑马，马背上还驮着几个鞍囊。但他并没有带武器，只背了一个小包，其中一侧的口袋放了几把小刀，另外一侧则放了一把小提琴。拉尔夫朝他笑了笑说：“你没带任何武器，是吧？”“要武器做什么？”他反问道，“我们又不用打仗。这就是我的武器。”他指了指自己的小提琴，“这也是我的耕地和牧场，我能用它给你弄到新鲜的肉食和面包，有时说不定还能弄到点酒。”

随后二人继续赶路，这位同伴似乎心情甚好。拉尔夫对他说:“我们将相处很长时间,所以我有必要问一下你怎么称呼？”他说：“尊贵的大人，我是吟游诗人莫芬，你的仆人，也有人叫我阉人莫芬。你不想知道我刚提到那个私密称号是怎么来的吗？”“好吧，”拉尔夫红了脸，“是与一位女子有关吗？”“正是，”莫芬说，“我被束缚在极厄高地时听闻有位年轻的王子在金阁城四处打探消息，所以心想或许能助你一臂之力，顺便也拉自己一把。大人你心无城府，从你脸上就能将你的内心一览无余，大家都看出你是个善良慷慨的人。所以一旦我帮助了你，毫无疑问你会出于感激对我涌泉相报。”

“说吧，你到底知不知情。”拉尔夫说，“快告诉我，你是不是看到了那个姑娘？我一定会好好奖赏你。”“不，不，尊贵的大人。”莫芬说，“我是看到一个女人被抓到尤特堡宫殿，但你得自己去看看是不是你要找的那位姑娘。”

随即他笑了笑，拉尔夫发现这个人并不如初次相见时那么和善友好，因为这笑里似乎带了点嘲讽。拉尔夫怒上心头，但很快冷静下来说：“尊敬的吟游诗人，我不知道你为什么带着消息过来，却又闭口不谈。你瞧瞧，不知道这个能不能撬开你的嘴。”他向他伸出了一只手，手中握着两枚金币：“或者这个呢？”随即将佩剑半拔出刀鞘。

莫芬再次咧嘴笑道：“不，我根本不害怕你手中的铁家伙。骑士，你脸上又没写着傻瓜两个字，还不至于傻到杀死带路人或者对他大发雷霆吧。至于那些金币，等到旅程结束时，你自然会给我报酬。事实上，我只是想找个绝佳的方式来告诉你我所知道的一切，这样才能让你相信我说的是实话。是这样的，一个月前我离开金阁城时看见一位姑娘被抓了进去，她长得着实美丽，所以我忍不住盯着她看了很久。我问一个士兵朋友，这位姑娘是在哪个市场买的。他告诉我，她并不是被买来的，而是被一群野蛮人从远方的荒山野岭抓来的。这跟你知道的故事像吗，殿下？”“是的。”拉尔夫皱着眉头焦急地说。“好吧！”莫芬说，“可这世上还有比她更美的人，而且很可能我说的那位并不是你的朋友。好，我来形容下她的容貌，如果你不认识，那就请把两块金币给我，然后打道回府。她个子高挑，身材苗条，但很多女人都如此。毫无疑问她因旅途劳累而面容憔悴，至少是从那片山脉被带过来的。还有一个细节，因为她光着脚骑在马背上，所以我看到她的双手双脚比大多数的女人要好看得多。不过也不排除有其他女人跟她一样。我猜她也是农妇，但田地里劳作的女人很少有人的手足像她的那么细嫩。她的面颊被晒黑但仍闪耀着动人的光彩，发色棕褐，发丝浓密黑亮。她的脸庞滑嫩圆润，如画中人物般精致，下巴圆润但轮廓清晰，嘴唇丰盈红润，但双唇紧闭，显得英勇无畏而又愤懑不已。她的双眼相距很远，灰色瞳孔，眼神深邃。整张脸庞透露着甜美，好似会对她心爱之人友善至极，而且举止优雅透露着高贵，似乎来自于一个血统优良的家族。这与你的朋友相似吗？”

他说这番话时，语速很慢，语气平缓，而此刻他脸上又浮现出嘲弄的微笑。拉尔夫脸色惨白，内心既愤怒又悲痛，他紧皱着眉头，过了很久才慢慢开口答道：“是的。”言简意赅，掷地有声。

莫芬说："不管怎样还是有可能不是她，或许还有一两个人完全符合刚才的描述。我来说说她的穿着吧，虽然对你可能没什么帮助，因为自你们上次见面后她或许换过好几次装束。她外披绿色长袍，穿着便于行走的短裙，裙袖呈直筒状，看起来像是有家务事要操劳。在衣服缝合处有色彩绚丽的绣花，在衣襟还绣着花边。我还注意到，她的裙边因为旅途奔波而缺了一块儿。你怎么看，殿下？我带来的这个故事有价值吗？"

"哦，当然。"拉尔夫说，他似乎难以控制自己，踢了一脚马刺，又向前狂奔了几弗隆；然后突然拉紧马缰，翻身下马，装作在整理马鞍。其实他是无法抑制喷涌而出的眼泪，出于对未来的渴望和恐惧，泪水自然也是喜忧参半，此刻他心乱如麻。

莫芬一声不吭地骑着马，正当快要赶上拉尔夫时，拉尔夫突然又加快了速度，然后在前面调转马头声音沙哑地对他的同伴说："莫芬，我命令你，或者说恳求你，不要再对我提起我在寻找的那个姑娘了，我已有些无法承受。""当然，尊贵的大人，"莫芬说，"我会遵从你的命令，除了这位美人外还有很多事情可以讨论。"

两人安静地骑行了一段路程，拉尔夫一言不发，边走边思索，而吟游诗人则哼唱了几段韵诗。

突然拉尔夫扭头对他说："告诉我，领路人，他们将会把那位姑娘怎么样？""大人，"吟游诗人轻声笑道，"如果我有心嘲笑你我就会说，你怎么能忽冷忽热，自食其言呢！半小时前你才命令过我不要谈论她。不过我早就猜透了你的心思，所以我会对你坦言，他们将对她以礼相待。不必惊讶，谁能忍心毁掉这么美丽的人儿？哦，他们会对她很好。我看到城主似乎想要与她并排骑行，他的眼神就没有离开过她。当然，如果她能够顺从城主的意愿，那么一定会过上幸福快乐的生活。”

拉尔夫斜眼疑惑地看着他，但对方丝毫没有察觉到。于是拉尔夫说：“如果她没有顺从呢？”莫芬咧嘴笑着说：“我们的城主有很多仆人会助他完成心愿。”拉尔夫努力平复心绪，过了很久终于忍不住厉声说道：“你不是说尤特堡城主是个明君，对他的子民和仆人都十分友善吗？”

“是的，殿下。”吟游诗人说，“你曾命令我不要再谈起一个女人，我能否恳求你不要再谈起尤特堡城主这个男人？”

这句话让拉尔夫的心一沉，于是也不再多问。

他们二人继续赶路，陷入了短暂的沉默。此时天朗气清，阳光普照，微风徐徐，花香阵阵，这一切略微缓解了拉尔夫沉重的心情，又开始主动跟莫芬搭起话来。吟游诗人也积极地应答着，毕竟一路上看到了许多美景，大地的风采让他的心情豁然开朗。

初秋的早晨，空气清新，阳光明媚。农田上堆着草垛，葡萄被送去酿成葡萄酒，上至飞禽下至走兽似乎都一派欢乐。但他们遇见的农家无论男女全都愁云满面、衣不蔽体，要么脸色阴沉，要么面黄肌瘦。

要说他们遇到的快乐之人反而是些流浪汉，他们要么随意地躺在路边草丛中休息，要么三三两两从树林或其他大路上过来，有时还牵着一两个小孩。他们在某些方面有点像现在英国的吉普赛人，身上都带着武器而且穿着本民族的服装。有时如果四五个人聚在一起，就会拦阻在大路上，但此刻他们一见到拉尔夫的盔甲或者吟游诗人的服饰就立马闪开了。事实上，他们中似乎有人认识莫芬，并且在他们经过时还友好地向他点头，但他并没有给任何回应。

时间如流水般流逝，转眼两人已出了金阁城的辖地，那里的道路比较狭窄，而现在到达的这片土地美丽富饶，没有任何山丘。他们曾两次走过横跨同一条河之上的不同大桥，还多次策马淌过些小溪流。

日落前两小时，他们抵达了一个地方，这里的小路和大路相通，在路的转弯处耸立着一个小小的石砌教堂（但这建筑的外观独特，所以拉尔夫也不知道这是基督教还是其他宗教的教堂），在教堂的门口草地上坐着一位骑士，除了没戴头盔，他全副武装，身边还有一位侍者帮他拽着战马，一旁还有手中拿着造型怪异的战戟和斧头的五个士兵。当他看到这两位旅人沿着大路过来时立刻起身，拉尔夫也将手放到了剑柄上，在两人还未相遇时，吟游诗人说：

“不，不，拿出你的通行证，不要拔剑。他或许正想跟你进行一场武力较量，但你必须拒绝。因为他是一个恶棍，而且很可能会让手下围攻你，将你劫杀或者扔到他们的监狱去。”

于是当那个骑士扯着嗓子大声向他们呼叫时，拉尔夫拿出了莫芬交给他保管的那张羊皮纸，然后亲手打开，说：“不，大人，我不会在此停留，我还要继续赶路。”那骑士舒展开紧皱的眉头说：“尊敬的大人，既然你是我们城主的朋友，怎么能不到我家里歇歇脚，用点餐食喝杯酒，然后小睡一下呢？”

“不了，先生，”拉尔夫说，“时间紧迫。”说完他便继续赶路，那骑士也没有多加阻拦，只是哼笑一声，听起来像猪拱鼻子的声音，随后又到草地上坐了下来。拉尔夫根本没看他，只庆幸这张通行证救了自己。但他看出吟游诗人极度恐惧，害怕到全身战栗，过了很久才开口说话。

两人一直走到黄昏时分，直到吟游诗人让拉尔夫在一幢精巧别致的房子外停下，房子周围还建有几所茅屋。虽然没见到任何旗幡标志，但拉尔夫还是一眼认出这是家旅店。很快他们便走了进去，莫芬对里面的一位老妇人说了一两个拉尔夫听不懂的词，老妇人就直接给他们拿来了好酒好肉，其后又带他们去往住处。

酒足饭饱之后，吟游诗人陷入了沉默，似乎心情不佳。不过拉尔夫想他许是旅途劳累，反正自己也并不想多说话，索性直接躺上床，将诸事抛之脑后，沉沉睡去。

## Chapter 32

# 身陷险境

天一亮他们便启程了，沐浴着晨曦朝阳，吟游诗人似乎心情又喜悦起来，开始天南海北地闲聊，尽管拉尔夫经常不怎么回应他。

骑马行进过程中，所经过的地方愈发荒凉贫瘠，直到最后仅能间或看到一小块一小块的耕地。那儿倒也有些房屋，但为数不多，剩下的都是石楠丛生的黑乎乎的荒野和沼泽，干枯的树木散布在村野中。

一路平淡无奇不足说道，除了有一天午后，当他们骑行到某个树林外围时，一些全副武装的人从林中出来，向主路走来，他们总共大约二十来人，其中四人骑着马。拉尔夫的手移向剑柄，但吟游诗人却叫道："不，不要动武，不要动武！请再次拿出你的通行证，展示给他们看，然后继续前进。"

说话间他从手中拽出条白色手帕，并将其系在马尾处，然后在拉尔夫身旁瑟瑟发抖地继续前进。他们一起骑着马向那群人走去，随着距离拉近，他们听到自己在被那些人嘲笑讥讽，虽然拉尔夫听不懂他们的语言。

他们离得越来越近，直到那群旅人能清楚看到羊皮纸上的字和印章。一见到通行证，那群人便对其深深鞠躬，仿佛是面对着圣人的遗骸，安静地一个接一个地走回了树林中。他们个头高大，长相野蛮，身上的铠甲也极其粗糙。

顺利经过那群人后，吟游诗人开怀大笑起来，而拉尔夫则继续默默赶路，神情颇为严肃。

“好大人，”吟游诗人说，“我打赌我知道你在想什么。”“好吧，”拉尔夫说，“那我在想什么？”吟游诗人说：“你在想万一返程也遇上像这样的人该怎么办，不过不用担心，有通行证在手你就能再次平安通过。”拉尔夫说：“是啊，差不多吧，老实说，我确实有所顾虑。不过此外我还在想，等我离开了尤特堡，谁能当我的向导。”吟游诗人斜眼看着他，说道：“你暂可不必想这些事。”拉尔夫冷冷地盯着他，看从那张脸上看不出任何表情，于是他问：“为什么这么说？”莫芬说：“因为我知道无论你是否被束缚，而且一路上都在考虑这件事，你却从没有问我通向世界尽头的水井的路，毕竟我已经告诉你那个商人朋友我能告诉你一些相关消息。但我想你是不是有其他心事？”

“好吧，”拉尔夫说，“告诉我你知道哪些关于那水井的事情。”莫芬答道：“事先声明，如果你怀疑那地方是否存在，那你可以打消这个疑虑。因为我们极厄高地和尤特堡的人都对此确信无疑，而且在全世界我们知道的民族和人民中，我们确信我们是距它最近的。所以你看，这不是显而易见的吗？”“是的，毫无疑问。”拉尔夫说。

“那么，”莫芬说，“第二件事就是我们正朝着它走去。不过第三件事是，大人，寻井者中很少有人能找到它，不过我们知道也有人成功了，除了金阁城的城主外——我想你也听说过他的事。此外，在离尤特堡不远的树林里隐居着一位智者，他在林中独自生活，人们出于各种目的去拜访他，以期从他那儿获得帮助。至于这位智者，传言他对通往圣井之路了如指掌（但人们也无从知晓他自己是否曾到过那儿），不过只要他愿意，他可以帮任何人踏上正确的道路，所以毫无疑问他若是有心找寻定不会失败，只是正如我在金阁城跟你说的，他倒是很有可能在途中被杀死。可以确定的是这位智者对自己所知之事十分谨慎，只要他认为找寻者对自己有半点不利，就不会给他透露丁点儿信息。不过，尊敬的大人，你是如此英勇卓越，披上盔甲就成了正义的骑士，所以我想他一定会对你知无不言，言无不尽。”

这番话再次激发了拉尔夫找寻圣井的愿望，其实上次从莫芬那儿听闻那位姑娘曾驻足在去世界尽头的水井的道路上时，就曾点燃过他的愿望之火。不过他问道：“你能带我去找那位传说中的智者吗，好诗人？”“那是当然，”莫芬说，“一旦我们在尤特堡安稳无忧。出了尤特堡你就能去任何想去的地方。”

“好，”拉尔夫说，“但前去的这条路上仍有不少危险，不是吗？”“是啊，”吟游诗人说，“明天就能一探究竟。”拉尔夫问：“明天会遇到什么特别的困难吗？如果是，那到底是什么？”对方答道：“就算告诉你也对你无益。难道你被吓到了？”“没有，”拉尔夫说，“待到危险近在咫尺足以危及我们，我们也必定早已认清其为何物。”“说得好！”吟游诗人说，“不过我们现在必须马不停蹄地继续赶路，否则身处这荒野中或许我们将会被黑夜吞灭。”

尽管这里荒野苍凉、鲜有人烟，他们还是在入夜前找到了一处落脚处，那里有几间樵夫或是猎人的住所。他们下马，叩响了其中一座房子的大门，一个身材高大、头发漆黑的壮汉应声开门，他一看到骑士的铠甲就赶紧关上门，拉尔夫甚至还没来得及按吟游诗人的吩咐递给他羊皮卷。不过他看到羊皮卷后立马就变得恭敬起来，无比热情地招待他们。虽然他家中食料和饮品都很匮乏，仅剩些从荒野中打来的野味。于是，他们拿出从之前旅店带来的酒开始啜饮，并邀请壮汉一同分享，但他却并不愿意，而且看起来十分惧怕他们。

第二天一早两人便继续赶路，而壮汉似乎也很高兴能够摆脱他们。行进了几英里之后，所经过之处的土地也逐渐变得生机勃勃，在一片漆黑的乱石荒野中可见几处如岛屿般的深绿色牧草地，牲畜们在草地上觅食，时不时还能看到一小块一小块的耕地，不过这片土地除了四处有些微隆起，并不见得比平地好多少。一路上阳光明媚，天朗气清，拉尔夫一边御马赶路一边说：“这天空真是澄澈，在这附近仅能看到一朵云。只是这云有些奇怪，尽管我注意它已经有半小时了，看着这片碎积云是从那个方位出现的，但它却一直没有半点变化。我从未见过这样的云。”

吟游诗人说：“没错，尊敬的大人，关于那片云我只能告诉你，除非大地之骨都滚到一起，那片云才可能会变化。因为那根本就不是云，而是一座山脊的最高处，世人称其为‘世界之壁’。只要你靠近那座岩壁，我想你都会被吓到，无论你本身有多胆大。”“它是在极厄高地附近吗？”拉尔夫问。“不是，”吟游诗人说，“不算很近，尽管从那儿看会非常巨大。”

拉尔夫说：“是否有传言说世界尽头的水井就在那岩壁之外？”“当然。”吟游诗人说。

拉尔夫脸上泛起红晕：“说真的，金阁城的先王可以穿过这些山脉，为什么我不可以？”“就是，”吟游诗人说，“怎么会不行？”与此同时他一脸心神不安地看着拉尔夫，不过后者却丝毫没有在意他，因为拉尔夫的心里完全被激情点燃。

他们继续上路。一路上，一旦因树木遮挡或是走到低洼处而无法窥见那山顶，拉尔夫便会觉得前去的道路无比漫长。

这段时间两人相安无事，直到夜幕又将降临，而他们已经在茂密的松树林中穿行了很久，终于出了森林，呈现在眼前的是一片芳草萋萋的平原。看！在离路边不远的草场上驻扎了一座大帐篷，其顶端打出了一面旗帜，但旗帜缠绕在杆子上垂下来，所以看不清上面的徽章。在这座高大且造型精美的大帐篷四周还有不少大大小小的帐篷，附近的旷野上栓了些马匹，士兵们来来往往，身上的盔甲发出微弱的光泽。

看到这个场景，吟游诗人攥紧了马缰，不知所措地望着拉尔夫，不过拉尔夫却问道：“这是什么，是你之前说的险境吗？”“没错，”吟游诗人害怕地颤抖起来。“你怎么了？”拉尔夫说，“我们不是有通行证吗，还担心有什么危险会降临到我们头上？如果那不是尤特堡城主，他看过通行证后就会放我们走，如果就是他无疑，他又何必去伤害拥有他颁发的通行证之人？”说着他将剑抽出一半，“来吧，或者这位尤特堡城主不过是地狱魔鬼的化名而已？”

但吟游诗人仍目光空洞，不停颤抖着，结结巴巴地说：“我以为我会先将你带到极厄高地，然后其他人将带你去那儿，我没想过会见到他。我不敢，我不敢！噢，你看，你看！”

说话间一阵风沿着树林边缘席卷而来，随后又被树林抵挡回去，风搅动着帐篷上的帆布，扬起了耷拉的旗帜，于是那徽章赫然在目：一头黑熊脚踩城墙赫然立于金色大地。不过拉尔夫觉得并没什么可怕，充其量不过是某位爵爷带了一队士兵而已。

拉尔夫坐在马背上凝望时，看到那些士兵正看着他，随之从大帐篷里传出巨大的号角声。他目光犀利地看着吟游诗人，大笑着说：“我现在知道了，你是另一个叛徒。赶紧走吧，我有其他事情要做，没空杀你。”说完他掉转马头，猛踢了一脚马肚子，从右侧的小道一路疾驰，越过旷野，远离那座艳丽的大帐篷，但很快十来个士兵骑着马从营地追了出来，仿佛他们早就恭候拉尔夫多时，立即朝着拉尔夫追去。

这场追逐赛并没有持续很久，拉尔夫的坐骑早就疲惫不堪，而对手的马则精力充沛，加之拉尔夫对这里的地形一无所知，而对方则了如指掌。因此，不过短短几分钟他们就追上了拉尔夫，拉尔夫也放弃了抵抗，默默地让他们带走，穿过大路时他并没有看到吟游诗人的身影。

士兵们将他带到了大帐篷，命他下马，然后将他带了进去。此刻黄昏已然来临，不过帐篷内无数蜡烛将里面照得宛如白昼。大帐内悬以昂贵的绫罗绸缎做装饰，在最深处，一块狩猎地毯上放置着一把象牙椅，上面端坐着一个男人，在场也只有这一人坐着。他身着蓝色丝绸长袍，袍子上绣着“城墙上黑熊”样式的图案。

拉尔夫心想此人必定不是尤特堡城主，他曾听闻过城主的事情，眼前之人并没有那么可怕。此人身材短小，但肩膀很宽，一头又长又直的深褐色头发，脸上没有几根胡须。他身板挺得笔直，脸庞光滑，长相不算难看，除了肤色暗黄，一双褐色的小眼睛充满血丝。

莫芬就弓着腰站在拉尔夫身边，出于害怕他既不敢看那君主，也不敢看拉尔夫。因此拉尔夫确信，他曾叫莫芬叛徒，即使在现在看来也不过是说出了事实，他已然陷入圈套；尽管他并不明了个中缘由。他心如死灰，但又能怎样，当他直面这个君主，这片土地上的暴君，内心就充满了对他的憎恨，甚至将恐惧都吞没了。虽然那暴君牢牢地将自己控制于股掌之间，但他的情绪也愈发高涨，他确信自己将有一番大作为，因此理应活下去，就算在这短短几日里或许会受到种种苦痛和羞辱。

此刻，这位强势的君主开了口，他的声音尖锐刺耳，可以说听他说话比见到他的面容要难受得多，他说道：“把这个人带到前面来，让我看看他。”于是众人将拉尔夫带到他前面，直到他可以与君主正眼对视，君主问莫芬：“这就是你的猎物。幸运儿？”“是的，”莫芬颤抖着说，没敢抬起眼，“大人，你看他怎么样？”

“怎么样？”君主说道，“他这全副武装的，我怎么看得清他到底如何？蠢货！脱掉他的盔甲。”

转眼间他们就脱掉了拉尔夫的锁子甲、头盔、护臂板和护腿板，拉尔夫此刻仅穿着短上衣和马裤。君主则身体前倾仔细打量着他，像是要给一匹马压价，然后他转向一位饱经风霜的年长者，此人着一身红色长袍，就站在他另一边，问道：“嗯，贤者大卫，他是那类人吗？他够好了吗？”

长者戴上一副眼镜，然后饶有兴趣地盯着拉尔夫看了好一会儿，说：“有两个绝无仅有的词可以用来形容他，他是所有被卖掉的年轻人中最优秀、最英俊的。”

“好，”君主说，然后转向莫芬，“这次抓的人不错，幸运儿。大卫会给你相应的金币，你随时可以回到西边去。而且，你还会再次如今日一样幸运，因为我的王宫需要添些女子，她们必须貌美恭顺，而且身上不能有被狠狠鞭笞过的疤痕或是任何烙印，所以你最好是捉到她们，而不是买下她们，如果你够幸运的话。退下吧，这帐篷顶下已经人满为患了，再者，我们这儿也不需要半个男人。”

年长者大卫一边咧嘴笑着一边说：“如果他能从你这儿全身而退，就能获得优厚的赏赐。因为他根本没想过会在这里遇见你，他本是打算将这个年轻人带到极厄高地，然后将年轻人押在那儿等你来。”

君主冷冷地说：“他怕我也不是没道理，不过他这次应该离开。话说回来，如果他三个月内没有将那些女人给我带过来，如果那些女人里有两个不那么讨喜的人，那就给他点颜色看看。大卫，把金子给他。然后带这个新来的下去，让他好好休息，给他美酒好肉。听着，大卫，如果他回尤特堡之时身体有半点不适，你必将为此付出代价，鉴于你年事已高且服侍周到，若不是直接惩罚你，那就让你的至亲代为受罚。去吧！”

大卫朝拉尔夫一笑，然后带他出去，走向不远处的一个小帐篷，然后开始忙活起来。他命人拿来好菜好酒及其他拉尔夫所需之物。此外，他还吩咐拉尔夫别尝试逃跑，否则会被杀死，还指给他看这里近在咫尺且人数众多的守卫。

看到这个俘虏对事事都一副若无其事的表情，而且也没有意志消沉，这位长者似乎十分高兴。其实，拉尔夫的内心一直怀着对暴君的憎恶，但也交织着对未来的希望。他本打定主意要是自己被带到城主面前就向他展示金阁城女王给的信件，要是他仍将自己视为俘虏就公开反抗。但当他观察了他及其手下片刻后，他有了更好的打算。虽然他们有丰富的物质财富，华衣美服，良好的武器和盔甲，除了外形有些奇异而且制作粗糙，但是拉尔夫却发现这些人不过是没有灵魂的行尸走肉，他们不过是彻头彻尾的恶人，如同恶魔梦魇一般。女王对他曾如此友善，因此他觉得出示那封信就等同于将女王的胴体展示于他们面前，是种莫大的侮辱。而且他也无意在夺回衣袖上耗费精力，他要保持头脑清晰，让敌人们夸夸其谈，并暴露自己的目的。

这也是为什么他装出一副纯良的样子，还跟老大卫相处愉快，这也是考虑到大卫在这里算是个人物，作为尤特堡城主的首席顾问，老大卫确实有些威信。不过老实说，虽然身为顾问官，他也不敢给出任何违背尤特堡城主想法的建议，除非他认为那个想法很快就会给城主和他自己带来危险和灾难。简而言之，他虽然不是用钱买来的，但也并不比高级奴隶好多少，其实城主所有的手下，除了那些城主自己偶尔都畏惧的最顶尖的心腹将领外，又何尝不都是高级奴隶。不过，另一方面，他又不得不承认他们都知道城主的威慑力是他们的护身符，一旦某天城主威严扫地，那么他们的皮囊也经不起几日的倒卖。

大卫兴高采烈地跟拉尔夫高谈阔论，品尝美酒佳肴，见他入夜就上床沉沉睡去，于是就将他留给了第一班守卫。但拉尔夫今晚却并不能像昨夜一般安睡，虽然他是被以礼相待，带去极厄高地，他却一点都不知道到了那里之后该如何应对。此刻他想，谁知道会发生什么？于他而言除了抓住别人给的机会见机行事外还能做什么呢？最坏也不过是被杀。

## Chapter 33

# 挟至尤特堡

到了早晨他们便将帐篷收起来放置在马车上，然后朝着昨天跟拉尔夫提过的那条路启程了。拉尔夫知道这条路通向极厄高地，但现在他手无寸铁而且被牢牢看守着，这也是唯一让他感到耻辱之处。看守他一整天的大卫对他关怀备至，一直殷勤地赞扬和鼓励他，以至于拉尔夫开始怀疑大卫的仁慈仿佛是异教徒献给血祭牺牲品的花环。他的脑海中浮现出曾听过的传说，异教徒如何迷惑了男女众生，然后将他们献给被奉为神的魔鬼。不过他很快便打消了这个念头，因为这个念头实在太愚蠢，或许不幸正在来的路上，不过这条路崎岖难行而且危机四伏。所以他又打起精神，神态自若地跟大卫搭起话来，时不时也跟身边的一两个人聊上几句。

他们位于队伍的中央：城主坐在金丝银线装饰的轿子里紧跟在先遣部队后面，之后是四十个全副武装的骑兵。在那之后便是拉尔夫和大卫以及五个壮汉，他们后面是手无寸铁的厨子和仆人，最后由二十个士兵收尾。这让拉尔夫真切感受到虽然自己没有被束缚，而且除了身无武器外看起来像个自由行路人，但却也绝无逃跑的可能。

今天与昨日一样天朗气清，拉尔夫看到远处山顶如云朵一般，于是凝望着远方出了神，直到大卫说："我看你一直盯着山脉，或许你想登上山顶看看山的另一面是个什么地方。不过如果传言属实，无论另一边是什么样，你最好还是留在这边。"

"难道那儿是死神的卧榻？"拉尔夫问。"是，"大卫说，"但也不全是，因为他在世界的其他地方也并未安眠。但是据说那地方恐怖到能吓死一个壮汉，而且根本不需要动刀动斧。"

"好吧！"拉尔夫说，"那么金阁城的创始君主又是如何做到的呢？"

"噢，"大卫说，"你听过那个传说了？是的，他们说他确实去过那边的山脉，喝过世界尽头的水井的水，他是个幸运儿。但若不是在一位精通法术之人的帮助下，他的好运也没法让他喝到一滴井水。据说帮他的是个女人，他就是那种能让女人为之倾倒的白马王子，这也确实是他走运。但是，终究'这只是一个传说'。"

"是啊！"拉尔夫笑道，"跟传言中那团静止的白云后藏着专抓过往路人的妖魔鬼怪一样，都不过是无据传说罢了。"

大卫大笑着说："要我说，不管这些传说是不是真的都对我们毫无意义，毕竟这辈子我们都不会再离开尤特堡，除非是像现在这样集体出去。"然后他顿了顿，又说，"你有听到什么消息吗，关于世界尽头的水井？我是说除了金阁城主人的故事外。”

“嗯，当然。”拉尔夫不动声色地说。大卫回道：“那你相信这些传说吗？你相信有人喝了井水后能恢复青春吗？”

拉尔夫笑了笑：“大人，我想你比我更适合回答这个问题，毕竟你住的地方离那儿近得多。”

大卫靠近了拉尔夫，然后轻轻地说：“更近？或许吧，但其实并没有比你近多少。”

“这话是什么意思？”拉尔夫说。

大卫回道：“难道是因为距离近，所以才会有人背井离乡终其一生也要来到这里吗？”

“没错，”拉尔夫说，“我是这样听说的。”

这位长者语气更加轻缓地说：“如果我相信这个传言，无论山顶上有什么都值得我去冒险。”他叹了口气，“但是，我并不认同这个故事的真实性。”

两人的谈话到此便告一段落。拉尔夫并不愿意再多说，以防暴露自己的诉求，被人揣测到他的所有心事。

时值正午，城主命令所有人准备用午膳。仆人们开始风风火火地准备午餐，大卫也跟他们一起。而士兵们则命拉尔夫跟他们一起享用食物。大家在路边席地而坐，亲切友好地与拉尔夫攀谈起来，军队长官也显得分外热情，这人虽个子不高但和尤特堡城主一样手臂很长，中等年纪、未留胡须、体毛稀疏，但瘦长结实、面容坚毅，顶着一头沙石般灰色的头发。等其他人谈完后，长官开始和拉尔夫搭起讪来，询问他不同国度的骑士间如何进行礼节性的马上长枪比武。拉尔夫环顾四周，自己身处的环境似乎更糟糕了，这里如荒野一般极少被开垦，完全没有种植庄稼的痕迹。拉尔夫说：“这里确实是个土壤贫瘠不宜耕种的地方。”

“嗯，”长官说，“不清楚，不过这里栖息着千鸟、杓鹬以及各种野兔。当然，还有几个人居住于此，但除此外便无他物，这一切都是城主的旨意。你认为他会在自己的城堡和金阁城之间建出一个可能威胁到自己君主地位的富饶之地吗？”

“难道这里不是他的国土吗？”拉尔夫问。

长官答道：“是，也不是。任何人未经他允许不可在此地居住，而且这里的居民们要向他上交大量贡品。但是其中一部分人也是他的猎人，他甚至会向猎人支付酬金，一旦有奇珍异宝进入此地，猎人就会将它带到城主的手上，你对此再清楚不过。”

“是啊！”拉尔夫笑了，“阉人莫芬也是他们之流吗？”“没错！”长官咧嘴笑着说，“而且还是他们中较为富裕的，因为他非常狡猾，虽然他总是带着小提琴，一身吟游诗人的装扮，而且还缺乏男子气。不过，城主是出于充分理由才阉割了他的。”

拉尔夫沉默了一会儿说：“为什么金阁城的百姓要住在靠近边境和有争议的地方，忍受着罪恶、劫匪和混沌？”

长官再次大笑道：“骑士大人，你既然对此颇有微词，为什么还要不情愿地从我这儿打听消息？”

“因为我自己无法解答。”拉尔夫说。

长官说道：“即使金阁城的百姓确实生活在水深火热中，

如果他们公然对抗其中的某个江洋大盗，强盗只需将战争之箭发射到荒漠周边，正如你所想，很快就能找到一群追随者，少说也有上千人。而金阁城居民若没了城墙庇护将难以在战斗中取胜。但留在城内就大不相同，哪怕是尤特堡的君主也没看到过金阁城被攻破，从来没有，即使他赢了战争。”

“那里被视为神圣之地吗？”拉尔夫问。

“我不懂你说的‘神圣’是什么意思，”对方答道，“但是大家公认，一旦金阁城沦陷，世界将巨变，而没有喝过世界尽头的水井之水的人将难以在此居住。”

拉尔夫沉默片刻，好奇地看着长官，然后说道：“那他们都饮过井水？”长官说：“不，不是，但是据说在金阁城每座塔城下都住着饮过井水的一位少年和一位少女，他们除非被刀剑刺杀否则将长生不死。”

拉尔夫缄默不语，他再次思索起自己是否是被带过去作祭品的。正当他陷入沉思，突然一阵喧闹，所有人都站了起来，队长说道：“城主已经用完午膳，我们要赶紧骑马赶路了。”随后，队伍继续前进，一路上长途跋涉，但沿途景色大同小异，在拉尔夫看来远方云状的山脉也并未愈加雄壮清晰。

## Chapter 34

# 一展吟游歌艺

快要到日落时分，队伍停驻过夜，拉尔夫像之前一样有自己的帐篷，还有好吃好喝的招待。但他刚用完晚餐不久大卫便来叫他："来吧，年轻人，去见城主大人，他要召见你。"

"不知城主大人有什么吩咐？"拉尔夫问道。

"嗬，你倒是问了个好问题！"大卫说道，"刀剑会问刀匠你要拿我切什么吗？你觉得我敢向主人问这样的问题？""那我跟你去见他吧。"拉尔夫说道。

于是两人一同前往，而拉尔夫的心却像跌入谷底，一想到要再见那个男人他就感觉恶心，但是他把恐惧仇恨推到一边，厚着脸皮应付眼前的召见。

很快他们便来到主帐篷，城主就像昨天那样坐在里面，只不过换了一袭红色长袍，上面饰有黄金、绿松石和祖母绿石。

大卫把拉尔夫带到城主的宝座旁，但没开口通报。伟大的城主只是静静地垂头坐着，双手搭在膝盖上，脸上凝重的表情昭示他在思考一些使他不快的事情。但没多久他便坐起身来，扭头看见大卫带着拉尔夫站在一旁，用仿佛刚睡醒的沙哑声音说道："把你卖给我的人说你身怀多艺，告诉我，你能做些什么？"

拉尔夫虽然厌恶他，但他极力抑制自己将他手刃当场的冲动，可惜附近没有武器，他只能在脑海中尽情幻想。于是他冷冷回答："确实，大人，我会的技艺不止一种。"

"你能驯服马匹吗？"城主问道。拉尔夫回答："跟很多人一样都能做到。"城主又问："那你能打掉一匹野马的傲气，给它打上蹄铁，让它服从命令吗？"

"不比别人差。"拉尔夫回答。

"你会使刀用剑吗？"城主问道。

"应该比一些人要好。"拉尔夫说道。"我怎么证实？"城主问道。拉尔夫说："城主，您可以试试。"其实他真有这样的心思，一旦有这样的机会他就可以借机逃脱了。

城主打量着他说道："当然，以后会试练的。但你回答得挺高傲啊，大卫，我现在怀疑把他带回去是不是不太合适。"

大卫畏怯地盯着拉尔夫，说道："城主，但您已经付过钱买下他了。"

"你说得倒没错，"城主说道，"你！会下棋吗？""我会下棋。"拉尔夫说道。"会弹会唱吗？"城主又问。"会，"拉尔夫回答，"只要感到高兴，或者伤心，我都会弹唱。"

城主下令："那你把自己弄开心或弄伤心吧，怎么都行，但必须现在唱，不然就棍棒伺候。快！把他的竖琴拿过来。”

拉尔夫左右看了看，发现没人可以救他，才开始意识到自己已经沦为奴隶。但左思右想，他知道别无选择，只能忍耐克制。于是他脸色稍霁，重新打量四周，最终目光重又落在城主脸上。然后手拨琴弦奏出清脆甜美的琴声，仿佛知更鸟的冬日啭鸣，终于，他的歌声响起：

村庄万籁寂，铁铺犹通明，
独闻折枝声，少女湖畔立。
去年圣烛节，冻柳水中眠，
春来冰雪融，松鸡优哉游。

湖岸牧草萋，鹿角沾苜蓿，
清风忽起舞，草叶蹁跹行。
宝剑当出鞘，缠绳欲松刀，
明朝决胜负，将出换美酒。

晨光似流火，灼灼照花园，
吾心系园廊，门前忽驻足。
日光投孤影，举步心坚凉，
情字立当前，经验皆虚妄。

日光身后阖，暗中切切语，
彼时心所向，战栗无处寻。

寻寻又觅觅，忽闻夏已至，
窈窕佳人现，光华照我心。

茫茫两相隔，人海再相逢，
浑然若合一，相待如赤子。
心中再无惑，一吻情意浓，
惊叹光阴逝，出落俏颜容。

烈日犹似火，灼灼夏意浓，
园内行人绝，荫下无人栖。
园主不问津，直待西月升，
归来推门入，风眠夜无声。

暮色催客走，黄昏入筵席，
举樽谈笑欢，阔论评世道。
年少虽清贫，独处不卑亢，
满座虽权贵，富贵在我心。

神甫至席间，谆谆诲宾客，
众人神色怠，我心独欢喜。
难得闻智慧，欣然侧耳听，
身心尽领会，如见大道明。

诗人歌往事，情节历历现，

宾客舒展容，相觑颔首笑。
此荣慰吾心，幕幕存爱意，
莫问何处有，独为吾思忆。

拉尔夫唱完，全场肃静，因为他们不知道城主对这首歌是褒是贬。城主一直没说话，似乎在坐着沉思，最后他才开口说道："你还年轻，但谁没年少轻狂过！你的歌悦耳动听，让我欢喜。久经沙场，我已经见过太多，也受够了那些暴烈场面，比起一排长矛，我宁愿多见见美女。但我妻子不喜欢这样的歌，什么情情爱爱，窈窕淑女，君子好逑，她早就听腻了，反而更想听那些歌颂战争英勇的歌。现在歌颂战争吧！"

拉尔夫想了一会，开始边击打竖琴，边踩着节奏唱起一首歌谣，那是在某一年的圣诞节，他跟一位来自极北之地的酋长学来的。那位酋长，人称卡尔·伍德涅伯爵，在爱普觅斯一直待到春去夏至，还教了拉尔夫很多别的知识。虽然拉尔夫已经沦为异邦奴隶，但这首歌他唱起来还是那么的铿锵动听。

觥筹顿矣！西月高升。
溪水潺潺，波光粼粼，
蜿蜒何往？遥指古宅，
皎皎月光，洁白宫墙。
宫殿闪闪，敌国踞兮，
战火纷飞，田荒无耕，
夺我之权，离我家园。

前途渺渺，唯路一条，
天地之尽，山崖高耸，
涛声隐来，轰隆响兮，
犹闻暮秋，瑟瑟凛风。

归去来兮，威武吾船！
沧海汤汤，又见桅帆。
此行满载，莫有货兮，
唯见利刃，鱼枪铁铸，
弩箭大弓，毒杀敌兮！
晨光初露，奔袭敌府，
谷地之上，清泉喷流，
潺潺蜿蜒，道指敌方。
满朝奸佞，战栗如鼠，
惊梦忽醒，惘然无措，
风光昨昔，难保今夕。

停杯投箸，奔赴沙场！
追溪而行，波光粼粼，
蜿蜒何往？遥指古宅。
皎皎月光，洁白宫墙。
庶民耕田，君王高枕。
夺我之权，离我家园。
前途渺渺，唯路一条，

山崖背后，敌国待破，
柳间风兮，伴吾之侧，
海上王朝，覆亡灭矣。

疾行军兮！攀登前进，
夜短路长，马不停蹄，
昼夜相别，还再聚首，
同辉之吻，绵长爱意。
与子同行，携杖冲锋，
皮鞍悬剑，手握风尘。
白墙当前，巍然耸兮，
往事不堪，国运衰微，
今我战兮，惩敌不殆！
大门开敞，静待晨光，
覆灭敌国，征伐毕兮，
迈步直往，和平之光。

这次当拉尔夫唱完，全场赞声不绝，正如城主对上一首歌一样不吝赞赏，但城主却疑心地望着拉尔夫说道：“不错，虽然这歌不太得我欢心，但我承认它无可挑剔，肯定能让我妻子称心满意。这第一件差事办得不错。你还有别的什么技艺吗，新来的家伙？”“当然有，大人。”拉尔夫说道。“你知道一些久远的传说吗？什么妖精仙女之类的？传说里都会有的那些。”“我确实知道一些。”拉尔夫说道。

然后城主便没再说话，似乎陷入沉思，终于他开口了，又像在自言自语："有一件事：很多装模作样的家伙都会歌颂战争，可我见得多了，大多说的比做的好听，一旦来场硬仗就成了绣花枕头；至于你！莫芬那家伙运气真不错！你能上比武场吗？""请允许我试试吧，大人。"拉尔夫说道，一副跃跃欲试的样子。城主说："我会为你安排一两场比试，虽然我们向来没有这样的惯例，但你现在可以下去了！大卫，把这年轻人带回他的帐篷，给他拿瓶最好的红酒，你们慢慢聊。"

于是两人离开了帐篷，起初跟着大卫走的拉尔夫一副垂头丧气的样子，但很快他就想起，无论前事如何，至少他性命无虞，并且每天都离世界尽头的水井更近一步，接下来的历程中他还很有可能遇上梦中的多萝西娅。于是他又抬起头，心中喜滋滋地哼起小曲，弯腰进了帐篷。

次日，众人一直在赶路，乏善可陈。天色如此阴沉，拉尔夫极目远眺亦难寻远山踪迹。旅途景色几乎没有改变，除了偶然可见的一些松树，路上不曾见到一位旅人。晚上拉尔夫还是睡在自己的帐篷里，无人叨扰，若不是大卫过来找他聊天，他早已入眠。大卫聊得兴之所至，还叫来了护卫队队长奥獭[1]，这也是一位旅途良伴。

随后三天依然阴霾多雾，城主没再召见拉尔夫，于是拉尔夫在途中与奥獭相谈甚欢，并不觉得奥獭令人生厌。虽然他知道奥獭视人命如草芥，只奉城主之命行事。

---

① 原文 Otter，水獭之意。（译注）

雾天持续了三天，接着又连下了四天雨，因此拉尔夫无法一睹地势全貌，但他留意到他们经常上坡，却没怎么下坡，所以他们一定在盘山而上。

直到他被俘的第九天，才雨过天晴，但烈日暴晒下薄雾蒸腾，因此远处景色依然朦胧，而近处地形却换成了广阔的丘陵地，只见流淌着小溪的几处洼地长着几棵柳树，还有不少赤杨树，除此以外几乎不见其他树木。

这天奥獭和他一边走，一边说："是时候了，北方来的小伙子，只要天公作美，很快我们就要开局比试了，我对你。""不错，"拉尔夫说道，"到时会怎么安排呢？"奥獭说道："明天中午我们就会抵达丘陵中的一座优美山谷，城主在那建了一些房屋和一座塔楼，所以那里也叫塔城谷，我们到了以后先进食休憩，休整一两天，或者最多三天；那时城主就会举行比试，也就是让我和其他人来试试你的武力。""什么？"拉尔夫问，"就这样试探新手的本事？如果我输了呢？"

奥獭笑着说："我劝你千万别输，不然在城主眼中你就一文不值了。""那他就会杀了我？"拉尔夫说道。奥獭说："据我所知不会，起码不会马上动手。他会把你带回尤特堡，在你这桩亏本生意身上捞回本，安排你做伺候人的奴隶，放在宫里或是上战场，不会少你的吃喝（除非粮尽援绝），直到你小命不保。"拉尔夫恹恹地说："不错，以前我是骑士，但现在只是个奴隶。那如果你输了又会怎么样？"奥獭又笑了："那就另当别论了，无论比试是赢还是输城主都不会要我命的，至于其他要跟你比武的人，如果你真如你自己所说，是你们国度里的比武高手，他们大概会有诅咒城主买下你的那一天吧，但无论如何，那都跟你无关。我觉得你不用怕，看得出你小子勇气可嘉。”

两人边走边聊，天色很快就像前几天那样变暗了，但薄雾未消，落日泛红。傍晚大卫来到拉尔夫的帐篷，对他说道：“如果天气晴朗，勇士你明日出帐便能看到全新景象。”拉尔夫说道：“你的意思是说我们能从这看到远山？”“没错，”大卫说道，“至于我们，早就习惯了，而且我们通常会比现在离群山更近。不过，现在好像是暴风雨将至前的风起云涌。”

拉尔夫又问：“我们离尤特堡还有多远？”大卫回答：“等我们出了塔城谷离开布尔草原，也就是你明日比武的地方，再骑马走四天就能到极厄高地。从极厄高地，若是城主愿意，你再走十二小时就能到达尤特堡。现在跟我说说，勇士，你觉得明日比试胜算如何？”拉尔夫说：“空想无益，不如脑袋空空。”“所言甚是，”大卫又问，“你枪术可好？”拉尔夫笑道：“那取决于我的对手实力如何：翻手射敌或是覆手落马，胜败在我这是兵家常事。再者谁将裁判我的命运呢？不得不说，假若裁判公正，即使没有发挥到最佳，我也不认为自己是个糟糕的败将。毕竟一切比武搏命，运气如天算，无人可测。”

“那就好，”大卫说道，“希望你比武一切顺利，因为城主会做裁判，如果你真的如你所说，是比武的一把好手，那他以后必定让你物尽其用，毕竟他已经花那么多钱买下你了。”拉尔夫笑了，其实他根本不觉得这玩笑话好笑，然后两人便开始聊起其他见闻。很快大卫便告辞了，拉尔夫也在帐内就寝。

## Chapter 35

# 前往塔城谷

第二天早晨，拉尔夫一觉醒来只见阳光普照，晴空万里。于是，他利索地穿戴整齐，走出了帐篷。拉尔夫面朝东方，睡眼惺忪，喃喃自语道：昨晚大雾后东边天空上竟也积压上厚厚的云层。等他睁大了眼睛仔细一瞧才发现那些云层原来是一面大山，黑压压阴沉得可怕，清晨的天空既无浮云也无迷雾，高耸的大山划破了清澈的长空。

虽然拉尔夫很少见到高大山脉，但此情此景并未让他压抑反而还有些欣喜。他说："在群山之下必有新奇事物等我去探险，或生或死，或为世人敬仰或被后人遗忘。"过了好一会儿，他还是无法将自己的眼睛从山脉那儿移开。

正当他凝望着山脉，奥獭队长走了过来对他说："好吧，骑士，即使你在黄昏前死去，至少在今晨你也见到了这些山。"

拉尔夫说：“你觉得山脉之外有什么？”

“我们中无人知道确切答案，”奥獭说，“我曾想过如果有人走到山的另一面或许会看到跟这边一样的平原，有时又想山的那面或许还是山，就像巨型石海的波纹一样绵延不绝；有时候也曾想那里或许就是世界的尽头，山的另一面除了岩壁以外再无他物，岩壁之下便是被呼啸的狂风和无尽的黑暗填充的深渊。此外，我还想过若是那堵可怕的岩壁消失，我们这边的居民或许性情能温和，过上富裕的生活。而如今的我们似乎成了那些山脉的奴隶。”

拉尔夫说：“你说的是世界之壁吗？”“很可能是，”奥獭说，“但有时它可能另有所指，毕竟我们身边在世者无人亲眼见过。它是世界尽头的水井探寻者奇闻逸事的一部分，关于这个我们那天也浅谈过。”

“那枯树，”拉尔夫问，“你听说过吗？”“那样一棵树，必定受人敬仰。”奥獭说，“我们现在到了山脉这边，离尤特堡也不远了。不过我听老一辈说过，枯树只是个小玩意，只是个让人误以为抵达世界尽头的水井的意象。眼下你得赶紧穿戴整齐，我们马上就要出发了。”“最后一个问题，”拉尔夫说，“你是说你身边没有一个活着的人见过世界之壁？”“活人没有，”奥獭说，“死去的人中或许有见过的，这又是后话了。”拉尔夫说：“但是你不知道这里有谁去寻找过那口水井吗，毕竟离得这么近？”“当然有，”奥獭说，“但是即使他们真的找到了，那他们要么发现了比那更超凡卓绝之物，要么就是没从金阁城而是从其他路继续向西去了，因为从未有人回来过。”

随后，他转身离开了，这时大卫和另一人走了过来，那人还带着些食物，大卫说：“好啦，幸运儿，这是你的早餐！我们得立刻出发了。穿好衣服，吃点早饭补充体力好赶路。看山看够了吗？”“嗯，”拉尔夫说，“这些山像你一样让我心旷神怡。你今天早上看起来心情不错。”大卫微笑着点了点头，他满面春风的样子连拉尔夫都忍不住好奇其中缘由。之后，拉尔夫回到帐篷穿戴整齐，吃过那个士兵递来的早餐后便骑马上路了，就骑在那位士兵和奥獭之间。大卫则在前面跟尤特堡城主商谈事宜。奥獭一路开怀畅谈，但拉尔夫却很少细听，目光紧锁着那些山脉。他看到，虽然那些山黑漆漆的一片，几乎填满了东边的整片天空，但是由于距离太过遥远，他也只能看到群山一角，远望过去群山静谧蓝黑，巍峨挺拔，鳞次栉比。

沿着山地村野一路前进，直到正午前两小时，他们终于到达了漫长高地的顶端，迎面是一个浅浅的山谷，景色比之前见过的任何山谷都更令人心旷神怡。谷中野草遍地，一条小河潺潺流过，并从山谷奔流至一个堆砌的水渠中，将谷底多处淹没，形成一个水源丰沛的草场，许多母牛和绵羊正在草地上觅食。小河两岸杨柳依依，在河湾处建有一处农场或者说是庄园，有不少屋顶掩映在高高的老榆树丛中。还有些房屋建在河谷中，三两个木棚散布在这边山地的斜坡上，另有五六个木棚位于庄园附近。此外，在远离河流和田庄的一处高地上还建有一座恢宏的方形高塔，四周设有城壁外栅，好似随时准备迎接战斗，一面君主之旗悬在塔外。不过在那高塔和河流之间，竟还搭着一个带金紫色条纹的白布大帐篷，周围还有几个小帐篷，看起来像是一小列军队进驻了河谷。

他们都凝望着这片美好的土地，奥獭队长踩着马镫站起来，高兴地举起手大喊道：“年轻的骑士，我们到家啦。你喜欢我们城主的领地吗？”

“是个好地方，”拉尔夫说，“但是难道有人在挑衅你们城主，要争夺此地吗？为什么那边搭了那么多帐篷？”

奥獭大笑着说：“不，不，并非如此。那边是城主夫人，她特地带着满满爱意过来拜见城主，并非意在发动战役，至少现在不是。不过倒也不能说他们有多如胶似漆、情比金坚。这些话我本不应该说的，但是我们很快就将同场竞技，你也算是我的战友。看！竞技场就在那边，年轻人。”

话毕他指向远处那片辽阔的草地。拉尔夫说：“你一个自由人怎么跟我这样的奴隶称兄道弟呢？”“不，年轻人，”奥獭说，“别在意那些讽刺过你的人，包括我。实话讲，我不过是习惯了在战斗中斗智斗勇，所以在城主面前得以显露身手，只有如此才会被重用。事实上这片领土上自由人地位极低，他们必须遵从城主本人和他的奴隶的命令。兄弟，我们确实是凭着聪慧和运气才成为上等人，不用戴着镣铐在鞭笞下劳作。之所以说是‘我们’，是因为在我心里你我并无二致，而且从你眼神中我能看出你是个幸运儿，所以今天我们就来切磋一下。”

在他们谈话的间隙，一群闪着金光的人影从对面帐篷中走出来，随后一阵锣鼓喧天，号角和大镲齐鸣，而这边军队自己的号角也回应着表示欢迎。拉尔夫看到一个装束奇异的陌生人身披金色铠甲，骑在御轿旁的大黑马上。奥獭说：“看，城主全副武装驾马前去会见夫人了。夫人正温柔地看着他呢，或许你听说过我们城主并不擅长拳脚，不过他也无此需要，因为我们就是他的盾甲头盔。”

其后，队伍沿着绿地上的堤道继续行进，直到到达大帐篷前众人才勒紧缰绳，然后围成一个半圆正对着四十多位盛装打扮的将士。这些将士是跟随夫人和一帮普通民众过来的。随后，城主翻身下马，一身金色戎装显得他挺拔无比。霎时，所有的号角和其他乐器一齐奏响，夫人带着自己的十多个侍女从大帐篷中走了出来。这些侍女个个穿着丝绸长袍，长袍皆色彩绚丽，或碧绿，或天蓝，或橙黄，袍子上还有金丝银线的刺绣，不过她们都光着脚，手臂上戴着铁环，这让拉尔夫一眼看出她们都是奴仆。直觉告诉他，他要找的那个姑娘应该也在其中，拉尔夫不由得仔细打量起她们来，不过虽然她们个个都美若天仙，但那姑娘的芳踪却无处可寻。

至于城主夫人，她身穿金色亚麻细布衣，脚踩一双金鞋。一双玉臂从布衣露出，她的手掌并不娇小，但手臂圆润白皙，手型柔美，肤色粉嫩。夫人的金色秀发无比顺滑，发丝浓密，披肩而下；眼睛碧蓝，双眸之间分得较宽，鼻子微微上翘，嘴唇宽厚丰润，嘴角略微上扬。她个子很高，至少比侍女们高出半个头，没错，差不多如中等身材的男子一般高挑。

夫人大步流星地急忙朝这边走了过来，并在城主面前屈膝跪下，不过即使跪着时她也面带微笑地环顾着四周。城主冲她鞠了一躬，然后伸出双手将她扶起，亲吻她的双颊，并随意扫了几眼她身边的人，然后说：“亲爱的夫人，感谢你大老远从家中赶来为我接风。家中一切可安妥？”

她无所顾忌地高声回答着，不过嗓音有些沙哑：“当然，我主陛下，一切都好。极少有事情出错，今年的收获也颇丰。”她说话时城主一直皱着眉头看着她身后的侍女，似乎在寻找什么，夫人循着他的目光看去，然后微微一笑，欢快地红了脸。

城主沉默了好一会儿，然后才舒展眉头说：“那就好，夫人，感谢你来迎接我们，而且时间拿捏得恰到好处，不过这个也是你乐在其中的拿手好戏。我将阉人莫芬带来的一个奴隶降了级，并将他作为礼物送与你。他自称擅长西部骑士惯用的长枪，很快我们就能在草地上验证他的话了。”

夫人面露喜色，打量着面前由新来的将士围成的半圆队伍，说道：“好啊，陛下，他若在此，能否明示是哪位呢？”

城主微侧着身指向拉尔夫，很快夫人的眼神便与拉尔夫相遇。如此不堪地被介绍给这么一位美丽的夫人让拉尔夫羞红了脸，而夫人的脸颊和胸前都泛起绯红，眼神慌乱，低着头。城主说：“那边那位穿着绿色外套手无寸铁的年轻人，他若当真如同自称的那般英勇，也算是个男子汉。他还能给你唱歌，讲些过去的故事，就跟所有西部家族培育的骑士一样。夫人，你可喜欢他的长相，愿意收下他吗？”

夫人始终低着头，磨蹭着脚下的青草，喃喃自语些什么，一时间竟没回过神来。城主目光犀利地看着她，说：“那好，不妨等竞技结束后再告诉我你的决定吧，如果他到头来不过是个懦夫，我也定不会让他留在你身边。”

这时夫人才抬起头，脸色略微苍白，勉强自己开口道：“好主意，陛下。你先到我的帐篷来吧，眼看就到正午了，膳食已准备妥当。”城主牵着夫人的手并肩走入大帐中，其他人也纷纷下马安营扎寨，准备午饭。奥獭将拉尔夫带到了庄园一处角落，邀他共同享用午餐。

Chapter 36

# 两女议论拉尔夫

午餐已经备好，正当其他人像往常在塔堡那样，忙于整修比武场围栏之时，大卫却跟一个男人一起给拉尔夫带来了全副武装，还让他立刻装备上身。而奥獭受城主召见，已经前往城主所在的塔堡，他要等领取旨意后向比武场上的高阶军官传达比武规则。于是拉尔夫穿上铠甲，但铠甲太轻，并不适于持长矛比武；而他那面从集坪山城买来的盾牌，却让他很容易成为对手的靶子，不过他自信凭着敏捷身手与格斗经验足以应付比试。

正当城主在塔堡上发号施令，城主夫人已经来到凉亭静候。她把身边的侍女全打发走，只留下一名心腹。夫人惯于向她吐露心底话，虽然常常对她颐指气使——因为夫人是个急性子，一生气便忍不住动手，但也并非心肠歹毒之徒。至于这心腹侍女，诡谲多诈，她早已过了豆蔻年华，但若能带来好处或是赏赐，无论给甜枣还是巴掌她都能忍耐。她就站在凉亭边，谦卑地低下头，保持微笑却依然竖起耳朵留意四周动静。而城主夫人则急躁地在凉亭走上走下，来回不停。

终于，她边走边开口道：“阿加莎，城主指出他的时候你看到了吗？”“看到了。”女子回答时稍抬起了头。

“你觉得他怎么样？”夫人问道。“哎哟，我的夫人，”阿加莎说道，“什么叫觉得他怎么样？”夫人腾地站起来转身望着她，侍女身形单薄，皮肤黝黑又滑如丝缎，她的目光不为所动，脸上却浮现出难以言喻的微笑，似笑非笑。夫人重重地跺了下脚，扯住她的手臂大喊道：“什么意思？你是不是认为自己配得上他？”夫人又揪住她胸前的衣服皱褶。但阿加莎抬起头看着她，带着孩童般的无邪笑容：“你是不是认为自己配得上他，我的夫人——他只是个奴隶，而你却如此高贵。”夫人把手松开，但她的神色已经燃起熊熊怒火，她又重重跺了下脚：“你什么意思？”她又说道，“难道我的身份还不够高贵，不能伸手拿手边的东西？”阿加莎静静地看着她，柔声说：“那便请你伸手吧。”夫人死死盯住她，说道：“我知道你在揶揄我，你的意思是我不可能打动他，他俊美无双，而我不过中人之姿。你想让我揍你吗？没那么容易，等回到尤特堡，我就把你发配到白碑那边去。”

那女子又笑了，说道：“我的夫人，任你把我发配到白碑、赤碑还是乌碑，任由多少鞭子落在我身上都于事无补，也不能稍慰你此时惶惶的内心。他是成年男子，他可以爱别人。但只要你下令他便要听命行事，甚至可以让他与你同床共枕，因为他不过是奴隶。”夫人低下了头，但阿加莎继续用她甜美清澈的嗓音说，“城主不会在意的，更不会多发一言，除非你因为别的事激怒他，又或者说，除非他有心与你挑起事端，用这年轻人做诱饵。但这几乎不可能，你也知道原因，虽然你也有冰肌雪肤，纤纤玉足，但他如今对那新女奴的小拇指（即使她惹恼他被留在了尤特堡），都比对你的身子热衷。我如今细细推敲，倒觉得他这份厚礼是为了平息与你的争执，这样他就能堵住你的嘴，让你不再为此与他吵闹——即便是这样，你又能拿他如何呢？城主为人就这么霸道。”

夫人抬起头盯着她（因为夫人刚刚低下了头），夫人因耻辱而羞红了脸，却展开了满载愧疚的笑容，说道：“好了，你以后再也不会无缘无故地被罚了，但你知道我有时候身不由己。”“当然，夫人，”阿加莎回答，她的笑带着轻蔑，“罚我都是有原因的。”

夫人转身走开，坐到旁边的一张凳子上，不再作声；只是用手捂着脸坐在凳子上前后摇着，阿加莎在旁边看着她。然后她开口道：“听着，阿加莎，虽然你对我不假辞色，伤透了我的心，但我要告诉你我的真心话。你现在任性自我，热血奔放，还没对爱情失望，因为你爱过，也被爱过。但你太过多疑敏感，可能根本不明白我的意思，不明白为什么说我对这年轻人的爱慕瞬间击穿心房，不明白我对他的爱恋这一刻比上一刻浓烈，而下一刻还要更加浓烈。而我要的是他爱我，不仅仅是取悦于我。”

“但若不强迫他，不一定能成事呢。”阿加莎说道。

“不会的，”夫人说道，“一定不会，我的内心告诉我强迫必不能成事；因为我见过他，他的出身比我们还要高贵；仿佛天神降临，能得他青睐的必定也是女神，他又怎么会纡尊降贵去爱一个心胸狭窄、并非完人的世俗女子呢？”泪水从她眼中簌簌落下，阿加莎带着微妙的笑容看着她，说道：“哎呀，夫人！那是你还不够了解他！虽然我不敢说我明白你的意思。但我也想不到能有什么女神配得上他。你那美丽的胸脯、洁白的双臂，还有一头金黄的秀发，大家都公认，当你身着金色华服在象牙座上安坐时，不比传说中的女神差，这年轻人说不定也会为你倾倒。但无论如何，我要跟你说一句话（虽然我向来黠慧，但你知道我对你只说真话——多数时候是真话），那就是，虽然你当我是奴仆颐指气使，但我并不认为你是歹毒的女人，反而觉得尤特堡和那黑暗君主配不上你。”

夫人边抽泣边浑身颤抖，泪如泉涌，但当她听到这番话后又抬起头来说：“不，不，阿加莎，并非如此。今日这年轻人的双眸就像烛光，让我照亮了自己。我知道我虽是城主夫人，也还算得上长相标致，但实际上粗鄙不堪、心胸狭窄。我常在屋子里因为一时冲动而暴跳如雷，鲁莽暴躁，盛气凌人又好逸恶劳，似乎被不知名的力量所操纵。我得忍受丈夫的四处留情，尤其是他对那新收女奴的情意绵绵，所以我也到处与不值得留恋的男人寻欢作乐，不错，我愚不可及，头脑空虚又水性杨花。他一定能看穿城主夫人的威严、黄金华服、冰肌雪肤都不过是拙劣的伪装。”

阿加莎奇怪地望着她，没再笑，最终她问道：“那，你打算怎么办呢？要我为你出谋划策吗？”

“我不知道，真不知道，”夫人边啜泣边说，“我在想怎么才能让他怜惜我，让他对我的不堪视而不见。”她说着，又站了起来开始来回走动：“不错，即使他会让我痛不欲生，我对他还是倾慕不已。”

阿加莎冷静地说：“那好，夫人，我的狡黠并非枉费心机；我知道你心里在想什么，也知道能从中获益，而且我还能帮你实现心愿。所以过不了几天，你就能看到我值得你对我好一点，而不是随意辱骂甚至拳脚相加。但你要保证，无论如何都要听我的话行事，虽然我不过是奴仆，而你是夫人，但所有事宜都交由我来安排。”

夫人说道：“答应你倒是简单，但我要怎么行事呢？”

阿加莎开始苦苦思索，过了一会她说：“首先，你得让我跟城主通气，让他发誓会赦免我日后的罪过，不论我说什么还是做什么。”夫人说道：“这还不简单，还有呢？”

阿加莎说道：“你最好别去看这次马上比武，因为这年轻人一旦遇险，你不免会流露爱意。若你公然让城主蒙羞，他必定会不留情面地让你愿望成空，那时再想得到你的爱人就好梦难成了。所以在天黑之前都别离开这个凉亭，你可以称病不出席。”

“病得都不能去看我的爱人如何度过险境——这对我来说确实很难，但就听你的吧！至少你回来之后会告诉我他的表现如何。”“好吧，”阿加莎说道，“如果你真的想我告诉你。但你别担心，他一定应付得了。”

夫人说道：“哎呀，但你也知道用长矛比武常常没有准头，有时候会刺偏，不，希望这不会发生。”

“不会的，”阿加莎说道，“说不定恰恰相反，那年轻人对比武了如指掌，而他的对手却一窍不通呢？就像上次吟游诗人杰弗里和黑勇士安塞姆，两人一起下棋，安塞姆在想好他第四步棋该怎么走之前就已经被将军了。夫人，我知道这种事情常常发生。不过，现在，夫人你该安排一名侍女到你本该出现的席位那儿去，因为你的座位上必须坐着人，甚至是我也行。”夫人说道：“好啊，你想的话就去坐吧。”

“哎呀，”阿加莎笑道，“为什么我要坐在那儿？我和你长得很像吗？”“没错，”夫人说，“就像天鹅像野鸭。”“没错，我的夫人，”阿加莎说，“谁是天鹅，谁是野鸭呢？好了好了，不用担心，城主若允许，我就安排乔伊斯坐在你的座席上。毕竟她高挑漂亮，姿色和你有几分相似。”“你这样做什么？”夫人说，“让一个奴隶坐在我的位子上？”阿加莎答：“此事说来话长，不过要是那个年轻人目光恰好落在你身上与你的眼神相遇，尽管这一点我很怀疑，我会多少让他对这记忆产生疑惑。”

“若是这样她最好别太像我，让她想办法吸引他的注意，否则我一定会让她知道我俩有什么分别，让她注意！让她注意！”

阿加莎平静地看着她说道：“夫人，你皮肤白皙，面容从不遮掩，最好不要公然在男子面前展现你的怒火，因为怨怼有损你的美貌。把愁容和暴怒都留给眉毛粗的人去表现吧，只有他们做这样的表情才不会像三月稚儿闹肚子那般扭曲面容。这就是我走之前最后的忠告了。我好像已经听到准备比试的号角吹响了，现在必须去安排些事情，请你在此静候佳音。今晚见到城主时好好说话，让他明天召见我，并且暗示我要跟他说些什么。但若是我现在过去就能遇见城主——十有八九会碰上的，我会请他来见你。到时你就告诉他，你安排乔伊斯坐在你的座位上顶替你，否则我就会在他入席以后告诉他这件事。说实话，他不会为此跟你或跟我翻脸的，只要有美人在旁。”

然后阿加莎便掀起帐篷的幕布走出去，步态优美，单薄的身子犹如迎风摆柳，很快便走到尤特堡城主面前，然后谦卑地在他面前深鞠一躬，因为这样城主看不见她脸上还带着讥讽的笑容。城主贪婪地注视着她，双手搭上她的肩膀，又游走到她的腰侧，把她拉到身边，亲吻她，说道：“怎么了，阿加莎？为什么没跟你的女主人一起来？”她抬起头看着他，像是在惶恐地轻声嗫嚅，脸上却换上了媚惑的笑容和眼神：“别这样，大人，夫人今天只能待在亭子里，因为她病了；若你能赏脸进去看看她，她会告诉你她的安排。”

“阿加莎，”他说，“我会去看她的，若是你让我去，我便给她这个面子。”阿加莎听了垂下眼睛，她说话的声音低沉甜美，就像是鸽子发出的咕咕声，她说道：“噢，大人，你这话怎么说？”

他又亲吻她，说道：“好了，好了，是你的意思吗？”“噢，当然，当然是，大人。”她说。

“那就这样吧。”城主说道，然后才放手让她走——他刚刚一直在摩挲她的手臂和肩膀，她转身便快步离开，内心一边狂喜，一边向着侍女们走去。但城主走进凉亭前，又瞄了她一眼。

## Chapter 37

# 生死竞技

与此同时，奥獭队长将拉尔夫带到了用木桩临时围起的竞技场，看得出场地搭建得十分匆忙，甚至还未完全竣工。这位爱普觅斯的年轻人站在那里，身边还有一匹给他准备的良驹，奥獭正和他亲切地聊天。拉尔夫看到城主从大帐篷中出来，径直走向竞技场木桩外草坪边际的象牙宝座，然后落座。此地原本专用于举办竞技类的比赛，也是他们在尤特堡进行训练的场所。随后，夫人的侍女们从各自的帐篷中鱼贯而出，在阿加莎的带领下进入了夫人的大帐篷，很快她们便如一簇簇鲜花般走了出来。她们之中有一位美人，不仅生得标致而且着装华丽，惹得拉尔夫忍不住对她多加侧目。虽然跟那美人隔得很远，拉尔夫还是被其美貌深深吸引。美人走到城主身边坐下，拉尔夫料定她定是在大帐篷前有过一面之缘的城主夫人。其实，乔伊斯虽跟夫人身高相似，皮肤也一样白皙嫩滑，但却比夫人更加明艳动人。

奥獭对拉尔夫说："年轻人，你得独自留在这儿，我要到场地另一边去了，因为我是你的对手。"拉尔夫说："你是第一个吗？""不，我压轴。"奥獭说，"他们会抽出一个将士对付你，如果你输了，那么游戏结束，你将遭受严酷惩罚。如果你赢了，则会有其他人与你进行下一轮比赛，直到最后就是我与你较量了。所以，多加小心啊，年轻人。"

说完他便骑着马离开了，随后一名将士朝拉尔夫走来，递给他一柄长矛，命他骑上马。拉尔夫遵照吩咐骑到马背上，接过长矛。将士说："听到三声号角声后，无论你遇到谁都要开始比赛。准备好了吗？""准备好了，"拉尔夫说，"但这矛头没有敲钝，难道我们要真刀真枪地比赛？"

"你怕了吗，小年轻？"这位将士上了点年纪，脾气有些暴躁，"你要是怕了，就乖乖去回禀城主。不过他才不会取消这场游戏，而是会将你做成人肉弓箭。"

拉尔夫说："我不过是开个玩笑，今夏以来我已两次死里逃生，所以我想今天也不会是我的死期。"将士说："拿我们城主的命令当儿戏可一点儿也不明智。你听到我说的了，听到号角就行动。"

说完他便离开，拉尔夫大笑几声，晃了晃手中的长矛，才发现它并不是很坚固。他自我安慰道，或许其他人的长矛也是如此。

随即号角声便响起，在第三声号角奏响之际，拉尔夫如竞技老手般一马当先，手中牢牢拽着战马的缰绳。他看见一名男子手握长矛骑着马直奔他而来，心想这人应该很是强壮。但仔细一瞧才发现他根本毫无准备，连胯下骑的马似乎都不愿意为他冲锋陷阵。显然，他羸弱到根本无法有效攻击到拉尔夫的盾牌。他在两人相遇的瞬间调转了马头，所以他的矛头连拉尔夫的衣角都未触及。但是拉尔夫却抓住机会靠近他，一把抓住他的脖子，然后猛踢了一脚马刺，将他从马鞍上拽下。随后，拉尔夫默默骑回自己原先的位置，翻身下马，扫视了一眼周围观战的人。他听到围成圈的士兵们爆发出巨大的笑声，侍女们也忍不住笑了起来。而尤特堡的城主则大声呵斥道："找些不是混吃等死的人来，把那个懦夫混蛋带到一边，等会要让他为被他浪费的好酒好肉付出代价。"

拉尔夫又坐上马鞍，一位高大结实的壮士骑着马从竞技场的另一边向他冲过来。拉尔夫原本还担心自己会败给他，不过随后就注意到他的马似乎并未驯服。号角随即响起，拉尔夫踢了一脚马刺直奔对手而去，两人正好在竞技场中心相遇。那壮汉虽然拿起了长矛但武技一般，看起来像是宁愿用它来防御刺击，而非尽力拼杀。于是拉尔夫用盾牌挡过他的攻击，调转马头，用力将自己的矛头刺向对方另一侧的肩膀，矛杆被挡在盔甲外，但整个矛头都穿了进去，木杆浸没在伤口中。武器虽被折断但拉尔夫仍坐在马背上。城主大声喊道："好了，黑勇士安塞姆，你的表现比上一个好点，但你这个大块头竞技老手也败给了那毛头小子。"

随后其他人将他抬下竞技场，拉尔夫再次回到了自己的出发点。

很快又有一个士兵被安排与拉尔夫比武，而他不过是重蹈其他人的覆辙，拉尔夫直接刺中他的盔甲然后攥紧矛杆，他挣扎一番后重重摔下马。

再后来，尤特堡的六员大将都被拉尔夫以同样的方式打翻在地。最后，他与奥獭大战三个回合，前两次双方各将矛头刺中对方一次，但在第三回合奥獭没能真正刺中拉尔夫，拉尔夫却正好刺中他的盾牌。此时奥獭有些摇摇欲坠，无法控制坐骑，只好勉强搭在马背上。

城主见此状大声说道："就到此为止吧！我们一对一没人能打败这个年轻人，要不然奥獭早就赢了。这都源于刻苦训练。"

于是拉尔夫下了马，脱下头盔在一旁等待吩咐。不一会儿，那位面色严肃的军士向他走了过来，递给他一杯酒，说："年轻人，喝了它，然后去见城主。我想你现在已然是城主跟前的红人了。所以如果你心地善良，请你为可怜的红头发求求情，就是第一个跟你比赛的那个可怜人。我们城主会把他捆起来让他头朝下、臀朝上，然后被弓箭手当成活靶子的。他要是能躲过三箭就算他走运，但不消二十箭他必死无疑啊。"

"好，我必当为他求情，"拉尔夫说，"我会照你说的做，就算激怒了城主也无妨。""噢，你不会惹他生气，"军士说，"实话跟你说，你现在正得宠咧。嗯，等你真的成了大人物别忘了给我也美言几句，我不是还给你端了碗好酒吗？""当然，兄弟，"拉尔夫说，"只望我在尤特堡能得以安身立命。这一路真让人心力交瘁！"军士说道："对一个即将在此地大展宏图的人来说，这可不算是个好愿望。不过，来吧，别停留太久。"

他将拉尔夫带到城主面前，城主并未起身，那位绝色佳人仍坐在他身边。拉尔夫向他行了礼，不过仍用余光看了一眼那位看似城主夫人的美人。拉尔夫见她不仅国色天香，而且皮肤白皙，超凡脱俗，简直像是仙女下凡。首次进入山谷时他并未如现在这般仔细打量过夫人，所以现在也没有对她的身份起疑。

城主对拉尔夫说："很好，年轻人，你表现得相当出色，远远超出我的预想。既然你用的是真刀真枪，想必将来到了战场上你也能英勇杀敌。所以我改变了原先对你的看法，你确实是当之无愧的勇士。你若有什么请求，只要不太过分，我都愿意赏赐给你。"

拉尔夫单膝跪下，说："尊贵的君主，万分感谢。我如今身处异乡又有重任在身，除了想要离开之外别无他求，但想必你也不会准许。不过我还有另外一事希望得到你的恩准。无论你是否还对败于我手下的第一个士兵耿耿于怀，都请求你宽恕他的时运不济。"

"时运不济？"城主说，"凭什么，我亲眼看到他一见到你就胆怯了。如果我的士兵都像他这般软弱无能，胆小如鼠，我要他们有何用？不过奥獭，告诉我他叫什么名字？"奥獭答道："此人名叫红头发，城主大人。"城主问："他在战场上表现如何？""并不会像今日这般，城主大人，"奥獭说，"这次他跟我们其他人一样不太熟悉这种武器。而且假如下次作战时少了他，对我们也相当不利。抽他几十鞭子就足以为戒，反正这也不是他第一次受鞭笞了。"

"哈！"城主说，"为什么呢，奥獭，上次是为什么？""他有些毛手毛脚，城主大人，”奥獭答道，“不过他将来对我们还有利用价值。你就免他一死，让他在战场上将功赎罪吧。骑士，这是你给他的恩赐，以后大可从他身上得到更多回报。等我们回到尤特堡，就能看到你将受何等待遇了。”

拉尔夫起身谢过了他，大卫走上前带他回到帐篷，一路上竭力讨好着拉尔夫，仿佛他已然成为能呼风唤雨、随心所欲的大人物。

而城主则再次返回塔堡中。

至于夫人，她一直守候在大帐篷里，心中充满了恐惧和期待。直等到阿加莎回来，告诉她：“尊贵的夫人，到目前为止一切进展顺利。”城主夫人问：“从阵阵喧哗和尖叫声中我猜到他表现出色。但是快告诉我，他到底怎么样？”“夫人，”阿加莎说，“他从头赢到尾，而且似乎对此毫不在意。”

“那乔伊斯呢，”夫人说，“她怎么样？”“她看起来就像是真的城主夫人，从头到脚都不露破绽，加之她身材高挑，”阿加莎说，“很多人都盯着她看，但是鲜少有人认识她，毕竟她才刚到我们这不久。不过显然除了新来的那位骑士，大家都知道坐在那儿的人不是你。城主格外高兴，现在他已经牵着她的手回到塔里了。”

夫人气得面庞通红，问:“那他……跟她靠得近吗？”“噢，是啊，”阿加莎说，“他在城主面前站了好一会儿，后来还单膝跪下请求城主宽恕其中一个手下败将，不过他跟乔伊斯也靠得相当近，似乎只要他敢就能触碰到她，闻到她衣服上的香味了。而且，他有些无所顾忌地一直用余光打量着她，不过我不敢说乔伊斯有冲他微笑。”夫人咻地站起身，脸红得发烫，愤懑地来回踱步，仿佛欲言又止，过了好一会儿才开口：“等我们回到尤特堡，城主再次见到他的新奴隶，就不会再在意乔伊斯了。那时我要好好对付她，让她知道到底我们俩谁才是尤特堡的绝色美人！哼！你怎么看？你怎么站在那儿笑话我？——好，我知道你怎么想的。幸好我心爱的少年还没见过新来的奴隶乌苏拉。跟你说句心里话，要是她落在我手里，我一定会让她说出为什么她要戴那串项链。”

“好啦，夫人，”阿加莎说，“你又轻视自己的美貌了。请平复下心情，万事终将如你所愿，绝对比你预想的要好。可否告诉我，你从城主那儿为我求得免死金牌了吗？”夫人说：“当然了，城主以刀尖发誓你可以随意发表言论，无论是他自己或其他人都不会动你一根手指头。”

“那就好，”阿加莎说，“明天一早等乔伊斯一走我就去找城主。现在你就放宽心，我们逗留在塔城谷的这两天你就避避风头。从今晚开始我便会放出消息，很快就能看到成效，不消一天你就能重现笑颜。”

随后二人之间的谈话便到此结束。

## Chapter 38

# 善意警告

次日清晨，拉尔夫在山谷里随处闲逛，无人前来干涉。沿着小河，他往东面逐渐收窄的山谷走去，看到一个男人坐在河岸上钓鱼。他越走越近，那男人转过头一看到他，就放下鱼竿站起身来，转身对着拉尔夫，双手垂在两旁，看起来十分腼腆。拉尔夫心里一边想着这是何人，一边揣测他意欲何为。于是他开口道："你好，伙计！有何贵干？"那男人说道："我想向你表示感谢。""为什么？"拉尔夫问道，当他再认真打量他，才认出原来是红头发——他昨天在城主面前求得赦免的对手。于是他伸出双手，握住红头发的双手，面露善意的微笑。红头发正视着他，虽然他长得又高壮又粗犷，但并不像歹恶之徒。

他说道："尊敬的大人，日后若有机会，必定为你效劳以作回报，但身处地狱，行善谈何容易，更何况我早已与恶魔同行。"

“是吗，事情已经坏到这个地步了？”拉尔夫说道。“对你还不至于，”红头发说道，“但也快了。听着，大人，眼下我们附近没别的人，所以我必须马上跟你说这句话，再晚就太迟了——无论发生任何事，千万别去尤特堡。”

“好吧，”拉尔夫说道，“若真被带到那处我又会如何？”红头发说道：“我留意到，你现在备受优待，在营地附近也可以随意走动，无人阻拦。所以只要趁着天黑或是阴天，又或是清晨薄雾时，便可轻易离开。只要你能走到一处山隘——那处地形我稍后跟你细说，自可脱离困厄。但无论如何，听我说，别去尤特堡。你光明磊落，不会像我们一般自甘堕落成恶魔，所以你会受尽折磨，直至一命呜呼，那条路只会带你去天国报到。”

“但你刚刚也说了，”拉尔夫说，“城主对我恩典有加。”“没错，”红头发说道，“直到他让你干些龌龊勾当而你抵死不从，你一定不会答应的，那时恩典便一去不复返了。因为我知道城主在你身上的打算。”“是吗，”拉尔夫说道，“他打算如何？”红头发说：“他打算把你赏给夫人当她的玩物和男宠，如果她对你难以自拔，你还可以逍遥快活一阵子。等你被玩够了，夫人也心生厌倦（她变得比风向标还快），城主便会向你下手，把你变成阉人再赶出尤特堡，让你沦为众人的笑柄，因为他早已对你心生怨怼。”

拉尔夫站着掂量他的这番话，这与他心底的预感不谋而合。可他又如何能放弃那正在尤特堡等他解救的少女呢？但他转念一想，若他们在城里相遇又被发现，岂不是害了自己也连累了她？

终于他开口道："好伙计，也许你这番话是真的，但我若冒险逃跑，不去尤特堡，我又怎么知道是真是假呢？人人都认为在那等着我的是荣耀加身。"

红头发说："尤特堡没有荣耀可言，即使有也分文不值。而你却要大难临头了，告诉你我怎么知道的吧，因为我感念你的恩德，还有你的铮铮侠骨。我是昨晚从城主夫人一个近身侍女那知晓的，她也是城主的心腹，我一听到便对这件事上了心。所以我请你千万小心，对我来说，失去你要比你被赶走更让人伤心。"

"那好，"拉尔夫说道，"我们在河岸边坐下细说，但你继续钓鱼，以防有人看见。"

于是两人坐下，红头发一边依拉尔夫所言继续钓鱼，一边说道："大人，我已经说过你必须逃走。但在这片山岭要逃走并不容易，从这里前往尤特堡途中只有一处关隘你能成功脱逃，我们从这里启程后的第二天便会在那附近扎营过夜。但我事前说明，那不是懦夫能走的路。因为这条路穿过森林直通大山深处，即便如此，像你这样坚强无畏的勇士，我认为值得一试。现在离开这伙乌合之众还算容易，但你要尽快下定决心，因为剩下的时间不多了。一旦你回到尤特堡，迎接你的将是一场盛宴，到时宾客满座，会有人亦步亦趋地跟着你，逃走的难度跟现在就不是一回事了。所以现在这样定下来：就在启程后的第二晚，那里不仅有密林掩护你，还有我负责看守你那边的营帐，到时我可以放你出去。若我能更得你欢心，我会建议你带上我一起走，但照眼前的形势，我就不劳你费心去考虑这件事了。"

“不错，”拉尔夫说道，“之前我在这片山岭中也有一个领路人，但他最终背叛了我。事关生死，所以我必须开诚布公地问：我怎么知道你不会背叛我呢？”

红头发跳起来，咆哮着说：“那我该怎么说？该怎么说？以我父亲的灵魂起誓，我不会背叛你。若我背叛你或出卖你，愿尤特堡承受的诅咒七倍反诸我身！”

“轻点声，伙计，轻点，”拉尔夫说道，“以防隔墙有耳。消消气，我真的相信你了，你一提到这事就这么激动。”

然后红头发又坐下来，这个牛高马大的汉子竟然开始抽泣起来。

“别哭了，别哭了，”拉尔夫说道，“这比你刚才大吼大叫更让人难受。我相信你了，就像相信一个密友，一个多年来惯于直言不讳的朋友。你先冷静一下，我们再从头快速、坦诚地把这事理出头绪，以防不怀好意的人或是好管闲事之徒有所察觉。先冷静！好了，首先，你知道我为什么要来到这片危机四伏、暴虐无道的疆域吗？”

“我听说你在寻找世界尽头的水井。”红头发说。

“那的确是真的。”拉尔夫说道。“若是这样，”红头发说道，“你就更要趁现在逃走了，按照我告诉你的时机和路线逃。因为在那关隘和东境山脉之间的密林深处住着一位智者，他不但对这片山岭了如指掌，而且，也知道水井的所在，如果他对你知无不言，你的寻觅探险之旅就踏上了康庄大道。你怎么想呢？”

拉尔夫说道：“我在想如果真能找到那位智者就再好不过

了。但我从金阁城远道而来还有一个目的。”“什么目的？”红头发问。“这个目的，”拉尔夫说道，“就是尤特堡。”“天国保佑！”红头发大叫，“究竟是怎么回事？”

拉尔夫说：“不知道告诉你这件事是明智还是鲁莽，但我还是相信你。所以听着，我去尤特堡是为了解救一位朋友，这位朋友是位女士——听我说完——这位女士，我确信，直到最近才被转手到尤特堡，之前她一直在集坪山城附近山岭的贼人手中。”



听了这话，红头发目瞪口呆，半晌没再出声，然后他说道：“我现在更要说，逃！逃！马上逃！不错，你找的女人确实在尤特堡。因为只有那么美丽高贵的女子，才会吸引你这同样美丽高贵的男子穷追不舍。但你去有什么用呢？如果你现在去尤特堡，对你对她都是灭顶之灾。要知道，我们都看出了城主心心念念都在这姑娘身上，要是你真的去尤特堡，城主看出了你们之间的爱意，他会亲手了结这段情。若是这样便已是最好的结局。”

“为什么？”拉尔夫问道。红头发说：“在尤特堡，城主的喜恶就是旨意。他为人贪婪冷酷，而且虚伪，他会把姑娘折磨致死，把你变成阉人，并废掉你的四肢，再也不会有人想起你曾经的勃勃英姿。”

“红头发，”拉尔夫深受触动，“虽然你行的并非骑士之道，但你明白士为知己者死的道理吧？”

“当然，我明白，”红头发说道，“如果实在无计可施的话！但你不想把姑娘救出来吗？等你找到世界尽头的水井后凯旋，尤特堡城主便不能像对付一条饿狗那样打发你，那时你就有能力帮助她了。但现在我可以告诉你，甚至向你起誓，只要你出现在尤特堡，你与爱人会面不出三天，她便会香消玉殒。你可以向城主身边比我更亲信的人打听打听。他们的说法跟我不会有任何分别。”

毫无疑问，这正是拉尔夫害怕发生的事情，他对红头发的话无力反驳。于是他静坐着细细思考了一番，终于说道："朋友，我再向你坦诚一个我的打算。我想先逃到密林中，之后再返回尤特堡解救姑娘。”“是吗，”红头发说道，“你打算怎么行事？”拉尔夫说：“如果我不以现在的面目出现，而是乔装打扮呢？那样姑娘或她的仇敌都不会认出我。”

红头发说道：“这方法有危险，但也有机会。然而，有一个办法你可以试试，但首先，你要找到那位智者，向他坦诚你的故事，如果他愿意帮你，他不但会为你换身行头，甚至能帮你改头换面，因为他无所不知。”

“好吧，”拉尔夫说道，“就按你说的在启程的第二晚行事。我会尽力摆脱暴君和他的那帮奴才，除非有新的进展，让我不得不改变行动。所以我想请你在行动开始前给我一些暗示。”红头发说道：“我会的，你最迟会在行动的当晚见到我，但在此之前，我也会想办法跟你接头。”

“那我现在先走一步了，”拉尔夫说道，“我衷心感谢你的帮助，把你当作朋友。如果你想通了想跟我一起走，我会更加欢喜。”红头发摇摇头没再说话，于是拉尔夫沿着原路回到了山谷。

## Chapter 39

# 重获自由

这两天他一直在营地里自由走动，没人敢干涉。但他也没再跟红头发交谈，倒是跟奥獭和大卫走得很近，他俩也十分乐意给拉尔夫作伴。那段时日他根本没见到阿加莎和夫人的踪影，当然在他心里仍误认为在竞技场中坐在城主旁那位肤白貌美女子便是夫人本人。

而真正的城主夫人一直都待在自己的大帐中，时而蜷缩在地板上默默抽泣，或因悲伤而心烦意乱、怏怏不乐；时而走来走去，对挡道的每个人都大发雷霆，无论是侍卫、乐手还是她自己的侍女都没能幸免。

不过在启程前一天夜里阿加莎来见她，一面责备她一面请求她开心点："我已经见过城主并对他和盘托出。虽然我们的计划若未经他首肯就难以实施，但我发现要他同意并非难事。

前几天我播撒的种子正在开花结果呢，你很快就会看到无论我们处于什么险境都能找到靠山。”

“虽然我不明白你的意思，”夫人说，“不过我想你现在总可以告诉我这个计划了吧，给我点希望，不然我会被自己折磨死。”

阿加莎正有此意，于是将整个计划原原本本告诉了夫人。到底是什么计划，我们往后就知道了。阿加莎刚一说完，她立马面露喜色，叫人拿来美酒佳肴，又恢复了往日尊贵高冷的姿态。

第二天一早就是启程的日子，拉尔夫刚刚起床大卫就找到他，说：“城主已经醒来，想找你谈谈你的事情。”于是拉尔夫跟随大卫去了塔堡，只见城主倚窗而坐，奥獭站在他面前，对面还有几位高级将领。城主旁还坐着乔伊斯，似乎在城主眼里当着大家的面牵起她的手、玩弄其纤纤玉指并无不妥。拉尔夫则对她并无其他想法，只一心以为她就是城主夫人。

拉尔夫向城主行过礼后便毕恭毕敬地站在原地等他发话。城主说：“年轻人，我们一直在讨论你，实在难以下定决心让你去做奴隶，因为你不仅年轻有为、出身高贵，而且武艺高强。你愿意为尤特堡效劳吗？”

拉尔夫迟疑了片刻，看了看奥獭，他正在朝拉尔夫做口型，仿佛在说“好的，愿意”。拉尔夫回答：“城主，你对我恩重如山，但我还有个不情之请不知你可否接受。”

“说吧，勇士，”城主皱眉说，“什么不情之请？不妨直言，也好早些了结这桩事。”

“城主，”拉尔夫说，“可否赐予我自由选择的权利，无论我最终决定是否跟随你到尤特堡？”

“为什么这么问，瞧你说的什么话！”城主有些不耐烦地说，语气中带着酸味，“你当然能自己做决定。难道我没告诉过你，你是自由之身吗？”拉尔夫屈身单膝跪下，说：“城主，感谢你恩准我离开，让我得以继续完成任务，这对我而言意义深重。”城主此刻脸色更加阴沉，转过身说：“奥獭带这位骑士离开吧，把盔甲和武器都还给他，再给他配匹好马。之后就随他去，他愿意跟随我们也好，要独自离开也罢。如果他铁了心要去荒原流浪于群山之中，也随他去。不管他要去哪儿都不可让人横加阻拦，反而要竭力予以帮助，听懂了吗？带他下去吧。”

拉尔夫连连表示感谢，但城主并未在意，只是冷冷地斜眼看了他一眼，然后起身牵着那美人的手向另一个寝殿走去。美人迈着小碎步倚靠在城主身上，对他轻轻说了什么然后笑了笑，城主也随即开怀大笑，抚摸着她的脖颈和双肩。

高级将领们纷纷转身走出了塔堡，拉尔夫满心雀跃地跟着奥獭也走了出去，像只快乐的鸟儿。奥獭看着他，粗声粗气地说：“是啊，你现在就像是一只刚被放出笼子的小麻雀，但我却看到了绑在你腿上的线，你还浑然不知呢。”

“为什么？那怎么办？”拉尔夫问，看起来有些吃惊。“听着，”奥獭说：“这附近除了我俩没有外人，所以我就直说了，毕竟从我们站在统一战线起我就十分欣赏你。你是不是认为自己真的自由了，等我们一离开你就能独自骑马往回走？我敢打包票你到时候一定会遇到危险，而且很快就会成为别人的猎物。”“怎么会，”拉尔夫说，“城主不是答应我的请求了吗？”

奥獭说：“我想他不至于残忍到要故意玩弄你，但他一定打算竭尽所能榨干你的价值。如果他不是用你去取悦他的妻子（直到她对你失去兴趣），那么他就会将你用在其他地方。老实说，我想他会让你当我的手下听我差遣，或者某些情况下也可能成为我的对手。所以你将成为他的另一位首领。”他笑了笑，然后继续说，“但如果你不够谨慎，那么你可能会丢掉这个头衔，然后发现自己又成了奴隶或者阉人。”这话让拉尔夫勃然大怒，不假思索地问：“是吗，如果我逃出他的掌控，他又怎么利用我？”“噢，年轻人，”奥獭说，“从哪儿逃，你还能逃出他的手掌心？”

“为什么不能，”拉尔夫生起闷气，“难道你们城主是世界之王吗？”“不是，”奥獭队长说，“不过至少也统领着世界的一部分。这么说吧，从尤特堡到金阁城、尤特堡到群山、尤特堡以北和以南一百英里内没有你的容身之地，除了那片辽阔的荒原，不过那儿可能也不行，他只要吹声口哨就能把你从那儿抓出来。怎么，骑士！别垂头丧气的。跟我们回尤特堡吧，这才是你需要的。聪明点，城主也就没理由惩罚你。最重要的是小心别因为任何女人惹他生气。谁知道呢，”，他压低声音，如同耳语般，“没准我们两个统治了尤特堡，到时就能呼风唤雨，享尽荣华富贵。”

拉尔夫此刻稳定了情绪，也愈加谨慎，所以摆出一副赞同奥獭的提议的样子，显得十分开心。他心里确实为能摆脱奴隶的身份而高兴不已，现在他比以往任何时候都更坚定，一定要等到与红头发约定的时间秘密出逃。

随后奥獭说：“很好，年轻人，我很高兴你接受我的提议，因为你若离开的话，城主很可能借此与你为敌。”

“他不会有这个借口的，兄弟。”拉尔夫回应道，“不过能否告诉我，我们一路上走的是到尤特堡最近的路吧？”“没错，”奥獭说，“很快我们就会到达一片大树林，它覆盖了我们到极厄高地甚至高地以外的所有必经之路。因为极厄高地一直以来都是矗立于茫茫林海的一方小岛，位于大山脉脚下，并且竭力沿山脉向上发展，然而岛上无论何处我国的城墙及其墩柱都被摧毁了，只留了点末端连接着大路，所以正如我之前提到过的，我们得绕着它走过去。那片树林简直是个悲惨世界，不过倒是野兽猎食的好地方，有不少从大山脉来的飞禽走兽，野狼、黑熊，对了，还有狮子，在那里人类可找不到什么收获。通常都是一无所获，不过听说也有人满载而归。”

“为什么？”拉尔夫问。奥獭说：“那条路与通往世界尽头的水井的那条路相连，前提是要能找到后者。一旦我们结束了尤特堡的事务，我愿意带着你一起去探寻，小伙子，从你问我的那些问题我早看出你有这想法。”

拉尔夫努力保持镇定，泰然自若地说：“好吧，首领，这倒有可能会实现。请告诉我，是否有什么路标显示那就是通往水井的路呢？”

“听去过的人说，”奥獭回答道，“只有一个标志，就位于去往大山脉的那条路上。那里立着一块黑色的岩石，上面刻画着一个圣战士或是个可怕的巨人，毕竟有些年头了，看不太清。至于其他的标志我就不知道了，知道的人中也没几个还在世。但有一位智者就住在群山下的树林中，人们常常去找他答疑解惑，因为他无所不知。而且据说只要他愿意，他就能告诉你所有的路线，甚至告诉你路上会遇到的危险以及化险为夷的方法。好啦，骑士，等到那一天我会跟你一起去的，好在他还没有那么难找。如果他跟我们投缘，自然会回答我们的疑问。但是现在，你看，他们已经收好了我们的帐篷和夫人的大帐。所以快去骑上马吧，这是命令。”

“遵命，”拉尔夫答道，他正好奇地望向城主夫人的帐篷，“那边夫人的轿子已经启程了吗？”“是啊，当然。”奥獭说。

“那轿子肯定是空的。”拉尔夫说。“或许是，或许不是，”奥獭应道，“我得赶紧去召集手下的士兵了，回尤特堡的路上见吧。”

说完他便转身离开了，拉尔夫也跨上马，不远处的大卫也已端坐在了马鞍上。终于启程了，整个队伍慢慢走出山谷，拉尔夫则紧跟着大卫。此时的队伍可称得上浩浩荡荡，不少马车也加入了他们的行列，车上驮着食物、羊绒和其他家用器具，此外还有一群牛羊，这些都是这两天城主的手下从物产丰富的村里收来的。不过城主仍然留在了塔堡。

Chapter 40

# 前往极厄高地

他们沿着一条人们常走的大路骑行，经过塔堡，又翻上山谷的山脊，终于看到了群山那令人生畏的全貌，一片林海从此往前延伸，延绵起伏，形成两道波浪，最终拍在暗青色的山体上，散落成零星的灰暗浪花。他们沿着道路前进，下了坡，走到山谷底部，在这里，他们一直走的山路像是一道划开田垅的壕沟，把耕地和围有栅栏的牧场和林海的边缘分开。那片狂野的林海一直在山路的右边，那些树如此之高，以至于当他们骑到山谷底部时几乎把山岭完全挡住。直到山路又翻上山脊时，树木间的距离稀疏了一些，他们才重新看到林海和山岭。而在路的另一边，灌木丛不时地延伸到路上。

此时，大卫正赶着运货马车与牛羊，但车马始终行速缓慢、施施而行，最后城主侍卫队的先遣部队几乎要赶上来了，拉尔夫还在驱赶着队伍。大卫制止了他，表示他们无论如何也无法赶在城主夫人的前头了，甚至得跟她的人马一块儿走。因此众人都放缓了脚步。待到黄昏迫近时，他们忽然听见身后传来阵阵轰隆的号角声和马儿的嘶鸣声。大卫将拉尔夫一把拽到路边，所有的人立刻反应过来，闪到路边。拉尔夫还没来得及问发生了什么，只见一队全副武装的士兵骑着高头大马，由队长奥獭率领，风尘仆仆而来。城主紧跟其后，骑着一匹黑色战马。有一女子跟在城主身边，骑着一匹白色小马，轻柔的衣袍随风飘动，金黄色的秀发如瀑布般四散飞扬。拉尔夫曾在塔堡与她有过一面之缘，心里把她当作是城主夫人。很快，城主的队伍过去了，大卫与拉尔夫也携众人跟上他们。

拉尔夫这时说道："夫人骑马甚是英姿飒爽。""当然。"大卫一边答道，一边在脸上挤出一个古怪的笑容，似乎另有深意。拉尔夫看着他，突然想起这并不是他们刚进塔城谷时见过的那位夫人，他便说道："难道，难道这女子并非城主夫人？"

大卫沉默了一会儿，然后回答："骑士先生，有些事情是我们这些国王的侍从三缄其口或绝口不提的，你最好也一样。"言毕，他没再说什么。

# Chapter 41

# 红头发如期赴约

当天整支队伍只行进了不到二十英里，便停在路边开始安营扎寨，这是一处丰美的草地，可以一窥茂密的林中深处。不得不提一下，拉尔夫下马后，士兵和将领便召集马童将拉尔夫的马牵走。红头发朝拉尔夫挑了挑眉毛，似乎在问他什么问题。拉尔夫读出他是在问，明天夜里是否出逃，于是略微点点头表示肯定，仅以此回应红头发，并不想让其他人注意到。

次日，天未亮，拉尔夫被营地里的一阵骚动吵醒，他听到人群的高呼声和牲畜的低声嘶吼。瞧瞧外面，运货马车和牛羊已经在准备上路，这样在大部队启程前他们就先走上好一段路程。不过拉尔夫对此并不关心，于是他又回去睡下。

等天已大亮他才起来，发现大家并没有急着上路，而是在树丛边休息或是在草地上玩乐。于是他在士兵和奴仆之间随意闲逛，无意间遇见了红头发，便向他打了声招呼。红头发见附近并无旁人，于是警惕地看着他，压低声音、语速极快地说："今晚一定要来！一定！昨天我又听到知晓内情者说，你若去尤特堡会有什么等着你。所以，如果你不来，我敢说会让你后悔一辈子。"

拉尔夫点了点头，说："别担心，我不会爽约。"之后二人便各行其是，以防被其他人发现。

正午前两小时，他们再次骑上坐骑出发了。少了马车和牲畜的阻碍，这次行进速度快了不少。那天他们沿着大路行走在丛林的边缘，有时甚至会靠近树林最密集之处。有时则会爬上山坡，俯视 1 里格[①]接着 1 里格的茂密丛林，在庞大的山墙遮挡下，树林只留有极少的空隙，不过通常情况下，它将一切都藏匿其中，只让人看到身边的几棵大树而已。

他们又行进了大约二十英里，日落前在林子某处安顿下来，这地方称不上草地，只能说是林中空地。在他们左手边一弗隆远的地方矗立着高大的树木，右手边掷石所及之处也同样生长着茂盛的丛林。

拉尔夫自从下马后就没见过红头发，而大卫则习惯性地走进他的帐篷找他聊天。两人索性一起用了晚餐，其间大卫不停地劝拉尔夫多吃点，还频频以健康为由向他敬酒，酒足饭饱后大卫说："夜色未浓，啊，但这已然是新的一天。我得走啦，约了个人他要低价卖给我一匹好马。所以就留你一个人吧，毕

---

① 里格，长度单位。在陆地上时，1 里格通常被认为约为 4.8 公里。

竟你已经是自由人了，祝你晚安。”

大卫前脚刚走，红头发后脚就闯了进来，用着一贯粗哑的嗓子问：“这个，骑士，这就是你让我重新染过的缰绳，你看合用吗？”他见四下无人，便轻声说道：“我听那老混蛋叫你自由人，但我担心你并没有他所说的那么自由。无论如何，我要是你，离这儿两小时骑程远之后才是真的自由，不是吗？”

“是啊，没错。”拉尔夫回应道。“那就好，”红头发点点头，他说，“我想两小时后一切都会恢复平静，我们尽量靠近密林。今天没有月亮，但是夜空无云，繁星璀璨，所以你要做的是走出帐篷，然后立即右转。悄悄跟我出去，我演示给你看。”

他们一同走了出去，红头发小声说：“你看，那边有棵枯掉的橡树，在星光下看着就像是个干草堆，如果你看到了它，我们就马上回帐篷去。”

拉尔夫转身拉着红头发往回走，等他们进到帐篷里才说：“是的，我看到了，然后呢？”

红头发说：“我会在那儿等你。”“我必须徒步去吗？”拉尔夫说，“或者我怎么才能弄匹马？”“我已经为你准备了一匹良驹，”红头发说，“不是你骑的那匹，这匹马比那匹好得多，而且今天还没驮过人。给我递杯酒吧，喝完我就得走啦。”

拉尔夫为他斟了一杯酒，又给自己倒了一杯，说：“我向你保证，朋友，祝你好运。我真心希望你能跟我一起逃出去。”

“不，”红头发说，“我不能，我不能让你被我的霉运拖累……而且我或许能在尤特堡得到我一直苦苦追寻的东西，一旦我真的得到了，我一定会好好教训一下那里的恶魔。”

“那好，”拉尔夫说，“祝你一切顺利。”红头发支支吾吾地说：“同样也祝福我曾对你提起的那位侍女。我不能在此长留，以免被人撞见，所以我再对你最后说句话。亲爱的大人，或许你对离开尤特堡还有所顾忌。虽然你在找的那位姑娘肯定去过那儿，但是你也无法保证一定能在那找到她。凡是在城主和夫人身边的人最终都会离去，那地方缺丁少口。你说的那位姑娘聪明机警，而且还有人见过她陪伴在城主身边，凡是见过她的人无不爱上她，凡是爱上她的人无不对她唯命是从。所以我请你一定要坚定冒险出逃的意愿，你想，如果你死在路上，那姑娘必定会为你殉情。但如果你喝到那井水，然后安然无恙地回来，没理由不直接到尤特堡带走那位姑娘，不管谁都阻拦不了你。因为凡是饮过世界尽头的水井的水的人（如果真有这样的人）将在这个国度享有至尊荣誉。我再说最后一句，当我回到尤特堡，如果你的姑娘在那里，我一定会跟她说上话，跟她谈起你，告诉她你心向之物以及她在你心里的位置。”

随后他便急急忙忙地转身离开了。

拉尔夫此刻孤身一人，希望和恐惧交织，让他内心无比复杂，想要见到那位姑娘的渴望也愈发强烈。虽然他已经确定要离开这里，去寻找前面提到过的那位智者，但他心底却浮现出一幅画面：在这昏君回到尤特堡后，那姑娘要如何与之苦苦周旋。他抑制不住地幻想她与那暴君会面的场景，她内心的恐惧痛苦甚至羞耻、绝望之情。拉尔夫忽然感觉度日如年，他必须先逃出去，再想办法让她摆脱奴隶的身份，并将她从暴君手中解救出来。